실무에 바로 활용하는
프로젝트 관리 템플릿

공저 민택기 · 김동휘 · 김승식
심재필 · 전재영 · 조홍건 · 최경선

NODE MEDIA
노드미디어

머리말

오늘날 우리 사회는 지속가능한 발전을 위해 다양한 변화를 시도하고 있다. 기업은 생존을 위한 변화를, 사회는 복지를 고려한 생활환경을 제공하기 위한 변화를, 그리고 개인은 더 나은 삶을 영위하기 위한 변화를 위해 끊임없이 노력하고 있다. 모든 변화를 위해서는 그 성공적인 목표 달성을 위해 효율성과 효과성이 항상 강조되고 있으며, 그 한가운데 많은 관리 기법들이 자리 잡고 있다. 이들 중에서 프로젝트 관리기법은 여러 응용분야에서 검증된 관리 기법 중 하나로 인식되고 있다.

이제는 프로젝트 시대이다. 과거 피라미드 건설이나 수원 화성 축조와 같은 역사적인 프로젝트에서부터 시작된 프로젝트들은 오늘날 건설, 정보산업, 통신, 제품개발, 금융, 연구개발, 방송, 문화 사업 등, 모든 분야에 널리 퍼져 있으며, 작게는 학교 수업에서 수행하는 프로젝트들과 가정에서 일어나는 크고 작은 행사들까지 모두 프로젝트로 간주되고 있다. 우리의 많은 부분들이 프로젝트 환경에 기반하고 노출되어 생활하고 있다. 이러한 프로젝트들에 대한 체계적인 관리는 그 효율성과 효과를 보장하므로, 결국 국가나 사회의 수준은 관리의 수준과 일치한다고 해도 과언이 아니다.

현재 국내 프로젝트관리 수준은 북미나 유럽 국가들에 비해 결코 나은 수준이라 할 수 없다. 이는 경영자 뿐만 아니라 실무자들에게도 프로젝트 관리에 대한 인식이 부족한 탓이다. 또한 체계적인 관리보다는 비정상적인 비상체계를 통해 어떤 방법이라도 동원해서 프로젝트를 달성하려는 잘못된 관행이 아직도 잔재하고 있다는 것이 바로 현실이다. 이들 관행은 정상적인 관리 행위들을 인정하지 않고 결과지향적인 활동 중심으로 관리를 행하기 때문에, 비록 결과를 달성했을지라도 그 성과가 미흡할 뿐만 아니라 그 부작용도 다수 발생한다. 이러한 이유로 국내 환경에서는 올바른 프로젝트 관리의 이해와 함께 그 필요성에 대해 정확히 인식하는 계기가 필요하다.

기업이나 조직에 프로젝트 관리체계를 도입하기 위해서는, 프로젝트 관리 인프라, 프로젝트 관리 절차와 표준, 인식전환을 위한 변화 관리 등이 요구된다. 이 세 가지가 동시에 추진되어야 하지만, 많은 조직들이 프로젝트 관리를 위해 가장 먼저 시작하는 것이 프로젝트 관리 소프트웨어 도입과 같은 프로젝트 관리 인프라 구축이다. 이는 단순히 도구만을 먼저 준비하는 방법으로써, 직원들의 필요성 인식과 함께 그 도구를 용이하게 사용할 수 있는 절차와 표준이 함께 마련되지 않는다면 프로젝트 관리체계 도입은 실패하게 될 가능성이 높을 것이다.

저자들은 본서를 통해 프로젝트 관리를 적용하는 조직에게 유용한 표준 및 템플릿으로 활용할 수 있는 실무 지향적 내용을 제공하려한다. 체계적인 프로젝트 관리를 위해서는 각 프로젝트 유형에 적합한 프로젝트 관리 방법론이 개발되어 적용되거나, 프로젝트 팀이 적용할 수 있는 프로젝트 관리 템플릿을 포함한 절차 및 표준이 요구된다. 새로이 이들을 개발하기 위해서는 많은 시간과 노력이 필요하므로 처음부터 이를 시도하려는 기회를 반감시킬 수 있다. 본서에서 제공하는 많은 프로젝트 관리 양식과 그 예시는 프로젝트 관리 방법론이나 템플릿을 개발하려는 조직에 충분한 기초를 제공할 것이다.

국내에서 프로젝트 관리에 관심을 가진 실무자들은 PMI®(Project Management Institute)의 PMP®(Project Management Professional)자격 혹은 OCG의 PRINCE2®자격 취득에 많은 관심을 갖고 있다. 현재 국내 PMP 자격 취득자의 수가 약 10,000명을 상회하지만, 이들이 자격 시험을 준비하기 위해 학습한 내용을 바탕으로 프로젝트 관리를 적용하는 데는 한계가 있다. 자격 취득 후에 학습한 문서들을 직접 작성을 시도할 때, 어려움을 겪는 경우가 많으며 작성에 많은 시간과 노력이 요구된다. 그러므로 이들에게는 실제 적용 가능한 양식이나 예시들이 더욱 필요할 것이다. 특히 PMI는 PMBOK®(Project Management Body of Knowledge)에서 많은 프로젝트 문서들을 제시하고 권장하고 있지만, 거기에는 단순히 문서에 포함될 내용들을 간략하게 정리하고 있을 뿐, 구체적인 예를 제시하고 있지는 않다. 뿐만 아니라 일부 PMP 수험서나 해외 서적에서도 일부 문서 양식과 간단한 예시만을 제시하고 있을 뿐 구체적인 예들을 기술한 내용은 찾기 어렵다. 이에 본서는 프로젝트 관리에서 요구되는 다양한 문서 양식과 구체적인 예시를 제공함으로써, 프로젝트 관리 전문가 및 PMP 자격을 보유한 사람들에게 좀 더 쉽게 프로젝트 관리기법을 적용할 수 있는 기틀을 마련해 줄 것으로 기대한다. 뿐만 아니라 PMP 자격시험을 준비하는 사람들에게도 PMBOK 내용을 더 쉽게 이해할 수 있는 예를 제공하여 자격 취득에도 도움이 될 수 있을 것으로 생각한다.

프로젝트 관리에 사용되는 각종 문서들의 형태는 응용분야마다 다르며, 프로젝트 관리 지침서나 방법론 마다 다르다. 본서에서 저자들은 세계적으로 가장 많이 사용되고 통용되는 PMI의 PMBOK에서 요구하는 문서들을 중심으로 그 양식과 문서 내용의 예를 가상의 프로젝트를 통해 대부분 제시하고 있으며, 전체적인 문서 구성 및 구분 또한 PMBOK에서 제시하는 프로세스 그룹별로 기술하였다. 1장은 프로젝트 관리 개요에 대한 설명이며, 2장부터 6장에 이르는 내용은 프로젝트 관리 프로세스 그룹인 착수, 기획, 실행, 감시 및 통제, 종료 순으로 전개하였다. 그 세부 내용에서는 각 프로세스 그룹에서 요구되는 문서들을 제공하고 있으며, 특히 하나의 특정 문서에 대해서 가급적 건설 산업과 정보기술(IT) 산업의 두 가지 가상의 예를 각각 제시하고자 노력하였다. 이는 국내에서 프로젝트 관리기법 적용을 가장 활발하게 시도하고 있는 대표적인 응용분야가 바로 건설 산업과 IT 산업이기 때문이다.

집필진은 모두 건설과 IT 분야에서 상당한 프로젝트 관리 경험과 지식을 보유한 전문가들로서, 템플릿으로 활용될 것으로 고려하여 단순화하고 생략된 부분이 없지 않지만, 실무에 가장 가깝고 필요로 하는 내용들을 신중하게 선정하여 작성하고자 노력하였다. 국내에서 집필된 유사한 실용서적이 부족한 상태에서 선도적으로 시도한 본서가 국내 프로젝트 관리 보급과 발전에 도움이 될 것임을 확신하며, 어려운 가운데 출판에 도움을 주신 분들에게 진심으로 감사의 뜻을 전한다.

2013년 3월 저자 일동

목 차

1

프로젝트
관리 개요

1. 프로젝트 관리 개요

1.1 프로젝트의 특성

프로젝트는 기업의 전략을 실행에 옮기는 수단이다. 아무리 훌륭한 전략일지라도 적절하게 실행되지 않는 전략은 그 가치를 상실하게 되므로, 기업은 생존하기 위한 다양한 전략을 구상하고 그 전략을 달성하기 위해서는 전략과 일치되는 사업들을 수행하여야 한다. 프로젝트를 사업이라는 용어로 번역하여 이용하는 경우도 있다. 기존 조직의 개선, 신제품 개발, 새로운 관리 시스템 도입, 지속적인 사업 수주 등으로 기업은 생존할 수 있으며, 이 사업들이 모두 프로젝트로 수행된다.

프로젝트는 기업의 규모나 분야를 넘어 다양한 형태로 존재한다. 제품 개발과 같이 기업이나 조직에서 내부적으로 요구되어 착수되는 프로젝트가 있으며, 이에 반하여 외부 기업이나 고객의 요청에 의해 계약을 이행하는 프로젝트가 있다. 산업분야 측면에서 보면, 건설, 정보산업, 연구개발, 제품개발, 문화산업 등에서 다양한 프로젝트들이 존재하며, 응용분야의 예를 보면, 전사적 자원관리, 고객관계관리, 공급체인관리, 식스시그마, 제품개발시스템, 시스템통합 등의 다양한 프로젝트들이 존재한다. 그 밖에도 생활 주변에서 발생하는 여행, 이사, 행사 등의 작은 프로젝트들도 우리 주변에서 흔하게 볼 수 있는 것들이다.

프로젝트 관련 이론은 프로젝트 운영이라는 관점에서, 일반적으로 생산 운영관리 분야에서 이론적으로 다루어지고 있지만, 그 특성의 차이는 명확하다. 일반적으로 프로젝트의 특성을 설명하기 위해서는 프로젝트와 운영의 차이를 통하여 그 차이점을 제시한다. 프로젝트는 한 차례 생성되어 소멸되는 일회성 사업이지만, 운영은 어느 정도 지속되는 특성을 갖는다. 일회성의 프로젝트는 그 시작과 끝이 명확히 존재하기 때문에, 목표로 정한 종료 시점을 달성하기 위한 다양한 노력이 요구된다. 또한 프로젝트는 그마다 산출되는 최종 결과물 또는 산출물이 각기 다르지만, 운영은 동일한 결과물을 반복적으로 산출해낸다. 이렇게 매번 유일한 결과물을 산출해야 하는 프로젝트 특성은 새로운 일을 계획하고 실행해야 하는 상황을 초래하기 때문에, 결국 프로젝트는 새로운 부분으로 인해 태생적으로 불확실성을 갖는다. 이 불확실성은 프로젝트를 정확하게 계획할 수 없게 할 뿐만 아니라, 계획한 내용대로 프로젝트가 진행되지 않는 상황을 초래한다. 결국 프로젝트의 특성은 시작과 끝이 존재하는 한시적인 존재이므로 그 종료 목표를 달성하기 위한 일정, 자원, 범위 등에 대한 관리가 요구되며, 동시에 불확실성을 줄이기 위한 기획, 실행, 감시, 통제 등의 관리 체계가 요구된다.

프로젝트의 불확실성은 또 다른 관리 방식을 필요로 한다. 운영 업무들이 지속적이고 반복적인 이유로 계획을 수립하기가 상대적으로 용이한 반면에, 프로젝트는 불확실성으로 인하여 처음부터 세부적으로 계획을 수립하기 어렵다. 그러므로 프로젝트는 점진적으로 그 계획을 구체화해 나가는 방법으로 계획의 정확성을 높여가야 한다. 프로젝트 초기의 구상 단계에서 만들어진 계획은 개략적인 범위, 일정, 예산을 수립하며, 계획 단계에 와서는 프로젝트의 내용이 구체화됨에 따라 이들 계획도 좀 더 상세하고 구체적으로 수립될 수 있다. 프로젝트는 또한 불확실성으로 인한 부정확한 계획, 그리고 환경의 변화와 같은 여러 요인들로 인해 최초에 수립한 계획에 변경이나 수정이 불가피한 경우가 많이 발생한다. 그러므로 프로젝트는 지속적인 계획과 이에 대한 실행, 그리고 변경을 포함한 통제가 반복적으로 요구된다.

프로젝트는 한 번 시작되면 항상 성공적으로 그 결과물을 산출하지는 않는다. 여러 가지 이유로 도중에 중단되거나 다른 프로젝트로 흡수되는 경우도 있으며, 프로젝트를 완료했다 할지라도 그 결과가 성공으로 간주되지 못하거나 만족스럽지 못한 결과를 도출할 수도 있다. 이는 기업의 전략과 일치시키기 위한 노력으로 프로젝트 존재 자체에 변화가 있을 수도 있지만, 수행하는 과정에서의 성과가 미흡하여 중단되거나 흡수되기도 한다. 그러나 프로젝트는 목표로 정한 시점에 종료되거나 아니면 도중에 중단될지라도 이들은 모두 하나의 프로젝트 생애로 간주된다.

1.2 프로젝트관리의 개념

프로젝트란 전문적인 지식을 보유한 팀원들로 구성된 조직이 주어진 자원을 가지고 주어진 시간에 협력하여 결과를 달성하는 것이다. PMI의 PMBOK Guide에서 "프로젝트관리는 프로젝트 요구사항을 충족시키기 위하여 관련 지식, 기량, 도구 및 기법 등을 프로젝트 활동에 적용하는 것"이라고 정의하고 있다. 다른 관점에서 프로젝트관리는, 성공적인 결과를 달성하기 위해, 주어진 범위를, 주어진 시간 내에, 주어진 원가 예산으로, 주어진 품질 수준에 맞도록 수행하는 노력으로 정의할 수 있다. 궁극적으로 프로젝트관리는 범위, 시간, 원가라는 3대 제약조건을 프로젝트에 투입하여 목적을 달성하는 것이 성공을 의미하며, 제약조건을 초과하거나 기대효과를 미충족하는 것이 프로젝트 실패를 의미한다.

프로젝트 3대 제약조건에 품질을 더하여 4대 제약조건으로 표현하기도 하는 이 네 가지 제약이자 목표는 프로젝트관리를 통해 궁극적으로 달성하려는 대상이면서 동시에 관리의 핵심이 된다. 그러나 이들 제약 사이에는 상충 관계가 존재하는데, 일반적으로 범위는 일정과 원가에 영향을 미치고 일정은 원가에 영향을 미친다. 예를 들면, 주어진 범위를 달성하기 위해 시간을 단축하려는 노력을 하기 위해서는 추가 자원 투입이나 생산성이 더 높은 자원을 투입해야 하므로 결국 추가적인 원가 투입을 초래한다. 마찬가지로 원가를 줄이기 위해 자원을 줄이거나 낮은 원가의 자원을 투입한다면, 프로젝트 수행을 위해서는 더 많은 시간이 소요될 것이다. 프로젝트관리는 이러한 상충관계를 고려하여 그 시점에 적합한 의사결정을 수행하는 것을 포함한다.

그러면 프로젝트관리를 위해 실제 해야 할 업무들은 어떤 것들이 있는지 생각해 볼 필요가 있다. 첫째, 프로젝트는 명확하고 달성 가능한 목표를 설정하고 이 목표 달성을 위한 다양한 노력을 수반해야 한다. 둘째, 프로젝트에서 요구되는 모든 사항들을 파악하여 정의하는 노력이 필요하다. 이 요구 사항들은 궁극적으로 프로젝트 범위, 일정, 원가 목표 수립에
기초가 되며, 정확하지 못한 요구 사항 정의는 프로젝트의 변경과 혼돈을 유발한다. 셋째, 앞서 기술한 프로젝트 제약 조건인 범위, 일정, 원가, 품질에 대해 적절한 균형을 유지하여, 이들을 프로젝트 목적이나 전략적 목표에 일치되도록 조정한다. 넷째, 프로젝트 이해관계자들의 기대와 요구를 만족시킨다. 프로젝트관리는 프로젝트 결과에 대한 고객 만족을 먼저 생각하기보다 고객 만족을 위해 진행되는 과정을 먼저 염두에 두는 관점에서 바라볼 수 있다. 프로젝트 진행 동안 관련된 이해관계자에는 고객뿐만 아니라, 프로젝트 관리자, 경영층, 프로젝트 팀원, 공급 및

계약업체, 사용자 등을 포함하며, 이들 모두의 기대와 요구가 지속적으로 만족되어야만 결과적으로 고객 만족이라는 프로젝트 산출물을 얻을 수 있다.

프로젝트관리에 대한 지식 분야를 구분하는 것은 다양하다. 미국 PMI의 PMBOK은 프로젝트관리를 통합관리, 범위관리, 시간관리, 원가관리, 품질관리, 인적자원관리, 의사소통관리, 리스크관리, 조달관리, 이해관계자관리의 10개 지식분야와 함께 이를 5개 프로세스 그룹과 47개의 프로세스로 구분하고 있다. 유럽을 중심으로 한 IPMA의 ICB(IPMA Competence Baseline)는 28개의 핵심 요소와 14개의 추가요소로 구성되어 있으며, 영국을 중심으로 한 APM(Association for Project Management)의 APMBOK®(APM Body of Knowledge)는 프로젝트관리 배경, 전략 기획, 전략 실행, 기법, 비즈니스 및 사업화, 조직 및 거버넌스, 인력 및 전문성의 7개 섹션으로 구성되어 있다. 특히 최근에 많은 관심을 끌고 있는 영국 정부기관 OGC(Office of Government Commerce)에서 발간한 PRINCE2®(Projects in Controlled Environment)는 비즈니스 케이스, 조직화, 계획, 리스크, 진척, 품질, 이슈 및 변경의 7개 프로세스와 7개 주제로 구성되어 있다. 이들 중에 PMI PMBOK® Guide 제5판에 따른 프로젝트 관리의 10개 지식 분야(Knowledge Area) 간략하게 소개한다.

- **프로젝트 통합관리** : 프로젝트관리 프로세스 그룹 내에서 다양한 프로세스들과 프로젝트 관리 활동들을 식별, 정의, 조합, 통합, 조정하는 프로세스들을 포함한다.
- **프로젝트 범위관리** : 프로젝트를 성공적으로 완료하기 위해, 요구되는 모든 작업과 요구되는 작업만을 프로젝트에 포함시키도록 보장하는 프로세스들을 포함한다.
- **프로젝트 시간관리** : 프로젝트의 시의적절한 완료를 관리하기 위해 요구되는 프로세스들을 포함한다.
- **프로젝트 원가관리** : 원가에 대한 산정, 예산결정, 자금조달, 관리, 통제로 프로젝트를 승인된 예산 내에서 완료할 수 있도록 하는 프로세스들을 포함한다.
- **프로젝트 품질관리** : 프로젝트 수행 조직에서 프로젝트가 요구사항을 만족시킬 수 있도록 품질 방침, 품질 목표, 품질 책임을 결정하는 프로세스들과 활동을 포함한다.
- **프로젝트 인적자원관리** : 프로젝트 팀을 구성하고 관리하여 프로젝트 팀을 이끄는 프로세스들을 포함한다.
- **프로젝트 의사소통관리** : 프로젝트 정보의 생성, 수집, 배포, 저장, 검색, 그리고 최종 처리가 시의적절하게 수행되기 위해 필요한 프로세스들을 포함한다.
- **프로젝트 리스크관리** : 프로젝트에 대한 리스크의 식별, 분석, 대응, 감시 및 통제를 수행하는 프로세스들을 포함한다.
- **프로젝트 조달관리** : 작업 수행에 필요한 제품, 서비스 도는 결과물을 프로젝트 팀 외부로부터 구매하거나 획득하기 위해 필요한 프로세스들을 포함한다.
- **프로젝트 이해관계자관리** : 프로젝트에 영향을 받는 모든 사람이나 조직의 식별, 프로젝트에 대한 이해관계자의 기대와 영향의 분석, 프로젝트 의사결정과 실행에 이해관계자들을 효과적으로 참여시키기 위한 적절한 관리 전략 개발 등에 요구되는 프로세스들을 포함한다.

1.3 프로젝트 생명주기

프로젝트는 시작과 끝이 존재하는 일회성 사업이므로 언젠가 종료되는 생명주기를 갖는다. 프로젝트에서 생명주기를 정의하는 이유는 프로젝트의 시작과 끝을 명확하게 정의하기 위해서이다. 그 이유는 프로젝트 시작과 끝이 바로 프로젝트의 범위이며, 동시에 프로젝트관리를 수행해야하는 시작과 끝을 의미하기 때문이다. 예를 들면, 사업타당성조사의 시작이 프로젝트의 시작인지, 아니면 사업타당성조사가 끝난 뒤 사업을 시작하기로 결정하여 착수하는 시점이 프로젝트의 시작인지는 응용 분야마다, 또는 개인들마다 다르게 생각할 것이다. 이렇게 서로 다르게 생각할 수 있는 프로젝트 시작과 끝을 모든 이해관계자들이 알 수 있도록 정의하는 것이 프로젝트 생명주기이며, 이는 프로젝트를 기획할 때 명확히 정의되어야 한다. 그러나 많은 조직들은 유사한 프로젝트를 반복하는 관계로 이미 그들만의 프로젝트 생명주기가 있으며, 특별한 경우를 제외하고는 이를 그대로 적용한다. 그러나 새로운 유형의 프로섹트나 경험이 적은 프로섹트에서는 프로섹트 생명주기를 새롭게 정의할 필요가 있다.

프로젝트 생명주기는 단순히 시작과 끝만을 정의하는 것이 아니라, 전체를 여러 단계로 구분한다. 그 이유는 프로젝트의 불확실성을 줄이기 위함이다. 즉, 한 단계를 수행한 후에 그 결과를 평가하고 다음 단계로 넘어갈 것인지를 결정함으로써 한 단계의 진행에서 발생한 문제를 시정하거나 조치하기에 용이하게 만든다. 또한 매 단계의 시작에서 프로젝트 초기에 결정된 각종 목표와 내용들이 유효한지, 또는 일관되게 유지되는지 등을 검토하여 새로운 단계를 착수하게 한다. 프로젝트 생명주기를 몇 단계로 정할 것인지는 응용 분야 또는 프로젝트 특성에 따라 다르며 각자 적합한 단계를 정의할 수 있다. 생명주기 단계를 정하는 방법은 일반적으로 프로젝트 결과물을 위한 중간 결과물 중심의 개발 단계나 시행 단계 중심으로 구분하는 방법과 프로젝트관리 중심으로 구분하는 방법이 있다. 예를 들면, 전자는 분석단계, 설계단계, 구축단계, 시험단계, 이관단계와 같이 정하거나, 기획단계, 설계단계, 발주 및 구매단계, 시공단계, 시운전단계 등과 같이 정할 수 있다. 후자는 개념단계, 계획개발단계, 실행단계, 종료단계와 같이 정의하거나, 착수단계, 기획단계, 실행 및 통제단계, 종료단계 등과 같이 정의할 수 있다. 일반적으로는 프로젝트 생명주기란 전자와 같은 형태를 지칭하지만, 프로젝트관리방법론이나 프로젝트관리절차 등을 개발할 때에는 후자와 같은 관리단계 중심의 생명주기단계를 적용하기도 한다.

프로젝트 생명주기 단계를 정의할 때, 각 단계의 이름은 그 단계에서 산출되는 대표적인 결과물의 이름을 이용하는 것이 일반적이며, 단계의 수는 보통 4~6단계 정도로 각자의 응용분야 특성에 적합하게 정의한다. 즉, 프로젝트는 응용 분야나 프로젝트 특성에 따라 그들만의 고유한 생명주기를 다르게 정의할 수 있지만, 기존의 잘 알려진 이론이나 사례를 모방하여 정의하는 경우가 다수이다. 프로젝트 생명주기 단계를 정의한 후, 각 단계에 대한 구체적이 내용들을 정의하여야 한다. 예를 들어, 각 단계별로 산출되는 주요 결과물이나 인도물, 각 단계에서 수행해야 할 주요 활동, 그리고 각 단계에서 요구되는 기술이나 자원 등을 정의하여야 한다. 이렇게 정의된 생명주기 단계를 토대로 더욱 상세하게 묘사하는 생명주기 기술서를 작성하거나, 이와 함께 적용할 수 있는 절차와 표준, 그리고 템플릿들을 포함하는 프로젝트방법론을 개발할 수 있다.

1.4 프로젝트 관리 프로세스

프로세스란 동일한 결과물을 반복적으로 산출할 경우에 표현하는 하나의 방법으로, 하나의 프로세스가 만들어지기 위해서는 프로세스에 투입되는 입력물, 프로세스, 그리고 프로세스를 통해 산출되는 결과물로 구성된다. 프로젝트관리는 대부분 프로세스로 표현하는 경우가 많다. 프로젝트관리 업무들은 독립적이거나 단순히 순차적이지 않고, 서로 많은 연관성을 보유할 뿐만 아니라 점진적 구체화라는 특성 때문에 그 업무들도 한 번의 수행이 아닌 여러 차례에 걸쳐 반복될 수 있다. 즉, 하나의 출력물이 다른 프로세스의 입력물이 될 수 있기 때문에 프로젝트관리는 프로세스 형식을 통하여 상호 연관성을 표현하는 것이 편리하다.

프로세스는 상위 개념의 프로세스와 이를 여러 개의 세분화하여 구성되는 하위 개념의 형태로 표현될 수 있다. PMBOK에서는 상위 개념의 프로세스를 하위 프로세스들의 집합으로서 프로세스 그룹이라고 칭하여, 프로젝트관리를 크게 착수, 기획, 실행, 감시 및 통제, 종료의 5개 프로세스 그룹으로 구분하고 있다. 이는 프로젝트관리에 요구되는 많은 종류의 프로세스들을 프로세스 성격별로 구분한 것이며, 일반적으로 착수, 기획, 실행, 감시 및 통제, 종료의 순으로 수행되지만 항상 그 순서를 명확히 보유하지 않는다. 이는 잘 알려진 데밍의 PDCA(Plan-Do-Check-Act) 사이클과 비교할 수 있다. Plan은 착수와 기획, Do는 실행, Check는 감시, 그리고 Act는 통제와 종료와 흡사하다. 이 PDCA 사이클은 한 번으로 끝나는 것이 아니라 계속 반복되는 사이클인 것과 같이, 착수에서 종료에 이르는 프로세스 그룹은 프로젝트가 종료될 때 까지 반복될 수 있다.

종종 프로젝트관리 프로세스 그룹과 프로젝트 생명주기가 혼동되어 이해되는 경우가 있다. 일부 조직에서는 프로젝트관리 생명주기 단계를 착수, 기획, 실행 및 통제, 종료와 같은 명칭을 사용하고 있기에, 프로젝트관리 프로세스 그룹과 유사하여 이를 혼동하는 경우가 적지 않다. 프로젝트 생명주기는 조직이나 프로젝트마다 고유한 단계와 명칭을 사용할 수 있기에 이렇게 유사한 명칭을 사용할 수 있으나, 프로젝트관리 지침서나 모델에서 제시하는 프로세스 그룹들과는 명확히 구분하여야 한다. 즉, 프로세스 그룹은 프로젝트관리를 위해서 수행하는 프로세스들을 그 고유의 성격별로 착수에서 종료까지 각각 묶어서 구분하는 방법일 뿐이다. 그러나 앞서 설명된 바와 같이 잘 알려진 프로젝트관리 지침서들에는 다수의 프로세스들을 포함하고 있으며, 이 프로세스들을 그룹으로 묶을 뿐 아니라 지식분야나 응용분야로 다시 구분하기도 한다. 예를 들면, 프로젝트 원가관리 지식분야에는 원가산정, 예산결정, 원가통제와 같은 프로세스들로 구분하거나 원가산정 및 예산결정, 원가통제와 같이 프로세스를 구분하기도 한다. 이들 중에서 원가산정이나 예산결정은 기획 프로세스 그룹에 속하지만 원가통제는 감시 및 통제 프로세스 그룹에 속하기도 한다.

프로세스 그룹과 생명주기 단계는 밀접한 관계를 갖고 있다. 프로세스 그룹인 착수, 기획, 실행, 감시 및 통제, 종료는 프로젝트 시작에서 착수가 발생하여 프로젝트 끝에서 종료가 발생할 수도 있다. 그러나 많은 경우에, 특히 프로젝트 규모가 커질수록 이 다섯 가지 프로세스 그룹은 생명주기의 매 단계에서 반복적으로 일어난다. 예를 들면, 착수 프로세스들은 프로젝트 시작 단계에서 발생하지만 생명주기의 한 단계의 착수 여부를 결정하는 측면에서도 발생한다. 마찬가지로 종료 프로세스들은 프로젝트 끝에서의 종료뿐만 아니라 각 단계의 종료를 위해 발생하기도 한다. 물론 나머지 기획이나 실행, 통제 등도 동일하게 매 단계에서 발생되지만 투입되는 노력이나 자원의 정도가 단계마다 다르게 적용될 뿐이다. 기획 프로세스들의 경우에 프로젝트 초기 단계에서 많은 노력들이 투입되지만 프로젝트 후반으로 갈수록 프로젝트 계획의 구체화나 변경을 위한 기획 노력이 점차적으로 적게 소요될 것이다. 이와 같이 프로세스 그룹은 생애주기의 전 단계에서 고루 발생한다는 점을 명확히 인식하여야 하며, 생애주기 단계와는 구분하여야 한다.

본서에서는 이 프로세스 그룹별로 적용 가능한 대표적인 문서들의 예시를 제시하며, 각 문서들에 대한 양식과 함께 가상의 프로젝트를 통한 문서 내용을 구체적으로 기술하여 그 예시를 제공한다. 특히 전체적인 내용의 전개는 앞서 설명된 착수, 기획, 실행, 감시 및 통제, 종료의 프로세스 그룹별로 기술되며, 각 프로세스 그룹에서 사용되는 대표적인 문서들을 선별하여 내용을 제공한다.

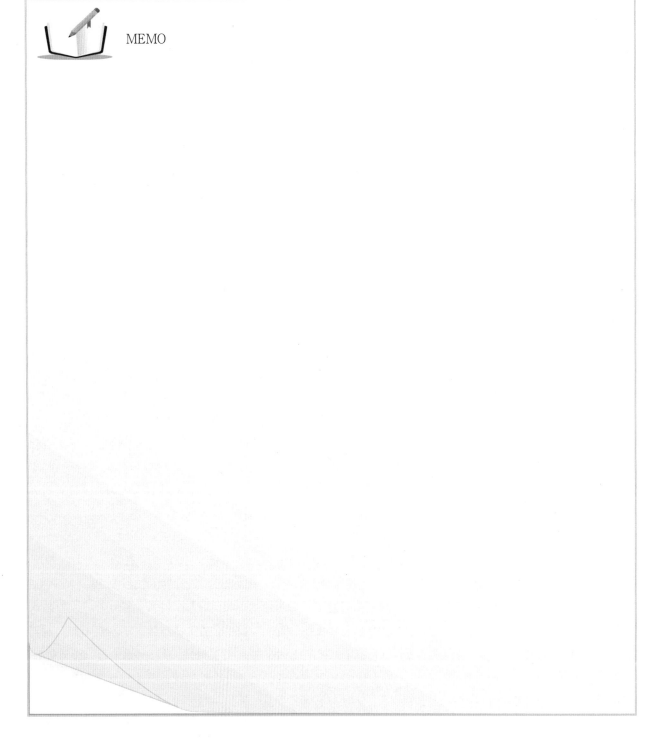

MEMO

2

프로젝트 착수

2. 프로젝트 착수

프로젝트 착수의 개념은 프로젝트 특성과 응용분야에 따라 다양하다. 이는 프로젝트 생명주기를 정의할 때, 프로젝트 시작 시점을 어떻게 정의할 것인가와 밀접한 관계를 갖고 있다. 가장 큰 차이점은 조직 내부로부터 필요에 의해 시작되는 프로젝트인지, 아니면 계약에 의해 시작되는 수탁 프로젝트인지에 따라 그 시작이 다르게 정의될 수 있다. 또한 동일한 내부 프로젝트의 경우에도 다르게 정의 된다. 예를 들면, 선행 연구를 프로젝트에 포함시킬 것인지, 아니면 선행 연구 이후에 상품화 부분만을 프로젝트로 정의할 것인지에 따라 착수에 포함되는 프로세스들의 범위가 다를 수 있다. 착수 프로세스들의 일반적인 내용은, 기업의 전략을 이행하기 위한 프로젝트 포트폴리오와 함께하는 프로젝트 선정, 기업이나 조직의 다양한 필요성이나 외부 요구에 따른 프로젝트 선정 및 결정, 계약을 위한 제안이나 입찰 여부 결정 등으로부터 시작한다. 이 과정에서 수행되는 대표적인 프로세스들은 프로젝트에 대한 정의와 진행 결정이다.

프로젝트 포트폴리오 관리는 기업의 전략을 실행하기 위해 수행해야 할 프로젝트를 선정하고 진행의 균형을 맞추는 일련의 노력으로, 이는 프로젝트 식별과 선정으로부터 시작된다. 이 때 프로젝트 선정은 상위 수준의 프로젝트관리 오피스나 포트폴리오 운영위원회에 의해 이루어지며, 여기서 선정된 프로젝트는 회사의 공식 프로젝트로 확정과 함께 프로젝트 관리자가 임명되기도 한다. 조직의 필요성이나 외부 요구에 따른 프로젝트 선정 및 결정은 기업의 생존, 시장의 요구, 수요 변화, 기술 진보, 법적 요건의 변화, 사회적 요구 등으로 인해 새로운 프로젝트 착수를 필요로 하게 한다. 물론 이들은 프로젝트 포트폴리오 관리와 중첩되기도 하지만 일반적으로 프로젝트를 생성하게 되는 필요성과 환경적 요인이기도 하다. 이러한 필요성과 요인을 고려하여 특정 프로젝트를 시작할 것인가에 대한 타당성 분석이나 예비 분석과 같은 결정이 프로젝트 착수에 포함된다. 수탁 프로젝트의 경우는 고객의 요청에 의해 시작되는데, 고객으로부터 제안요청서나 입찰초청서를 받고, 이에 응할 것인지를 결정하는 것을 포함하여 제안서 작성이나 입찰에 응하는 일련의 과정과 고객과 협상을 통해 계약을 체결하는 과정도 프로젝트 착수에 포함될 수 있다.

프로젝트 착수 프로세스들에는 이와 같이 프로젝트 선정, 프로젝트 관리자 임명, 프로젝트 공식 승인 및 진행 결정 등을 포함하며, 이를 위해 프로젝트에 대한 설명이 포함된 프로젝트 정의가 이루어지며 사업 요구 및 목적, 그리고 사업 기회와 편익 등이 식별되고 정의된다. 착수의 대표적인 문서는 프로젝트 헌장이며 이를 위해 주요 이해관계자를 식별하고 그들의 기대와 요구를 수집하고, 결국 프로젝트를 정의하여 공식 착수와 진행을 결정한다. 여기서 결정된 프로젝트 정의는 프로젝트 초기뿐만 아니라 각 생애주기 단계의 시작에서도 계속 검토되며 수정하고 보완될 수 있다.

〈 착수 프로세스를 위한 체크리스트 〉
- 프로젝트 관리자가 선정 되었는가
- 프로젝트 관리자의 권한과 책임이 정의 되었는가
- 프로젝트 스폰서가 선정 되었는가
- 프로젝트 목적과 목표가 정의 되었는가
- 프로젝트 당위성과 배경이 정의 되었는가
- 프로젝트 진행 결정을 위한 타당성 분석으로 프로젝트가 검증 되었는가
- 프로젝트 환경이 설정 되었는가

- 사업 요구 및 기회가 정의 되었는가
- 프로젝트 자금이 확보 되었는가
- 프로젝트 경계 및 인수기준이 정의 되었는가
- 프로젝트 이해관계자가 정의 되었는가
- 이해관계자 요구사항이 수집되고 정의 되었는가
- 프로젝트 헌장이 작성 되었는가
- 초기 리스크가 식별 되었는가
- 초기 팀원이나 초기 조직이 결정 되었는가
- 경영층 또는 스폰서의 지원 약속이 이루어 졌는가

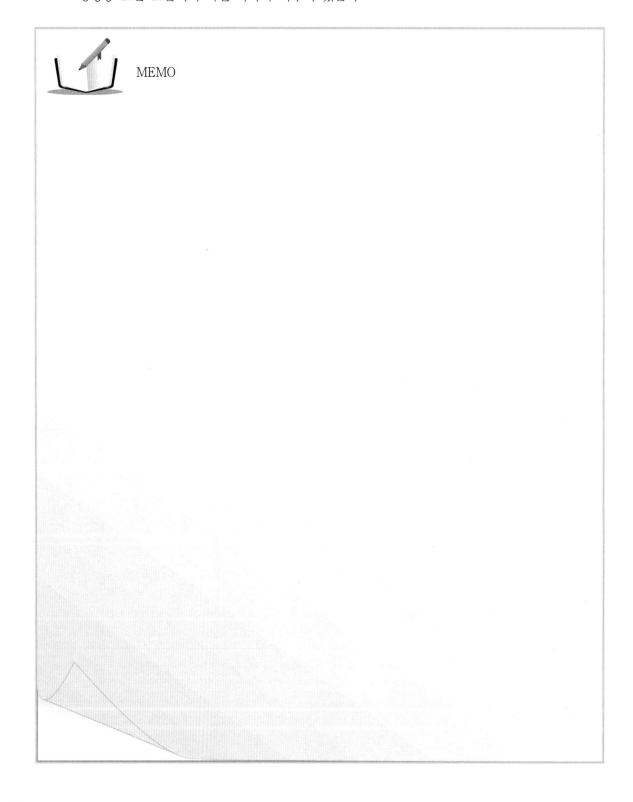

MEMO

2.1 프로젝트 헌장 (Project Charter)

프로젝트명(Project Title) : <u>OO 사업 기본 및 실시 설계 용역</u>

□ 목 적 (Project Purpose or Justification)

- OO 정비 기본계획에서 수립된 처리시설 도입
- 신종유해물질에 대처할 수 있는 처리공정을 도입
- 신재생에너지 도입 및 시설개량 등을 반영한 처리시설의 기본 및 실시설계

□ 개 요 (Project Description)

- 과업 대상지
  - OO시 OO구 OO동 일원 / (   ) ㎡
- 과업의 내용 및 규모(Project and Product Requirement)
  - OO 및 OO사업장 처리시설 도입 기본 및 실시 설계
  - OO사업장 규모 : 83,000 m³ /일
  - OO사업장 규모 : 260,000m³ /일(196,000 m³ /일)

□ 프로젝트 요구사항 (Project and Product Requirements)

- 주요업무의 사전승인
- 과업수행 및 공정보고
  - 착수신고서 및 과업수행계획서등 관련 서류 제출
  - 관계기관 협의
  - 설계자문 및 기술심의
  - 하도급사항
  - 신기술·신공법 도입 등
  - 보안 및 비밀 유지
- 적용기준 및 시방서
  - 관련규정 및 최신기준 시방서 적용
- 선진 설계기술의 도입·활용(필요시)
- 준수사항
  - 과업지시서와 관계법령 및 제 규정에 따라 수행
  - 문제점 및 오류내용 보고

□ 결과물의 인수기준 (Acceptance Criteria)

- "건설공사의 설계도서 작성기준(건설교통부,2005년)" 에서 제시하는 기준
- 모든 성과품의 인쇄는 발주자와 협의하여 승인을 득한 후 실시

○ 성과품은 토목, 기계, 전기, 계장, 건축, 조경 등으로 분리하여 납품

○ 주요공법, 자재 등에 대하여는 과업수행 중 검토사항들이 모두 수록

□ 리스크 범주 (Risk categories)

○ 프로젝트 수행의 기본 전제(Risk-Assumption)
- 수행 방법 :
  - 계약 상대자는 과업지시서와 관계 법령 및 제 규정 등에 따라 성실하게 과업을 수행
  - 과업지시서에 따르고, 명시하지 않은 사항에 대해서는 발주자와 협의하여 처리

○ 제약 조건(Risk-constraints)
- 참가자격 :
  - 엔시니어링산업진흥법 제21조 규정에 의거 지식경제부에 신고를 필한업체
  - 공동도급의 경우에는 공동수급협정서를 제출

□ 프로젝트 세부 내용 (Project details)

○ 프로젝트 범위(Scope) : 1. 조사 및 자료 수집 2. 기본 설계

○ 프로젝트 기간(Time) : 6개월 (착수일로부터 180일간 – 공휴일 및 휴지일수 포함)

○ 프로젝트 비용(Cost) : 845백만원 (부가세 포함)

구 분	착수일로 부터						비용 (백만원)
	1개월	2개월	3개월	4개월	5개월	6개월	
○ 기초자료 및 현지조사	▓	▓					45
○ 타당성조사	▓	▓	▓				250
○ 기본설계				▓	▓	▓	250
○ 설계의 경제성 검토					▓	▓	100
○ 성과품작성 및 보완					▓	▓	100
○ 기타 행정사항 시행 및 협의	▓	▓	▓	▓	▓	▓	100
Milestones	착수보고 및 워크샵 (20XX.XX. XX)		중간보고 및 보고서제출 (20XX.XX. XX)			최종보고서 제출 및 종료보고회 (20XX.XX. XX)	상시보고 (필요시)

□ 프로젝트 추진 조직 (HR)

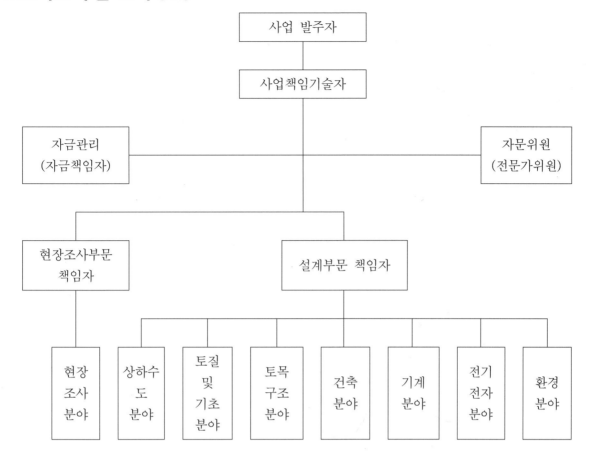

□ 기술 결정의 권한 (Technical Decisions)

○ 사업책임기술자(기술사 및 PE 소지자) : 업무관리능력(일정계획, 품질보증체계, 전문
  가 활용계획 등)
  - 사업의 총괄 관리 및 책임, 자금 집행의 권한 및 관리 책임 위임
○ 분야책임 및 참여 기술자(유사용역수행자) : 기술능력(관련 경험, 수행상 주안점, 성
  공조건, 추가제안 사항 등)
  - 상하수도, 토질 및 기초, 토목구조, 건축, 기계, 전기, 환경 분야 실무 책임

□ 분쟁 해결 방안 (Conflict Resolution)

○ 문제점 분석 및 처리 대책
  - 책임기술자는 사업계획, 설계 및 시공과정 등 단계에서 발생가능한 문제점 적시, 처리대책
    수립
  - 제시된 문제점은 공사기간, 공사비 등 핵심적인 사항과 경미한 사안으로 구분
  - 공사기간 및 공사비 등 핵심적인 문제는 공기단축, 설계VE 등 다양한 대안 제시
  - 책임기술자는 수행과정에서 발생 가능한 민원(소음; 악취등)을 제시, 예방을 위한 민원방
    지계획 수립

프로젝트 헌장 (Project Charter)

프로젝트 명(Project Title) : _____

☐ 프로젝트 개요(Project Description)

- ○ 프로젝트 스폰서(Project Sponsor) :
- ○ 프로젝트 관리자(Project Manager) :
- ○ 프로젝트 고객(Project Customer) :

☐ 프로젝트 추진 배경 및 필요성(Project Background and Business Needs)

- ○ 추진 배경(Background) :
- ○ 사업 필요성(Business Needs) :
- ○ 사업 필요성 관련 산출물 범위 명세(Scope Description) :
- ○ 관련 전략계획(Related Strategy Plan) :
  - 중장기 발전계획 :
  - 사업목표 및 추진계획 :

☐ 프로젝트 및 제품 주요 요구사항(Project and Product Requirements)

- ○ 통합정보체계의 단계별 사업수행으로 대국민 서비스 품질 제고 및 서비스 범위 확대
- ○ 법·제도 개정에 따른 1단계 서비스 고도화로 변경된 업무처리 절차를 지원하여 안정적인 운영기반 확보
- ○ 통합시스템 신규 개발로 법률 시행에 완벽히 대비하고, 업무 처리의 신속성 및 투명성 강화
- ○ 관련기관 간 원활한 공조체계를 구축하여 업무효율 극대화 도모

☐ 프로젝트 목적(Project Objectives)

「각 기관간의 전자적 업무처리, 관련 업무의 '통합 업무지원 서비스' 체계 완성, 관련정보 제공, 온라인 업무처리 등의 '온라인 서비스' 강화를 통해 업무의 효율적 수행 및 사용자 서비스 품질을 제고하여 고객과 함께하는 21세기형 업무구현」

- ○ e-업무절차 도입을 통한 업무 효율성 제고
  - 수작업 업무처리는 최소화, 전자적 사건처리는 프로세스를 최적화, 간소화
  - 업무의 표준화·전자화를 통한 업무절차 재정립
- ○ 공정하고 신속한 업무처리를 위한 정보공동이용 체계 구축
  - 복잡·다양화되고 있는 사회 환경 변화에 따라, 유관기관 간 긴밀한 협조 체제로 업무 경쟁력 강화
  - 자료의 전자적이고 체계적인 관리를 통해 기관간 정보 공동 활용 체계 구축

○ 업무처리절차의 투명성 확보 및 민원서비스의 질적 향상
  - 업무 진행절차, 정보에 대한 접근·보안성을 강화하고 고객권리보호 및 참여 확대
  - 해당 업무 분야에 One-Stop 고객서비스 체계 구축

○ 『○○ 등에 관한 법률』 시행에 따른 반영
  - 법률 시행에 따른 전자 문서 이용처리를 목적으로 하는 시스템 구축
  - 정보화 사회에 적합한 업무체계로의 전환을 위한 법·제도 개선 지원

○ 법 · 제도 개정에 따른 단계별 시스템 고도화
  - 통합정보체계 구성 방안에 대한 기관 간 포괄적 합의와 이를 바탕으로 각 기관 및 시스템 간의 원활한 정보유통 및 업무 프로세스 정립을 통하여 기 구축된 통합정보체계 의 단계별 고도화
  - ○○법 및 관련 규칙 개정에 따른 시스템 변경사항 반영

○ 통합정보체계 서비스 범위 확대
  - 통합정보체계 추진 로드맵에 따라 기 구축된 서비스에, 2단계 서비스를 추가하여 전자적인 업무처리의 완결성 확보

□ 프로젝트 주요 범위(Project Scope)

○ 제공될 작업 범위
  - ○○ 시스템 구축
  - ○○ 업무처리에 필요한 기능 구현
  - ○○ 업무처리 관련 데이터 전환
  - ○○ 업무처리에 필요한 연계된 인터페이스 구축
  - 개발/테스트/운영/배포(테스트/운영 환경으로의 적용) 환경 구축
  - 시스템 기능에 대한 현업담당자 및 IT 직원들에 대한 교육실시
  - 하자보수 지원 및 상주 지원 조직 확보

○ 개발기능의 범위

업무	업무 기능	업무별 세부기능	상세 기능
계약	상품 관리	상품정보 관리	상품정보 등록
			상품특성 관리
			심사기준 등록
			급부 관리
		상품정보 조회	상품정보 조회

□ 프로젝트 사업비(Project Cost)

○ 총 ○○ 억원
  - SW 개발비 OO억원
  - 인프라(H/W OO억원, S/W OO억원, N/W OO억원)

□ 프로젝트 관리자의 권한(Authority of Project Manager)

○ 프로젝트 팀 관리, 평가, 예산 승인

□ 프로젝트 주요 가정사항(Project Assumptions)

○ 개발방법론은 수행사의 방법론을 활용하되, CBD와 제품라인방법론을 혼용하여 사용할 수 있음

□ 프로젝트 주요 제약조건(Project Constraints)

○ 법률 제 00조 00항에 의거하여 저촉이 되어서는 안 됨.

□ 프로젝트 초기 리스크요소(Project Initial Risk)

○ DBMS 버전 업그레이드에 따른 현행화 업무 폭주

○ 핵심 개발인력(클라우드 3년 개발경력자)의 미확보

○ 프로젝트 기간 중 법률 개정에 따른 시스템 반영 필요성

□ 프로젝트 핵심 성공요소(Project Critical Success Factors)

○ 클라우드 개발경력 3년 이상자 투입(PL급)

○ 테스트 자동화 툴 도입

○ 데이터 이행 전문가 5 M/M 이상 투입

□ 프로젝트 역할 및 책임사항(Project Roles and Responsibilities)

○ 조직도

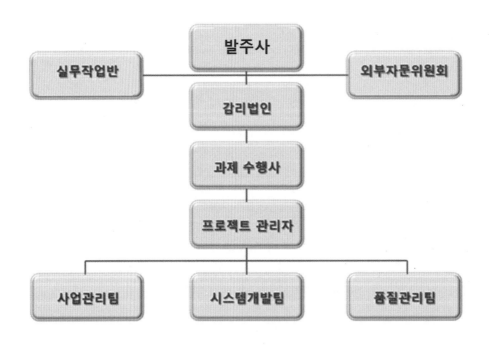

○ 조직별 주요 임무 및 역할

조 직	구 성	주요 업무
발주사	스폰서	• 사업총괄관리 • 참여기관간 업무협조 • 대내외적으로 사업을 총괄하며 중대한 사항의 의사결정 • 대외 기관의 협조가 필요한 경우 지원 • 사업 추진방향 최종 결정 • 보고회를 통한 사업 진행 검토
	각 팀장	• 내부 각 업무별 실무 담당자를 포함하여 구성 • 담당 업무별 요구분석을 주도 • 사용자 테스트 및 인수테스트 수행 • 사업의 추진 및 실무 총괄 • 추진 프로젝트에 대한 업무 지원 • 사업추진방향 설정 및 의견 수렴 • 업무현황분석 및 요구분석 제시 • 사업수행관리, 검사 및 결과평가 • 결과물 인수·운영 및 확산, 홍보
외부 자문위원회	외부 IT 자문위원	• 정보화업무 전문가와 유사업무 수행기관의 전문가 로 구성 • 사업계획 및 추진방향에 대한 자문 • 주요 보고회를 통한 사업진행 자문 • 사업추진 시 기술 자문
실무작업반	기관별 실무진	• 연계 대상기관 및 유관 기관 정책 및 정보화 담당(1~2명)으로 구성 • 기관별 특성 반영 및 정책·기술적 추진방향에 대한 협의 도출
감리법인	감리수행사	• 감리시행(단계별 및 상주 감리) • 사업의 총괄 지원 및 관리 • 발주사과 사업 수행사간의 이견조정 • 프로젝트 공정관리 및 산출물에 대한 품질관리
과제수행사	과제수행사	• 시스템 구축 수행 • 자체 공정관리, 품질관리 및 정기 보고 • 사용자 교육 및 시스템 안정화와 향후 무상 유지보수 • 사업관련 산출물 작성 등 • 시스템 설치, 운영자 교육 및 기술이전, 무상유지보수
프로젝트 관리자	과제수행사	• 사업의 총괄 관리 • 사업 수행사와 발주사간의 이견조정 • 프로젝트 공정 및 산출물에 대한 품질책임
품질관리팀	과제수행사	• 품질관리 및 책임
사업관리팀	과제수행사	• 공정예측 및 공정관리 및 책임 • 리스크관리 및 책임
시스템 개발팀	과제수행사	• 구축대상 업무의 시스템분석, 설계 및 구현 • 구축된 시스템의 단위 및 통합테스트 및 수검

□ 프로젝트 주요 추진 일정(Project Schedules)

○ 마일스톤(Mile Stones)

구 분	착수일로 부터							비용 (백만원)
	M	M+1	M+2	M+3	M+4	M+5	M+6	
○ 프로젝트 환경구축 및 계획 수립	■■■	■						80
○ 요구분석 및 설계	■■■	■■	■					200
○ 구현 및 테스트				■■	■	■	■	350
○ 데이터 이행 및 시험운영					■	■	■	150
○ 인수테스트 및 시스템 오픈						■	■	100
○ 사업관리 및 품질보증활동	■■■	■	■	■	■	■	■	150
마일스톤 (Milestones)	착수보고 및 워크샵			중간보고 및 보고서 제출			최종보고서 제출 및 종료보고회	

□ 프로젝트 주요 이해관계자(Project Stakeholders)

○ 유관기관 :

○ 연계기관 :

○ 협력기관 :

○ 인수자(기관/부서) :

<table>
<tr><td>2.2</td><td>작업기술서
(Statement of Work)</td></tr>
</table>

프로젝트명(Project Title) : <u>OO 사업 기본 및 실시 설계 용역</u>

□ 프로젝트 개요 (Project Description)

- ○ 프로젝트 명(사업명) : OO 사업 기본 및 실시 설계 용역
- ○ 프로젝트 스폰서 : 지방관리사업청
- ○ 프로젝트 관리자 : PM Work 팀
- ○ 프로젝트 고객 : OO 사업소 시설과

□ 프로젝트 배경 및 필요성 (Background and Necessity)

- ○ 정비 기본계획에서 수립된 OO처리 시설 도입에 따라 기존 시설에 고도공정을 도입함에 있어 신재생에너지 도입 및 시설개량 등을 반영하여 관할 시민에게 보급
- ○ 사업 필요성 관련 산출물 범위 명세 : 기본 및 실시 설계
  - OO 사업장 규모 : 83,000 m³ /일
  - OO 사업장 규모 : 260,000m³ /일(196,000 m³ /일)
- ○ 관련 전략계획(Convergence 전략)
  - 중장기 발전계획 : 1단계 핵심요소기술개발/2단계 개별기술 검증/3단계 Test Bed 구현

□ 프로젝트 추진 당위성(타당성 검토 결과) (Project Feasibility)

- ○ 시장 분석 결과 :
- ○ 관련 법령 기준 변경 사항 :
- ○ 타당성 분석 주요 지표
  - 비용편익비율(BCR) : 1.2 (20XX년 내부기준)
  - 내부수익률(IRR) : 5.2% (20XX년 내부기준)

□ 관련 계약 (Related Contract)

- ○ OO 프로젝트 계약번호 제 XX−XXXXX호(20XX. . .)
- ○ 문서(코드)번호 : XX−XXXX−XXX

□ 과업 내용 (Project Scope Description)

- ○ 조사 및 자료 수집
  - 조사(기초현황 및 관련 계획 조사 등)
  - 자료 수집(기존 시설 운영현황 및 기초 자료 조사 및 수집)
  - 기본 조사(사회 및 인문현황, 수도시설 등)

- 기본 설계
  - 관련계획 및 상위계획
  - 고도정수처리시설
  - 그 외 제반 시설 등

□ 프로젝트 인도물(성과품) (Project Deliverables)

- 성과품의 종류
  - 기본설계 성과품
  - 지반조사 및 시험보고서
  - 조사자료

- 성과품의 구성 및 내용
  - 기본설계 보고서
  - 기본설계 도면
  - 구조계산서

□ 프로젝트 인수기준 (Project Acceptance Criteria)

- 성과품 납품시기
  - 최종 성과품은 계약기한 20일전에 제출
  - 발주자의 심의를 받은 후 수정, 보완 요구사항이 있을시 보완한 후 계약기한까지 납품
- "건설공사의 설계도서 작성기준(건설교통부,2005년)"에서 제시하는 기준
- 모든 성과품의 인쇄는 발주자와 협의하여 승인을 득한 후 실시
- 성과품은 토목, 기계, 전기, 계장, 건축, 조경 등으로 분리하여 납품
- 주요공법, 자재 등에 대하여는 과업수행 중 검토사항들이 모두 수록

□ 프로젝트 범위 제외 사항 (Project Exclusions)

- 프로젝트 기간 동안 지속적인 수집, 분석 및 조치 수행 관리
- 당초 계획에 없던 신규 계약 내용
- 고객의 요구사항 변경으로 인한 프로젝트 범위의 증감 내용

구분	설명
환경	- 현장에 적용 가능한 시설물 도면
업무	- 구축된 설계도면 관련 현업 고유 업무에 대한 각종 컨설팅 활동/개선활동 - "고객" 업무관행 및 절차에 대한 개발, 개정 활동.

□ 프로젝트 제약 사항 (Project Constraints)

- 프로젝트 기간 동안 지속적인 수집, 분석 및 조치 수행 관리
- 프로젝트 비용(Cost) : 845백만원 (부가세 포함)

- 프로젝트 기간(Time) : 6개월 (착수일로부터 180일간 – 공휴일 및 휴지일수 포함)
- 프로젝트 성과물 : 최종 성과물은 계약 종료 20일 전에 제출
- 특정 기술 포함
- "건설공사의 설계도서 작성기준(건설교통부,2005년)"에서 제시하는 기준
- 모든 성과품의 인쇄는 발주자와 협의하여 승인을 득한 후 실시

□ 프로젝트 가정 사항 (Project Assumptions)

- 지반조사 및 시험보고서는 사업 착수와 동시에 진행 후 2달 이내에 완료 가정
  - 자원은 가용할 것으로 가정하나 지반조사 및 시험 팀의 현장 여건에 따라 프로젝트에 영향을 받기 때문에 지속적인 검토 요망
- 본 사업 이후 2단계 발주와 시공관련 사업 발주할 것으로 가정
  - 사실전환 여부를 지속적으로 검토 요망

□ 프로젝트 목표 일정 (Project objective schedule)

- 프로젝트 기간(Time) : 6개월 (착수일로부터 180일간 – 공휴일 및 휴지일수 포함)
  - 프로젝트 착수보고 및 워크샵 : 20XX. XX. XX.
  - 중간보고서 제출 및 보고회 : 20XX. XX. XX.
  - 최종보고서 제출 및 종료보고회(준공) : 20XX. XX. XX.

□ 프로젝트 품질 목표 (Project quality objective)

- 성과품 납품시기
  - 최종 성과품은 계약기한 20일전에 제출
  - 발주자의 심의를 받은 후 수정, 보완 요구사항이 있을 경우 보완한 후 계약기한까지 납품

납 품 목 록		수 량	비 고
· 기본설계 보고서		10부	보고서
· 수리 및 용량계산서		10부	계산서
· 기초 및 구조계산서(기본 : 개략)		10부	계산서
· 지반조사 및 시험보고서		10부	부록
· 설 계 도 면(A3)		5부	설계도면
· 성과품 CD-ROM		5set	CD-ROM
용 지 도	원 도	1부	설계도면
	복 사 본(A1)	5부	"
지 장 물 도	원 도	1부	"
	복 사 본(A1)	5부	"
· 용지조서 및 지장물 조서		10부	용지조서
· 기타 발주자가 요구하는 자료 (현장사진 등)		1식	타당성조사보고서

□ 전문가 종합 검토 의견 (Professional Comprehensive Review Comment)

- ○ 프로젝트 관리자(자체 평가 종합 의견)
  - – 프로젝트 결과(목표달성도, 기술적 수준, 기술방법의 적정성, 보고서 질적수준 등)
  - – 평가결과(계속, 중단, 조기완료, 보완 등)

- ○ 전문가 의견(일상감사 결과 주요내용)
  - – 기술적 측면 기여 여부
  - – 경제·산업적 측면 기여 여부

작업기술서 (Statement of Work)
- 과업내용서 -

프로젝트명(Project Title) : <u>OO 사업 기본 및 실시 설계 용역</u>

□ 프로젝트 과업 내용 (Project Scope Description)

○ 조사 및 자료 수집

과업수행을 위한 현지조사 및 기존 시설의 기본설계 또는 실시설계당시 조사된
성과를 재검토하여 이를 최대한 활용

- 조사항목
    - 기초현황 및 관련계획 조사
        - 가. 사회 및 인문현황조사
        - 나. OO시설 현황조사
        - 다. 기전 설비 조사
        - 라. 기타 자료의 조사
    - 현지답사
    - 기존 시설 운영현황 및 관련 기초자료 조사(기전설비 포함)
    - 부지내 지장물 조사(지하매설물 및 지상시설물)
    - 생태조사 및 토양조사
    - 지반조사 및 시험 (토양조사 포함)
    - 구조물 조사
    - 골재원 및 사토장 조사
    - 기전설비 조사
    - 시설물 조사
    - OO정비기본계획등 관련계획 조사
    - 고도처리시설 도입 타당성 조사
        - 가. 용수수요 추정 및 공급계획
        - 나. 고도정수처리계획
        - 다. 고도정수처리 대상물질과 고도정수처리 목표치 설정
        - 라. 고도정수처리공정 선정
    - 환경기초시설 탄소중립시범사업도입 여부 조사
        - 가. 환경기초시설 탄소중립 시범사웁 도입의 필요성 검토
        - 나. 국내외 기반시설의 탄소중립사업 현황조사 및 분석
        - 다. 환경기초시설 탄소중립시설 공정 선정
    - 기타 본 과업수행에 필요한 조사
- 기본조사
    - 사회 및 인문현황 조사 : 급수 대상지역 일원의 사회 및 인문에 대한 전반적인 조사를 수행
    - 수도시설 현황조사 : 기존 수도시설, 시설확장 및 폐쇄계획
    - 기전 설비 조사 : 정수장 운영설비 현황 및 노후 정도
    - 기타 자료의 조사 : 사업 구역 내 측량성과 또는 D/B 구축자료

□ 프로젝트 결과물 (Project Deliverable)

○ 성과품의 종류
- 기본설계 성과품
- 지반조사 및 시험보고서
- 조사자료

○ 성과품의 구성 및 내용
- 기본설계 보고서
- 기본설계 도면
- 구조계산서

납 품 목 록		수 량	비 고
· 기본설계 보고서		10부	보고서
· 수리 및 용량계산서		10부	계산서
· 기초 및 구조계산서(기본 : 개략)		10부	계산서
· 지반조사 및 시험보고서		10부	부록
· 설 계 도 면(A3)		5부	설계도면
· 성과품 CD-ROM		5set	CD-ROM
용 지 도	원 도	1부	설계도면
	복 사 본(A1)	5부	"
지 장 물 도	원 도	1부	"
	복 사 본(A1)	5부	"
· 용지조서 및 지장물 조서		10부	용지조서
· 기타 발주자가 요구하는 자료 (현장사진 등)		1식	타당성조사보고서

※ 특기사항
- 보 고 서
  - 지반조사 및 시험을 비롯한 조사사항은 본 보고서에 한 항목으로 수록하는 것을 원칙
  - 조사량이 과대하여 별도 보고서로 작성하는 것이 적절한 경우에는 발주자와 협의 후 작성하고 본 보고서에는 요약 분을 수록
- 설계도면
  - 도면은 이해가 쉽도록 상세히 작성
- 구조계산서
  - 구조계산서는 계산된 모든 것을 정확하게 정리하고 수록하여 손쉽게 검토 가능하게 작성

□ 프로젝트 인수기준 (Project Acceptance Criteria)

○ 성과품 납품시기
- 최종 성과품은 계약기한 20일전에 제출
- 최종 발주자의 심의를 받은 후 수정, 보완 요구사항이 있을시 수정, 보완한 후 계약기한까지 납품

○ "건설공사의 설계도서 작성기준(건설교통부,2005년)" 에서 제시하는 기준

○ 모든 성과품의 인쇄는 발주자와 협의하여 승인을 득한 후 실시

○ 성과품은 토목, 기계, 전기, 계장, 건축, 조경 등으로 분리하여 납품

○ 주요공법, 자재 등에 대하여는 과업수행 중 검토사항들이 모두 수록

□ 프로젝트 제외 사항 (Project Exclusions)

○ 프로젝트 기간 동안 지속적인 수집, 분석 및 조치 수행 관리

○ 당초 계획에 없던 신규 계약 내용

○ 고객의 요구사항 변경으로 인한 프로젝트 범위의 증감 내용

□ 프로젝트 제약 사항 (Project Constraints)

○ 프로젝트 비용(Cost) : 845백만원 (부가세 포함)

○ 프로젝트 기간(Time) : 6개월 (착수일부터 180일간 - 공휴일 및 휴지일수 포함)

○ 프로젝트 성과물 : 최종 성과물은 계약 종료 20일 전에 제출

○ 특정 기술 포함

○ "건설공사의 설계도서 작성기준(건설교통부,2005년)" 에서 제시하는 기준

○ 모든 성과품의 인쇄는 발주자와 협의하여 승인을 득한 후 실시

□ 프로젝트 가정 사항 (Project Assumptions)

○ 지반조사 및 시험보고서는 프로젝트 착수와 동시에 진행 후 2달 이내에 완료
  - 자원은 가용할 것으로 가정하나 지반조사 및 시험 팀의 현장 여건에 따라 프로젝트에 영향을 받기 때문에 지속적인 검토 요망

○ 본 사업 이후 2단계 발주와 시공관련 사업 발주
  - 후속 사업에 대한 우선권 선점
  - 2단계 설계용역 및 시공관련 사업 발주 여부를 지속적으로 모니터링

작업기술서 (Statement of Work)
- 과업내용서 -

프로젝트명(Project Title) : <u>OO 사업 기본 및 실시 설계 용역</u>

□ 사업 개요 (Project Description)

○ 과업 위치 : OO시 OO구 OO동 일원

○ 과업의 내용 및 규모(Project and Product Requirement)
- OO 및 OO사업장 처리시설 도입 기본 및 실시 설계
- OO 사업장 규모 : 83,000 m³ /일
- OO 사업장 규모 : 260,000m³ /일(196,000 m³ /일)

□ 과업 기간 (Project Period)

○ 과업 기간은 착수일로부터 180일간(공휴일 및 휴지일수 포함)
- 관계기관의 협의 및 검토가 관계기관의 사유로 지연되었을 때
- 민원발생에 의해 과업수행이 지연 또는 불가능할 때
- 천재지변, 전쟁, 내란 등 불가항력적인 사태발생으로 업무수행이 불가능할 때

□ 주요업무의 사전승인 (Prior approval of Main work)

○ 과업수행계획서 및 착수신고서의 내용변경

○ 관계기관과의 협의사항

○ 주요시설물 계획(안)에 대한 설계과업의 설정 또는 변경

□ 과업 수행 및 공정보고의 절차

○ 과업수행방법
- 과업지시서와 관계법령 및 제 규정 등에 따라 성실하게 과업을 수행
- 용역수행 처리절차는 본 과업수행계획서에 따르고 과업수행계획서에 명시하지 않은 사항에 대해서는 발주자와 협의하여 처리함으로써 내실 있는 설계 도모

○ 착수신고서 및 기타 제출서류
- 착수신고서
- 분야별 참여기술자 및 장비투입 계획서
- 용역수행에 필요한 서류
  • 내국 기술자인 경우는 기술자 자격수첩 사본 및 건설기술인협회 경력증명서
  • 외국 기술자인 경우는 졸업증명서, 경력확인서 등 학력, 경력사항을 확인할 수 있는 서류
- 기타 계약담당공무원 또는 법령이나 용역과업에서 제출하도록 한 사항
- 기타 계약담당공무원이 지정한 사항

○ 과업수행계획서 제출
- 계약 후 10일 이내에 과업특성 및 현장여건이 감안된 과업수행계획서 2부를 작성하여 제출, 승인

- 업무협의 및 공정보고
  - 본사는 착수신고서 제출 시 발주자와 1차 업무협의
  - 2차 업무협의는 과업수행계획서 제출 시 협의하고, 다음의 경우에는 발주자에게 사전 보고 검토
- 관계기관 협의 등
- 설계자문 및 기술심의
  - 설계자문
    - 1차 자문회의(용역착수 시) : 과업수행계획서 등에 대한 사항
    - 2차 자문회의(기본설계 완료단계 이전) : 기본설계 사항
  - 기본설계심의 : 기본설계 사항
- 설계의 경제성 등 검토(설계VE)
- 하도급 사항
- 신기술·신공법의 도입 등
- 타 수급인과의 업무한계
- 발주자 제공자료
- 품질관리방안
  - 품질관리 시스템
  - 설계의 검증
  - 품질관리 흐름도
- 과업내용의 변경 및 그밖에 계약내용 변경
- 용역감독 등
  - 용역감독
  - 용역점검
- 본사의 책임
  - 본사의 책임범위
  - 문서의 기록비치
  - 안전관리의 의무
  - 법률준수의 의무
- 보안 및 비밀유지
  - 보안관계 법규의 준수
  - 과업성과품 발간 시 유의사항
  - 보안 관리의 책임
- 용어의 해석
- 용역 수행자의 교체
- 설계 등 손해배상

○ 본사의 시정요청

○ 기타사항

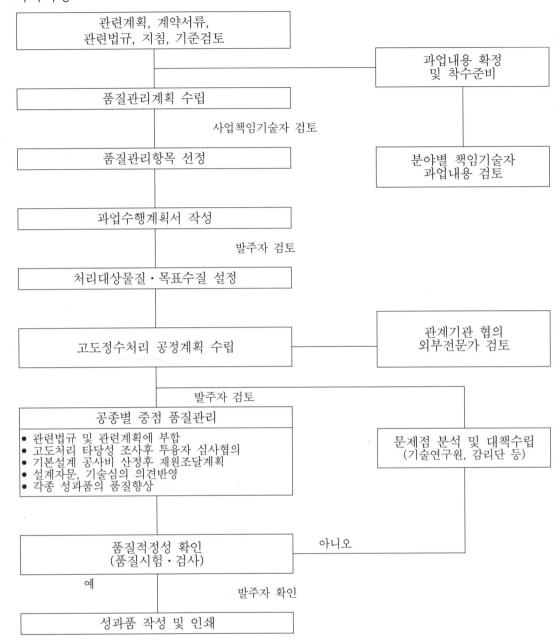

관련계획, 계약서류,
관련법규, 지침, 기준검토

과업내용 확정
및 착수준비

품질관리계획 수립

사업책임기술자 검토

품질관리항목 선정

분야별 책임기술자
과업내용 검토

과업수행계획서 작성

발주자 검토

처리대상물질·목표수질 설정

고도정수처리 공정계획 수립

관계기관 협의
외부전문가 검토

발주자 검토

공종별 중점 품질관리
• 관련법규 및 관련계획에 부합
• 고도처리 타당성 조사후 투융자 심사협의
• 기본설계 공사비 산정후 재원조달계획
• 설계자문, 기술심의 의견반영
• 각종 성과품의 품질향상

문제점 분석 및 대책수립
(기술연구원, 감리단 등)

품질적정성 확인
(품질시험·검사)

아니오

예

발주자 확인

성과품 작성 및 인쇄

□ 적용기준 및 시방서 (Application criteria & Specifications)

- ○ 적용기준
  - – 가장 최근의 기준 및 시방자료를 적용하며, 관련규정 및 시방서가 개정된 경우 용역완료 전까지 수정된 최신기준을 적용하고 특별히 규정되지 않은 사항은 발주자와 협의하여 적용한다. 본 설계용역은 다음과 같은 설계기준, 시방서 등에 의거 수행
    - 국토해양부 제정
    - 한국상하수도협회 제정
    - 대한토목학회 제정
    - 대한건축학회 제정
    - 한국콘크리트학회 제정
    - 한국도로교통협회 제정
    - 대한설비공학회 제정
    - 대한설비건설협회 제정
    - 한국강구조학회 제정
    - 한국지반공학회 제정
    - 한국지진공학회 제정
    - 한국건설 가설협회 제정
    - 한국조명·전기설비학회 제정
    - 전기통신 기본법(정보통신부), 정보통신 표준화지침(정보통신부)
    - 에너지이용 합리화법(지식경제부)
    - 전기사업법, 전기공사업법, 전력기술관리법, 소방시설설치유지 및 안전관리에 관한법, 소방시설공사업법, 정보통신공사업법
    - 전기공급 약관(한국전력공사, 전기협회발행 내선규정, 배전규정, 전기설비기술기준 및 전기설비기술기준의 판단기준)
    - 기타 안산시 관련된 법규, 령, 규칙, 고시 등 제반 법령
- ○ 본 과업수행과 관련되는 관계법령
  - – 수도 전반 관련
  - – 물 수요에 관련된 법률
  - – 수원에 관한 법률
  - – 수도시설의 건설에 관한 법률
  - – 사업경영에 관련된 법률
  - – 기 타
- ○ 통계자료
- ○ 본사는 설계 시 적용한 기준 및 시방 등을 모두 제출

□ 준수사항 (Observance)

- ○ 본 과업을 충실히 수행하기 위하여 본 과업지시서와 관계법령 및 제 규정에 따라 성실히 수행

작업기술서 (Statement of Work)
- 과업수행계획서 -

프로젝트명(Project Title) : <u>OO 사업 기본 및 실시 설계 용역</u>

□ 프로젝트 수행 조직 구성 (HR)

○ 과업 수행 조직 체계

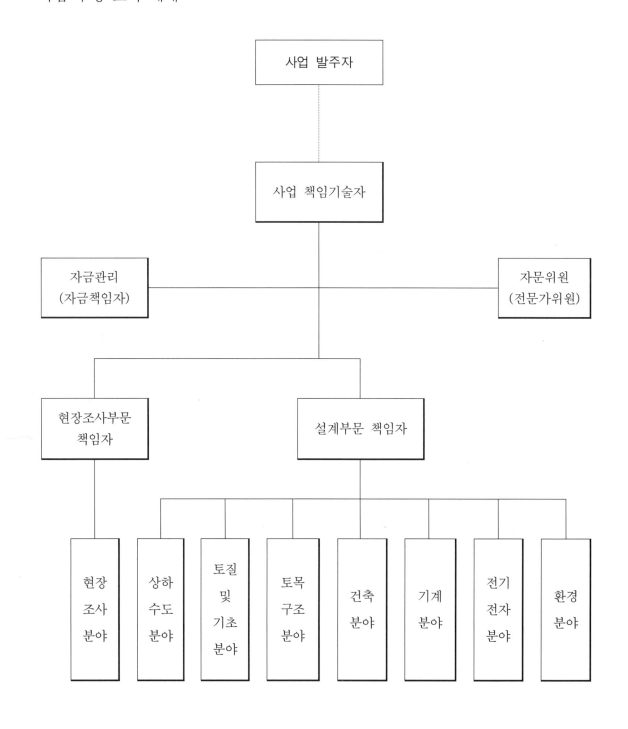

□ 분야별 업무분담 계획

분 야		업 무 내 용	비고
현장 조사	현장조사	· 지형현황측량, 대상지역내 지장물 조사 · 지반, 토질조사 및 시험	
업무 분담	상하수도	· 사업관리 및 과업수행 총괄 · 발주처 업무협의 및 업무보고 · 설계자문, 기술심의 관련 업무수행 · 계획의 방향, 지표 및 설계기준 설정 · 건축, 기계, 전기전자, 환경 등 타분야 업무조정 · 수도정비기본계획, 탄소중립화 시범사업 등 상위 및 관련계획 검토 · 국내·외 고도정수처리시설 현황조사 및 분석 · 고도처리공정 도입 타당성 조사 · 시설규모 검토 · 처리대상물질 및 목표수질 설정 · 고도정수처리공정 선정 · 용량 및 수리계통계획 · 시설 및 배치계획 · 개략사업비 산정 및 연차별 투자계획 · 사업의 효과 분석 · 각종 인허가 서류 및 성과품 작성	
	토질 및 기초	· 지반, 토질조사 관련 업무 수행 · 대상지역의 지체구조와 지진이력 분석 · 구조물 기초공법계획, 사면안정해석 및 계획	
	토목구조	· 구조설계기준 등 기준 및 지침서 등에 의한 신설 구조물 구조해석 · 구조물 신설에 따른 기존 구조물 영향 검토	
	건축	· 주변 경관과 조화를 고려한 건축물 평면, 입면 및 단면계획 · 설비의 배치, 운영 및 유지관리를 고려한 공간계획 · 관리자의 운영효율을 고려한 동선계획	
	기계	· 기자재 선정 및 설비배치계획 · 기존 시설의 적정성 검토 및 개량계획 · 탄소중립화 사업과 연계한 에너지저감설비계획	
	전기전자	· 기본계획의 정수장 자동화 및 현대화계획 검토 · 전력공급방식, 사용전압 등 수전 및 배전설비계획 · 설비용량 검토 및 계측기기, 자동제어, 통신설비계획	
	환경	· 환경영향 항목에 대한 환경성 검토 · 목표수질 검토 · 탄소중립화 사업 및 고도정수처리시설 영향 검토	

□ 인력투입 계획

○ 기본방향
- 효율적으로 신속하게 수행 가능 하도록 과업수행조직을 구성하고 각 분야별 최고의 기술 인력 투입

○ 과업수행 조직도

□ 과업 수행 계획 (Task performance plan)

○ 과업 수행 지침
- 기본지침 : 사업목적에 부합되고 경제적이며 효율적인 계획기준으로 수행
- 적용기준 및 기술 : 과업수행과 관련한 법령과 기준은 최신내용을 적용
- 선진설계 기술도입 활용 : 국내기술이 취약한 부분에 대하여 상수도 설계기술 및 경험이 풍부한 선진기술 도입, 활용

○ 과업수행 기본 방향
- 과업 세부 내용

공　　종	주 요 항 목	세　부　내　용
가. 기초자료조사 및 분석	1) 기초자료 및 관련계획조사	● 기본현황조사 　- 사회인문현황　　　　　- 수도시설현황 　- 산업경제 및 특성　　　- 도시 및 관련계획 ● 용수수요조사 　- 용수수요조사　　　　　- 도시 및 관련계획 ● 관련계획조사 　- 전국 수도 정비 기본계획(국토해양부) 　- 전국수도종합계획(환경부) 　- 한강수계 및 기타 수계의 고도정수처리 관련 자료 　- ○○시 수도정비기본계획 　- ○○시 상하수도사업소에서 수립한 각종 관련 계획 　- 한강수계 상수원 수질개선 및 취수원 이전계획 등
	2) 정수장 운영현황 조사	● 정수장 운영현황 및 문제점 요인 ● 원·정수 수질현황
	3) 현지답사 및 기존시설 현황조사	● 현지답사 및 계획 시설물 부지 조사 ● 기존 시설현황 조사 ● 기타 조사
	4) 고도처리도입 타당성조사	● 고도정수처리 도입의 필요성 검토 ● 국내·외 고도정수처리 현황조사 및 분석 ● 기존 모형실험결과 분석 ● 고도정수처리 도입의 기본방향 설정
	5) 탄소중립사업 현황조사	● 안산시 환경기초시설 탄소중립시설 기본계획 ● 기본 및 실시설계(예정)
나. 현장조사	1) 조사측량	● 지형현황측량 : 140,500㎡
	2) 지질, 토질조사	● 지질, 토질조사 : 12공(NX규격)
다. 기본설계	1) 시설규모 검토	● 장래 용수수요 검토 ● 고도정수처리 대상용량 검토
	2) 대상물질 및 목표수질 설정	● 원수 수질현황 분석 및 국내·외 수질기준 검토 ● 고도정수처리 대상물질과 목표치 선정 ● 주요 지표 및 설계기준 수립
	3) 고도정수처리 공정 선정	● 정수처리시설 기술진단 및 개량계획 검토 ● 국내·외 고도정수처리 사례 및 연구결과 검토 ● 단위공정별, 대안공정별 처리효율 및 유지관리성 검토 ● 고도정수처리 공정 검토 및 선정
	4) 용량 및 수리 계통 계획	● 정수처리계통 분석 ● 용량 및 수리계통 계획
	5) 시설 및 배치계획	● 구조물 계획 ● 시설물 배치계획 ● 탄소중립화시설 연계계획
마. 사업집행계획 수립		● 사업의 우선순위 선정 ● 사업비 산정 및 년차별 투자계획 ● 사업의 효과분석 ● 유지운영계획
바. 성과품작성		● 보고서 및 부록 ● 기본설계 도면 ● 각종계산서 ● 기타 성과품

- 과업 수행 흐름도

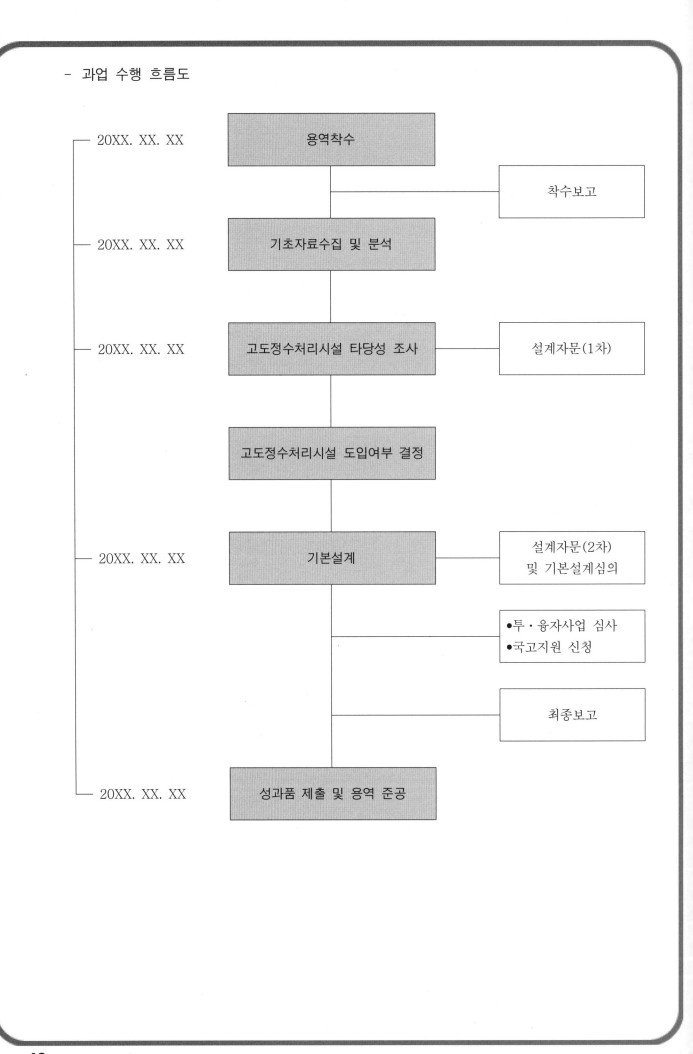

20XX. XX. XX — 용역착수

착수보고

20XX. XX. XX — 기초자료수집 및 분석

20XX. XX. XX — 고도정수처리시설 타당성 조사

설계자문(1차)

고도정수처리시설 도입여부 결정

20XX. XX. XX — 기본설계

설계자문(2차)
및 기본설계심의

●투·융자사업 심사
●국고지원 신청

최종보고

20XX. XX. XX — 성과품 제출 및 용역 준공

작업기술서
(Statement of Work)

프로젝트명(Project Title) : _____

□ 프로젝트 개요 (Project Description)

○ 프로젝트 스폰서(Project Sponsor) :

○ 프로젝트 관리자(Project Manager) :

○ 프로젝트 고객(Project Customer) :

□ 프로젝트 범위 개요 (Project Scope Description)

○ 제공될 작업 범위(Work Scope)
- ○○ 시스템 구축
- ○○ 업무처리에 필요한 기능 구현
- ○○ 업무처리 관련 데이터 전환
- ○○ 업무처리에 필요한 연계된 인터페이스 구축
- 개발/테스트/운영/배포(테스트/운영 환경으로의 적용) 환경 구축
- 시스템 기능에 대한 현업담당자 및 IT 직원들에 대한 교육실시
- 하자보수 지원 및 상주 지원 조직 확보

○ 개발기능의 범위(Scope of Development Functions)

업무	업무 기능	업무별 세부기능	상세 기능
계약	상품관리	상품정보관리	상품정보등록
			상품특성관리
			심사기준등록
			급부관리
		상품정보조회	상품정보조회

□ 프로젝트 추진 배경 및 필요성 (Project Background and Business Needs)

○ 추진 배경(Project Background) :

○ 사업 필요성(Business Needs) :

□ 프로젝트 비전 및 목표 (Project Vision and Objectives)

「각 기관간의 전자적 업무처리, 관련 업무의 '통합 업무지원 서비스' 체계 완성, 관련정보 제공, 온라인 업무처리 등의 '온라인 서비스' 강화를 통해 업무의 효율적 수행 및 사용자 서비스 품질을 제고하여 고객과 함께하는 21세기형 업무구현」

○ e-업무절차 도입을 통한 업무 효율성 제고
- 수작업 업무처리는 최소화, 전자적 사건처리는 프로세스를 최적화, 간소화
- 업무의 표준화·전자화를 통한 업무절차 재정립

○ 공정하고 신속한 업무처리를 위한 정보공동이용 체계 구축
  - 복잡·다양화되고 있는 사회 환경 변화에 따라, 유관기관 간 긴밀한 협조 체제로 업무 경쟁력 강화
  - 자료의 전자적이고 체계적인 관리를 통해 기관간 정보공동활용체계 구축

○ 업무처리절차의 투명성 확보 및 민원서비스의 질적 향상
  - 업무 진행절차, 정보에 대한 접근·보안성을 강화하고 고객권리보호 및 참여 확대
  - 해당 업무 분야에 One-Stop 고객서비스 체계 구축

○ 『○○ 등에 관한법률』 시행에 따른 반영
  - 법률 시행에 따른 전자 문서 이용처리를 목적으로 하는 시스템 구축
  - 정보화 사회에 적합한 업무체계로의 전환을 위한 법·제도 개선 지원

○ 법 · 제도 개정에 따른 단계별 시스템 고도화
  - 통합정보체계 구성 방안에 대한 기관 간 포괄적 합의와 이를 바탕으로 각 기관 및 시스템 간의 원활한 정보유통 및 업무 프로세스 정립을 통하여 기 구축된 통합정보체계 의 단계별 고도화
  - ○○법 및 관련 규칙 개정에 따른 시스템 변경사항 반영

○ 통합정보체계 서비스 범위 확대
  - 통합정보체계 추진 로드맵에 따라 기 구축된 서비스에, 2단계 서비스를 추가하여 전자적인 업무처리의 완결성 확보

□ 프로젝트 및 제품 주요 요구사항 (Project and Product Requirements)

○ 제품의 속성, 그리고 품질 통제 프로세스가 각 속성을 측정하는 방법을 매우 구체적인 용어로 설명하는 운영상의 정의이다. 측정치는 실제 값이고, 허용한도는 지표에 허용하는 변동을 정의한다. 예를 들어 승인된 예산의 ± 10% 범위를 유지한다는 품질 목표 관련 지표를 사용하여 모든 인도물의 원가를 측정하고 해당 인도물에 승인된 예산으로부터 변동률(%)을 결정할 수 있다. 품질 지표는 품질 보증 및 품질 통제 프로세스에 사용된다.

○ 일정 준수성, 결함 빈도, 실패율(결함률), 가용성, 신뢰성, 테스트 범위(커버리지) 등이 품질 지표의 일부 예이다.

□ 프로젝트 범위 제외사항 (Project Scope Exclusions)

구분	설명
환경	• 테스트 장소 및 장비의 준비, 교육훈련 장소 및 사무 관리용 개인 전산장비의 설치 등
업무	• 구축된 시스템과 관련된 현업 고유 업무에 대한 각종 컨설팅 활동 및 개선활동 • 발주기관 업무관행 및 절차에 대한 개발, 개정 활동
제공할 작업 범위 이외의 애플리케이션 개발	• 제공할 작업 범위에 포함되어 있지 않은 즉, 위에서 정의한 핵심 업무 이외의 애플리케이션 개발 업무
시스템 청사진 작성	• 제공할 작업 범위에 정의한 핵심 업무와 직접적으로 관련되지 않은 "갑" 의 시스템 청사진 작성 등

□ 프로젝트 인도물 (Project Deliverables)

구 분	설 명
본건 시스템	• "을"이 "갑"의 요구에 맞추어 본 계약 아래에서 개발중인 혹은 개발을 완료한 시스템
문서 인도물	• "본건 시스템"을 제외한, "을"이 본건 시스템의 개발 용역과 관련하여 생산한 지정 인도물과 프로젝트 진행 시 발생한 산출물 중 "갑"과 "을"이 합의하여 결정한 문서 • "갑"의 요청에 따라 "을"은 문서 인도물을 새로이 편집하거나 정리하여 제공할 의무가 있음
하자보수	• 프로젝트에서 중요한 역할을 수행하고 해당 사업 경험이 풍부한 인력에 의한 XX 개월간의 상주 하자보수

○ 문서 인도물
  - 프로젝트관리 방법론

구분		단계 / 관리내역	착수단계	진행단계	종료단계
사업관리영역	범위관리	• 수행계획서의 수행범위 설정 • 변경내역에 관한 기록, 추적 및 변경검사	• 업무범위 정의 • 요구사항 정의	• 업무범위 변경통제 • 요구사항 추적관리	• 업무범위 검증
	진도관리	• 진척에 따라 자원분배 • 일정 지연 시 리스크관리와 연계한 대처방안 강구 • 공정 타당성 평가	• 작업 TASK 정의 • WBS 작성 • 공정계획 수립	• 주별 진척율 파악 • 일정 지연 시 대응방안 수립	
	자원관리	• 수행인력 팀 편성 및 조직관리 • 물적자원 및 예산관리	• 인력수급계획 • 예산편성	• 투입인력관리 • 교육계획 • 자원투입 현황 모니터링	• 투입인력 정산 • 자원 철수
	형상관리	• 형상관리 항목에 대한 기준선 설정 • 형상관리 항목 변경 요청에 대한 평가 및 승인	• 형상식별 • 형상통제 및 감사		
	리스크관리	• 프로젝트 리스크요소 식별, 평가, 최소화 • 지속적 리스크요소 모니터링	• 리스크관리계획 수립 • 리스크식별	• 리스크식별 및 분석 • 리스크 대응계획 수립 • 리스크 모니터링 및 통제	
	문서관리	• 공정 산출물 문서화	• 문서관리계획 수립 • 문서작성표준 제정	• 문서승인 및 관리 • 문서개정	
	보안관리	• 인원 및 조직보안 • 데이터 보안 • 네트워크, 시스템, 시설물 보안	• 보안교육 실시 • 보안서약서 제출	• 정보보호지침 준수	
	품질관리	• 품질목표 설정 • 외부감리 수감(감리대상) • CMMI 표준 프로세스 이행	• 품질관리계획 수립	• 동료검토 • 품질보증활동 • 외부감리(감리대상)	• 사후 품질관리 계획 수립

- 관리 산출물
    - 보고서

구분	내용	보고 및 제출시기
착수보고서	• 계약서, 제안요청서, 제안서 등을 근거로 작업일정계획, 인력투입계획, 장비납품 및 설치계획, 보고계획, 산출물 관리계획, 교육계획, 유지보수 계획 등 구체적인 사업 수행 계획서 작성·제출	사업수행 후 10일 이내
정기보고서	• 사업진행에 대한 작업자 동원, 업무내용, 진척사항, 기자재 반입 상황, 기타 특기사항을 기록한 업무일지 작성·제출	주간, 월간
수시보고	• 원활한 과업 추진을 위해 필요시 비정기적인 보고	수시
중간보고서	• 분석·설계 결과와 향후 추진계획을 점검하여 중간보고서 작성·제출(총 4회)	분석, 설계, 개발, 시험운영 종료 후
완료보고시	• 제안요청서, 제안서, 계약서 등의 업무 범위에 포함된 사항에 대한 최종 보고서의 초안 작성·제출	시업종료 이전
최종산출물	• 최종산출물은 아래사항을 포함하여 제출 · 개발 S/W Source Program 수록 CD 5부 · 운영자지침서 5부 · 사용자 지침서 20부	사업종료 이후

    - 공정관리 산출물

단계	산출물	비고
착수	과업 수행 계획서	
	품질 보증 계획서	
	구성 관리 계획서	
	측정 및 원인 분석 계획서	
	품질보증 오리엔테이션 결과서	
계획	개발 방법론 테일러링 내역서	
	프로세스 테일러링 내역서	
	Inspection 계획서	Inspection 계획 및 결과서로 통일
실행 및 통제	과업 대비표	
	리스크/이슈/Action Item 관리 대장	
	산출물 품질 검토 결과서	품질관리자 검토 시
	프로세스 이행 검토 결과서	각 단계 말
	감리 조치 계획서	
	감리 조치 결과서	
	프로젝트 상태 보고서	월 1 회 작성
	Inspection 결과서	Inspection 계획 및 결과서로 통일
	Baseline 내역서	각 단계 말
	요구사항 추적 매트릭스	요구정의 단계 이후 각 단계 말

○ 개발방법론 산출물(3개 방법론 사용)

단계	산출물명	제출시기	수량	비고
요구정의	• 현행 시스템 분석서			
	• Marketing 계획서			A 방법론
	• Product 계획서			A 방법론
	• 요구사항 정의서			
	• 아키텍처 정의서			
	• 유스케이스 모형기술서			B 방법론
	• 개념 ERD			
	• 데이터 주제영역 정의서			
	• 인수테스트 계획서			
분석	• 개발표준 정의서			
	• 도메인 정의서			A 방법론
	• 후보 Feature 목록			A 방법론
	• 도메인 용어사전			A 방법론
	• Feature 모델			A 방법론
	• Object 목록			A 방법론
	• Object 다이어그램			A 방법론
	• 유스케이스 분석서	해당단계 종료 후 XX일 이내 제출	X부	B 방법론
	• UI 목록			
	• UI 정의서			
	• 인터페이스 정의서			
	• 논리 ERD			
	• Entity정의서			
	• 데이터 이행계획서			
	• 데이터 이행목록			
	• 인수테스트 시나리오			
	• 인수테스트 케이스			
	• 시스템 테스트 계획서			
	• 시스템 테스트 시나리오/케이스			
설계	• 아키텍처 정의서(정제)			
	• 컴포넌트 명세서			
	• 컴포넌트 설계서			
	• UI 목록(정제)/UI 설계서			
	• 보고서 목록/보고서 레이아웃			
	• 인터페이스 설계서			
	• 물리 ERD/Table 정의서			
	• 데이터 이행 시나리오			

단계	산출물명	제출시기	수량	비고
	• Table/Column 매핑정의서			
	• 변환 프로그램 목록			
	• 통합 테스트 계획서			
	• 통합 테스트 시나리오/케이스			
	• 단위 테스트 계획서			
	• 단위 테스트 시나리오/케이스			
	• 교육 훈련 계획서			
구축	• 운영전환 계획서	사업종료 후 XX일 이내 일괄 제출	X부	
	• 프로그램 소스코드			
	• 단위테스트 케이스/로그			
	• 단위테스트 결과서			
	• 통합테스트 케이스/로그/결과서			
	• 시스템테스트 케이스/로그/결과서			
	• 사용자 매뉴얼			
	• 운영자 매뉴얼			
운영전환	• 데이터 이행 결과서			
	• 인수테스트 케이스/로그			
	• 인수테스트 결과서			
	• 교육훈련 결과서			

□ **프로젝트 인수기준 (Project Acceptance Criteria)**

o 인수자는 인도물에 결함이 있을 경우 인도물 사본 1부에 인도물 검토결과 파악된 결함내용과 필요한 수정조치사항, 오류 또는 부족한 사항에 대해 논리적이고 자세하게 명시하여 통보해야 하고, 해당 인도물 제공자에게 반환해야 한다. 인수자의 최종 승인 이전에 파악된 결함이 해결되지 않았을 경우라도, 양 당사자가 사전에 그 결함의 추후 해결을 합의함으로써 인도물을 인수할 수 있다.

o 규정된 인수기한 내에 인수가 불가능할 경우 양 당사자는 사전 합의하여 일정을 조정할 수 있다.

o 검수일이 특별히 지정되지 않은 경우에는, 인수자가 인도물을 수령하고 나서 7일 이내에 인수자의 응답이 없으면 그 인도물은 인수된 것으로 간주된다.

o 이미 승인을 통하여 인도된 인도물을 수정하고자 할 경우 인도자는 "첨부. 변경요청서"를 작성하여 인도물 제공자에게 제출하되 수정된 인도물에 대한 승인 절차는 추후 양 당사자의 합의에 따른다.

o 상호 합의한 기한을 초과하여 발생하는 일정의 변경, 직원생산성 또는 비용에 대한

영향은 합의된 기한 이전에 양 당사자에 의해 합의되어야 한다.

○ "을"의 사용자 인수 테스트 지원팀은 인수 테스트 중 도출된 문제점들을 아래와 같이 각 단계로 정의된 시간 내에 수정하여야 한다.

□ 프로젝트 제약조건 (Project Constraints)

○ 프로젝트 범위와 연관되어 관리 팀의 옵션을 제한하는 특정 프로젝트 제약사항을 열거하여 설명한다. 예를 들면, 고객이나 수행조직이 제시하는 미리 책정된 예산, 지정일 또는 일정 마일스톤 등이 있다. 계약 아래 프로젝트가 수행될 때는 일반적으로 계약 조항이 제약이 된다. 제약에 대한 정보를 프로젝트 범위 기술서나 별도 기록부에 기술할 수 있다.

○ ○○ 법 ○○ 조 ○○ 항에서 제시된 요건 준수

○ 기술규격서 규격 준수

○ ○○ 계약 준수

□ 프로젝트 가정사항 (Project Assumptions)

○ 프로젝트 범위와 연관된 특정 프로젝트 가정을 열거하여 설명하고, 그러한 가정이 오류로 판정되는 경우 잠재적 영향력에 대한 설명을 추가한다. 프로젝트 팀에서 기획 프로세스의 일환으로 가정 사항을 식별하여 문서화하고 유효성을 확인한다. 가정에 대한 정보를 프로젝트 범위 기술서나 별도 기록부에 기술할 수 있다.

○ ○○법 통과를 전제로 개발함

○ 환율 ○○원/$US 기준으로 시스템을 개발함

□ 초기 프로젝트 조직 및 인원

○ 조직도

○ 조직별 주요 임무 및 역할

조 직	구 성	주요 업무
발주사	스폰서	• 사업총괄관리 • 참여기관간 업무협조 • 대내외적으로 사업을 총괄하며 중대한 사항의 의사결정 • 대외 기관의 협조가 필요한 경우 지원 • 사업 추진방향 최종 결정 • 보고회를 통한 사업 진행 검토
	각 팀장	• 내부 각 업무별 실무 담당자를 포함하여 구성 • 담당 업무별 요구분석을 주도 • 사용자 테스트 및 인수테스트 수행 • 사업의 추진 및 실무 총괄 • 추진 프로젝트에 대한 업무 지원 • 사업추진방향 설정 및 의견 수렴 • 업무현황분석 및 요구분석 제시 • 사업수행관리, 검사 및 결과평가 • 결과물 인수·운영 및 확산, 홍보
외부 자문위원회	외부 IT 자문위원	• 정보화업무 전문가와 유사업무 수행기관의 전문가 로 구성 • 사업계획 및 추진방향에 대한 자문 • 주요 보고회를 통한 사업진행 자문 • 사업추진 시 기술 자문
실무작업반	기관별 실무진	• 연계대상기관 및 유관기관 정책 및 정보화담당(1~2명)으로 구성 • 기관별 특성 반영 및 정책·기술적 추진방향에 대한 협의도출
감리법인	감리 수행사	• 감리시행(단계별 및 상주 감리) • 사업의 총괄 지원 및 관리 • 발주사과 사업 수행사간의 이견조정 • 프로젝트 공정관리 및 산출물에 대한 품질관리
과제 수행사	과제 수행사	• 시스템 구축 수행 • 자체 공정관리, 품질관리 및 정기 보고 • 사용자 교육 및 시스템 안정화와 향후 무상 유지보수 • 사업관련 산출물 작성 등 • 시스템 설치, 운영자 교육 및 기술이전, 무상유지보수
프로젝트관리자	과제 수행사	• 사업의 총괄 관리 • 사업 수행사와 발주사간의 이견조정 • 프로젝트 공정 및 산출물에 대한 품질책임
품질관리팀	과제 수행사	• 품질관리 및 책임
사업관리팀	과제 수행사	• 공정예측 및 공정관리 및 책임 • 리스크관리 및 책임
시스템 개발팀	과제 수행사	• 구축대상 업무의 시스템분석, 설계 및 구현 • 구축된 시스템의 단위 및 통합테스트 및 수검

□ 프로젝트 초기 리스크요소 (Project Initial Risk)

○ DBMS 버전 업그레이드에 따른 현행화 업무 폭주

○ 핵심 개발인력(클라우드 3년 개발경력자)의 미확보

○ 프로젝트 기간 중 법률 개정에 따른 시스템 반영 필요성

□ 프로젝트 주요 추진 일정 (Project Schedule)

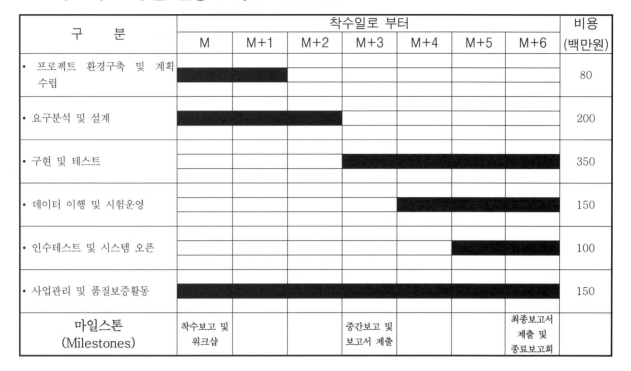

구 분	착수일로 부터							비용
	M	M+1	M+2	M+3	M+4	M+5	M+6	(백만원)
• 프로젝트 환경구축 및 계획 수립	██	██						80
• 요구분석 및 설계	██	██						200
• 구현 및 테스트				██	██	██		350
• 데이터 이행 및 시험운영					██			150
• 인수테스트 및 시스템 오픈						██		100
• 사업관리 및 품질보증활동	██	██	██	██	██	██	██	150
마일스톤 (Milestones)	착수보고 및 워크샵			중간보고 및 보고서 제출			최종보고서 제출 및 종료보고회	

□ 프로젝트 사업비 (Project Cost)

○ 총 OO억
- S/W 개발비 OO억
- DB 구축비 OO억
- 인프라(H/W OO억, S/W OO억, N/W OO억)

□ 프로젝트 원가 예측 (Project Cost Estimates)

○ S/W 개발비 측면 :

○ DB 구축비 측면 :

○ 인프라 도입비용 측면 :

□ 프로젝트 형상관리 요구사항 (Project Configuration Management Requirements)

○ 형상관리 수준

○ 변경통제방안

□ 프로젝트 사양 (Project Specification)

○ 전자정부법 준수

○ 상호운영성 기준 준수

이해관계자 등록부 [Stakeholder Register]

2.3

프로젝트명(Project Title) : OO 사업 기본 및 설치 설계 용역

성명 (Name)	직위 (Position)	담당 업무 (Role)	연락처 (Contact Information)		요구사항 (Requirements)	기대사항 (Expectations)	영향정도 (Influence)	분류 (Classification)
			전화 (Telephone)	이메일 (E-mail)				
김고객	발주처	사업본부 담당	032-000-000	aaa@aaa.com	· 현장 정보 제공	· 실시간 정보 · 현장 공사 계획	· 권한 강 · 이해관계 강	· 중요 현안 · 이슈 의사결정권자
김정리	스폰서	재무 분야	02-000-0000	bbb@bbb.com	· 사업 지원	· 순의 조화에 대한 경영진 만족	· 권한 강 · 이해관계 강	· 중요 현안 · 이슈 의사결정권자
김책임	이사대우	사업 총괄	02-000-0000	ccc@ccc.com	· 과업 책임 업무 · 과업 기본설계	· 실시간 매출 · 경영진 만족	· 권한 강 · 이해관계 강	· 중요 현안 · 이슈 최종검토자
김지반	지반부장	토질 분야	02-000-0000	ddd@ddd.com	· 토질분야 검토	· 지반 정보 · 협조금액	· 권한 중 · 이해관계 강	· 중요 현안 · 이슈1차 검토 제기자
김차장	차장	과업 실무	02-000-0000	eee@eee.com	· 과업 실무 업무 · 과업 현장 조사	· 사업 조기 달성 · 경영진 만족	· 권한 약 · 이해관계 중	· 중요 현안 · 이슈1차 검토 제기자
김사원	사원	과업 지원	02-000-0000	fff@fff.com	· 과업 실무 업무 · 과업 보고서	· 사업 공정 관리 · 개발담당자 만족	· 권한 약 · 이해관계 약	· 현안 · 이슈 제기자
김환경	대표	NGO단체	02-000-0000	ggg@ggg.com	· 현지 환경 영향	· 환경과괴 최소화	· 권한 중 · 이해관계 중	· 현안 · 이슈 제기자
김기자	신문기자	건설신문	02-000-0000	hhh@hhh.com	· 사업의 타당성	· 사회 관심사	· 권한 중 · 이해관계 중	· 현안 · 이슈 제기자

이해관계자 등록부 – 발주사
[Stakeholder Register]

프로젝트 명(Project Title) : _____

성명 (Name)	직위 (Position)	담당 업무 (Role)	연락처 (Contact Information)		요구사항 (Requirements)	기대사항 (Expectations)	영향정도 (Influence)	분류 (Classification)
			전화 (Telephone)	이메일 (E-mail)				
김○○	이사	DW시스템 전략기획	010-0000-0000	aaa@aaa.com	실시간 경영정보 제공	실시간 매출/손익 계획/실적 조회 가능	권한 강 이해관계 강	중요 현안/이슈 이사결정권자
이○○	부장	DW시스템 개발팀장	010-1111-1111	bbb@bbb.com	실시간 경영정보조회시스템 개발	실시간 매출/손익 조회에 대한 경영진 만족	권한 중 이해관계 강	중요 현안/이슈 최종검토자
최○○	대리	DW시스템 개발	010-2222-2222	ccc@ccc.com	실시간 경영정보조회 기능 구현	실시간 매출/손익 조회에 대한 경영진/팀장 만족	권한 약 이해관계 중	중요 현안/이슈 1차 검토 또는 제기자
박○○	사원	DW시스템 개발지원	010-3333-3333	ddd@ddd.com	실시간 경영정보 조회 프로그래밍	실시간 매출/손익 조회에 대한 경영진/팀장/개발 담당자 만족	권한 약 이해관계 약	현안/이슈 제기자

이해관계자 등록부 – 수행사
[Stakeholder Register]

프로젝트 명(Project Title) : _____

성명 (Name)	직위 (Position)	담당 업무 (Role)	연락처 (Contact Information)		요구사항 (Requirements)	기대사항 (Expectations)	영향정도 (Influence)	분류 (Classification)
			전화 (Telephone)	이메일 (E-mail)				
정○○	상무	DW시스템 개발총괄	010-5555-5555	ddd@ddd.com	프로젝트의 성공적 완료	순익/납기목표 달성	권한 강 이해관계 강	중요 현안/이슈 의사결정권자
조○○	부장	DW시스템 개발PM	010-6666-6666	eee@eee.com	프로젝트의 성공적 완료	순익/납기목표 달성, 인수기준/품질목표 만족	권한 중 이해관계 강	중요 현안/이슈 최종검토자
송○○	과장	DW시스템 개발PL	010-7777-7777	fff@fff.com	프로젝트의 성공적 완료	인수기준 만족	권한 약 이해관계 중	중요 현안/이슈 1차검토 또는 제기자
신○○	사원	DW시스템 개발담당	010-8888-8888	ggg@ggg.com	프로젝트의 성공적 완료	품질목표 만족	권한 약 이해관계 약	현안/이슈 제기자

이해관계자 분석 매트릭스
(Stakeholder Analysis Matrix)

프로젝트 명(Project Title) : _____

지속만족 노력
(Keep Satisfied)

밀착관리
(Manage Closely)
김 ○ ○

이 ○ ○

최 ○ ○

관찰
(Monitor)

정보교환유지
(Keep Informed)

박 ○ ○

높음

영향력 Power

낮음

낮음　　　　　　이해관계정도(Interest)　　　　　　높음

2.5 이해관계자 관리전략 (Stakeholder Management Strategy)

프로젝트명(Project Title) : <u>OO 사업 기본 및 실시 설계 용역</u>

성명 (Name)	영향정도 (Influence(s) in the Project)	파급 정도 심사 (Assessment of Impact)	전략 (Potential Strategies for Gaining Support or Reducing Obstacles)
김 고 객	권한 강 이해관계 강	매우 강함	· 최종 의사결정권자이므로 지속적인 관심과 관리가 필요함 · 발주자로서 실시간 요구사항 확인 필요
김 경 리	권한 강 이해관계 강	강함	· 최종 검토권자이므로 요청사항에 대한 즉각적인 지원 필요 · 정기적(월/분기) 보고로 모니터링 필요
김 책 임	권한 중 이해관계 강	강함	· 주요 기술 요건의 제기권자이므로 요구사항 관리 대상임 · 프로젝트 책임자로써 핵심 이해관계자 관리
김 지 반	권한 중 이해관계 강	강함	· 실무 기술(지반분야) 요건의 제기권자이므로 요구사항 관리 대상임
김 차 장	권한 약 이해관계 중	보통	· 현장 요건의 제기권자이므로 요구사항 관리 대상임
김 사 원	권한 약 이해관계 약	약함	· 실무 사항의 제기권자이므로 요구사항 관리 대상임
김 환 경	권한 중 이해관계 중	보통	· 부정적인 영향을 최소화할 수 있도록 실무 차원의 지원 대상임 · 실시간 모니터링 필요
김 기 자	권한 중 이해관계 중	보통	· 부정적인 영향을 최소화할 수 있도록 실무 차원의 지원 대상임 · 실시간 모니터링 필요

이해관계자 관리전략
(Stakeholder Management Strategy)

프로젝트 명(Project Title) : _____

성명 (Name)	영향정도 (Influence)	파급 정도 심사 (Impact Assessment)	전략 (Strategies)
김○○	권한 강 이해관계 강	매우 강함	발주사측 최종 의사결정권자이므로 지속적인 관심과 관리가 필요함 인사이동에 대한 실시간 모니터링 필요
이○○	권한 중 이해관계 강	보통	발주사측 최종 검토권자이므로 요청사항에 대한 즉각적인 지원 필요 인사이동에 대해 정기적(월/분기)으로 모니터링 필요
최○○	권한 약 이해관계 중	약함	발주사측 주요 기술 요건의 제기권자이므로 요구사항 관리 대상임 인사이동에 대해 정기인사 시 모니터링 필요
박○○	권한 약 이해관계 약	약함	발주사측 실무자이므로 부정적인 영향을 최소화할 수 있도록 실무 차원의 지원 대상임 인사이동에 대해 정기인사 시 모니터링 필요
정○○	권한 강 이해관계 강	매우 강함	수행사측 최종 의사결정권자이므로 지속적인 보고와 의사소통채널 유지가 필요함 인사이동에 대한 실시간 모니터링 필요
송○○	권한 약 이해관계 중	강함	수행사측 주요 현안/이슈 1차 검토자 또는 제기자이므로 지속적인 의사소통채널 유지 및 관심과 지원이 필요함 개인적인 사정 변화에 대한 정기적(주/월간 1회) 모니터링 필요
신○○	권한 약 이해관계 약	보통 또는 강함	수행사측 주요 현안/이슈 제기자임으로 지속적인 의사소통채널 유지 및 관심과 지원이 필요함 개인적인 사정 변화에 대한 수시 모니터링 필요

※ 이해관계자별 관리전략에 따른 세부 관리업무는 별도 보안 관리중인 업무계획 참조

3

프로젝트 기획

3. 프로젝트 기획

프로젝트 진행이 공식 승인되면 프로젝트 관리자는 초기 프로젝트 팀원들과 함께 프로젝트 실행을 위한 계획을 수립한다. 이 때 적용되는 프로젝트 기획 프로세스들은 프로젝트 관리 프로세스들 중에서 가장 많은 부분을 차지하며 다양한 정보를 토대로 다양한 기법을 적용하여 작성하게 된다. 특히 기획 프로세스의 특징은 어느 한 시점에 일시적인 노력으로 계획이 수립되는 것이 아니라 점진적인 구체화를 통해 기획된다는 것이다. 프로젝트 규모가 커질수록, 그리고 불확실성이 높은 프로젝트일수록 처음부터 상세한 내용을 기획할 수 없으며, 개략적인 내용에서부터 시작하여 그 내용을 점차 구체화하는 것이 일반적이다.

프로젝트 기획 프로세스를 수행하기 위해서는 우선 기획자원과 이해관계자의 참여도를 규정하고 기획에 사용될 프로젝트 정보시스템 구축이 선행되어야 한다. 그리고 계획을 수립하기 위한 프로젝트 헌장이나 계약관련 정보, 혹은 프로젝트를 정의한 문서들을 수집하고 검토하여야 한다. 프로젝트 기획에서 가장 필요로 하는 것은 기획자의 경험과 능력뿐만 아니라 과거 수행된 프로젝트 기록과 교훈 사항, 그리고 조직 프로세스 자산이다. 특히 짧은 시간에 효율적이고 효과적인 기획을 위해서는 표준이나 템플릿, 그리고 과거 프로젝트 기록들을 참고하여 계획을 수립하는 것이다. 이때 프로젝트 관리자는 고객의 요구나 회사의 전략적 방향과 일치되는가에 관심을 기울여야 한다. 특히 인력과 기술, 그리고 주요 구성품에 대한 조달 여부와 조달 규모 등도 주요한 결정 사항이다.

프로젝트 계획의 수립은 전반적인 큰 그림에서부터 상세 그림까지 연속성 있게 수립되어야 한다. 계획 수립의 기준은 물론 계약서나 프로젝트 헌장과 같은 프로젝트 문서를 기반으로 하지만, 기획 초기에는 프로젝트의 전반적인 내용을 범위 중심으로 기술한 프로젝트 범위기술서와 같은 문서들로부터 시작된다. 프로젝트 범위기술서와 같은 문서는 프로젝트 헌장을 좀 더 구체화하며, 이 범위기술서를 토대로 하여 상세 범위를 정의하는 작업분류체계가 만들어지고, 작업분류체계는 범위, 일정, 원가 등을 포함한 프로젝트 전체에 대한 상세 계획을 수립하는 기반이 된다. 상세 계획은 범위 부분을 먼저 계획하는 것이 일반적이지만, 이미 프로젝트의 전반적인 개요로부터 시작된 계획이 구체화되는 과정에서는 주요 부분인 범위, 일정, 원가, 품질에 대한 세부 계획을 상호 통합하고 조정하면서 구체화 할 수 있다.

프로젝트 계획은 프로젝트의 핵심인 범위계획, 일정계획, 원가계획, 품질계획이 있으며, 이를 달성하기 위한 보조 계획인 인적자원계획, 의사소통계획, 리스크계획, 조달계획이 있다. 여기서 핵심이 되는 네 가지 계획은 프로젝트 목표로 설정되는 계획이며, 나머지 보조 계획은 그 목표를 달성하기 위한 도구 역할을 하는 계획들이다. 이들 각 계획에 대해서는 일관되고 통일된 전체 계획으로 완성하기 위해서는 상호 조정하고 통합하는 노력이 요구된다. 프로젝트 계획은 크게 프로젝트를 실행하고 통제하는 방법, 프로젝트 기준선, 각종 관리 계획과 같은 부수 계획 등을 포함한다. 프로젝트를 실행하고 통제하는 방법에는, 목표달성을 위한 실행 방법, 성과 측정 및 기준선 유지 관리 방법, 프로젝트 현황 및 진척 확인 방법, 변경 감시 및 통제 방법, 형상 관리 방법, 작업 및 프로젝트 종료 방법, 프로젝트 생명주기 등을 포함한다. 여기서 프로젝트 기준선이란 프로젝트 진행 중에 성과를 측정하기 위한 목표 계획으로써, 범위 기준선, 일정 기준선, 원가 기준선을 포함한다. 여타 계획들은 프로젝트가 진행되면 구체화되거나 수정되지만 기준선들은 한

번 확정되면 범위변경이나 프로젝트 결과물에 대한 변경과 같은 중대한 변경이 발생할 때 승인절차에 의해 변경될 수 있다. 관리 계획에는 범위관리계획, 일정관리계획, 원가관리계획을 비롯한 품질, 인적자원, 의사소통, 리스크, 조달의 각 지식 분야별 관리계획이 수립되어야 한다. 이는 관리 절차와 방법, 관리 기준 등을 정의하여 실제 프로젝트 관리를 수행할 수 있는 기준을 마련하게 한다.

프로젝트 계획은 일반적으로 각 부분별로 수립된 내용을 계획 수립 워크샵이나 킥오프 미팅 등을 통하여 토의하고 조정하여 통합을 이끌어내며, 통합된 계획은 고객 또는 경영층의 승인을 얻어 확정된다. 확정된 계획 또한 의사소통계획에 의거하여 해당 이해관계자들에게 열람 또는 배포되는 것이 원칙이다. 이는 프로젝트 실행, 통제, 종료의 기준이며, 프로젝트 환경 변화, 프로젝트 요구 변화, 저조한 성과 등에 따라 변경이 결정될 수 있고 지속적으로 업데이트나 최신 내용을 반영하여 유지되어야 한다.

〈기획 프로세스를 위한 체크리스트〉

- 목표와 목적이 정의 되었는가
- 프로젝트 환경요인들이 수립 되었는가
- 프로젝트 생명주기가 정의 되었는가
- 범위가 정의 되었는가
- 주요 인도물이 정의 되었는가
- 작업분류체계가 완료 되었는가
- 하향식 기획 산정이 생성 되었는가
- 주요 마일스톤이 정의 되었는가
- 통합 마스터 일정이 완료 되었는가
- 산출물과 서비스 요구사항이 정의 되었는가
- 단계별 계획이 완료 되었는가
- 역할과 책임을 포함한 조직 계획이 완료 되었는가
- 실행, 평가, 시험 계획이 완료 되었는가
- 형상관리 및 변경 통제 계획이 완료 되었는가
- 문제 추적 계획이 완료 되었는가
- 문서 관리 계획이 완료 되었는가
- 교육 계획이 완료 되었는가
- 의사소통계획이 완료 되었는가
- 법규 요구 관리 계획이 완료 되었는가
- 리스크 평가가 완료 되었는가
- 리스크관리계획이 완료 되었는가
- 신뢰성, 가용성, 유용성 계획이 완료 되었는가
- 예비 지원 계획이 완료 되었는가
- 상호의존계획이 완료 되었는가
- 자원 계획이 완료 되었는가
- 팀 개발 계획이 수립 되었는가
- 프로젝트 관리계획이 완료 되었는가
- 기회비용이 계산 되었는가
- 예산이 구체화 되었는가
- 재무 분석이 완료 되었는가

- 통합된 사업 및 실현 계획이 최신화 되었는가
- 기능적 인도물이 정의 되었는가
- 최상위 아키텍처 사양이 완료 되었는가
- 상위 수준의 기능 사양이 완료 되었는가
- 기능 그룹에 의한 상향식 작업 산정이 생성 되었는가
- 상세 기능부문 기획과 일정이 완료 되었는가
- 기능부문 일정의 주경로 분석이 완료 되었는가
- 마스터 일정의 주경로 분석이 완료 되었는가
- 기능 관리자의 승인과 실행 약속이 있었는가
- 기능 그룹과 함께 마스터 일정과 경로가 할당 되었는가
- 기획 단계의 체크리스트가 완료 되었는가
- 개발 단계 합의가 최종 확정 되었는가
- 프로젝트 측정 기준이 정의되고 수립 되었는가
- 품질관리계획이 수립 되었는가
- 조달계획이 수립 되었는가
- 프로젝트 계획이 적절하게 배포 되었는가
- 산출물 인수 기준이 승인 확정 되었는가

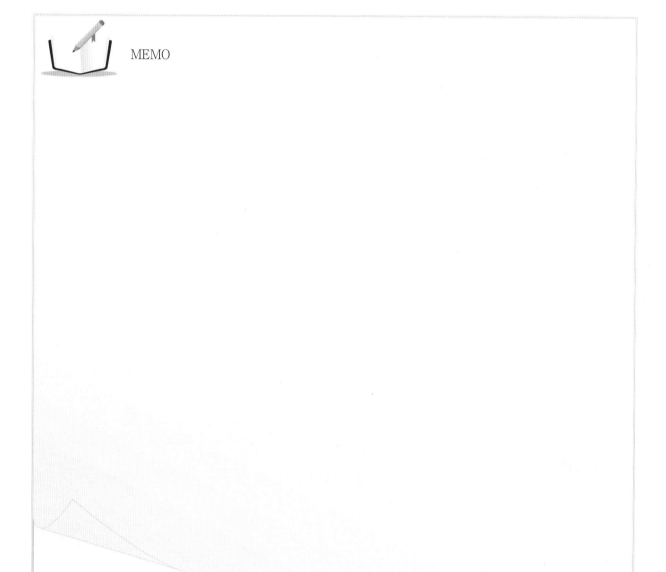

MEMO

프로젝트 기획 점검표
(Project Planning Checklist)

프로젝트명 (Project Title) : OO 사업 기본 및 실시 설계 용역

작 성 자 (Prepared by) : 김 책 임

작 성 일 (Date) : 20XX년 XX월 XX일

NO	세부 항목 (Item/Comments)	수행방법 (Take to Complete)	책임자 (Who will Complete)	일 자 (By when)	완료일 (Date of Complete)
1	목표 및 목적(Goals and objectives defined)				
2	추진 배경(Background for push ahead)				
3	범위(Scope defined)				
4	주요 산출물(Major deliverables)				
5	작업분할구조(WBS)				
6	기본계획(Top-down planning estimates)				
7	주요 이벤트 일정(Major milestones)				
8	통합 스케줄(Master integrated schedule)				
9	제품 및 서비스 요구사항(Product and services requirements)				
10	단계별 계획(Phase Plan)				
11	조직구성계획(Organization Plan)				
12	성과목표, 평가 및 테스트계획 (Performance, evaluation, and test plan)				
13	변경통제계획(Change Control Plan)				
14	문제 모니터링계획(Problem Tracking Plan)				
15	문서관리계획(Documentation Plan)				
16	교육계획(Education Plan)				
17	의사소통관리계획(Communication Plan)				
18	법규 및 규제 요구사항관리계획(Legal and Regulatory Requirements Plan)				
19	리스크평가방안(Risk Assessment)				
20	리스크관리계획(Risk Management Plan)				
21	초기 지원계획(Preliminary Support Plan)				
22	자원관리계획(Resources Management Plan)				
23	품질관리계획(Quality Management Plan)				
24	아키텍처구성계획(Architecture Specification Plan)				
25	상위 기능구성계획(High-Level Functional Specifications Plan)				
26	최하위 업무내역(Bottom-up Task Estimates created by functional groups)				
27	상세 기능 구성계획 및 일정(Detailed Functional Planning and Schedules)				
28	계획단계 점검표(Planning Phase Checklist)				

프로젝트 기획 점검표
(Project Planning Checklist)

프로젝트명(Project Title):
작 성 자(Prepared by):
작 성 일(Date):

NO	세부 항목 (Item/Comments)	Y	N	완료예정일 (Planned Completion)	완료일 (Actual Completion)	투입공수 (Actual Effort)
1	목표 및 목적(Goals and objectives defined)					
2	추진 배경(Background for push ahead)					
3	범위(Scope defined)					
4	주요 산출물(Major deliverables)					
5	작업분할구조(WBS)					
6	기본계획(Top-down planning estimates)					
7	주요 이벤트 일정(Major milestones)					
8	통합 스케줄(Master integrated schedule)					
9	제품 및 서비스 요구사항(Product and services requirements)					
10	단계별 계획(Phase Plan)					
11	조직구성계획(Organization Plan)					
12	성과목표, 평가 및 테스트계획(Performance, evaluation , and test plan)					
13	변경통제계획(Change Control Plan)					
14	문제 모니터링계획(Problem Tracking Plan)					
15	문서관리계획(Documentation Plan)					
16	교육계획(Education Plan)					
17	의사소통관리계획(Communication Plan)					
18	법규 및 규제 요구사항관리계획(Legal and Regulatory Requirements Plan)					
19	리스크평가방안(Risk Assessment)					
20	리스크관리계획(Risk Management Plan)					
21	초기 지원계획(Preliminary Support Plan)					
22	자원관리계획(Resources Plan)					
23	품질관리계획(Quality Management Plan)					
24	아키텍처구성계획(Architecture Specification Plan)					
25	상위 기능구성계획(High-Level Functional Specifications Plan)					
26	최하위 업무내역(Bottom-up Task Estimates created by functional groups)					
27	상세 기능 구성계획 및 일정(Detailed Functional Planning and Schedules)					
28	계획단계 점검표(Planning Phase Checklist)					

3.2 범위 관리계획 (Scope Management Plan)

프로젝트명(Project Title) : _____

□ 범위관리 계획서 구성

○ 계획수립 절차

필요 문서
1. 프로젝트 관리 계획서 2. 프로젝트 헌장

▶

방 법
사전 협의회 및 전문가 의견

▶

산출물
범위관리계획

○ 주요 내용

구분	내용	비고
범위 관리 정의	− 과업 내용 정의 − 책임자 및 실무자	작 성
범위 관리 개발	− 과업 내용 범위 구분 − 이해관계자 포함	작 성
범위 관리 모니터링 & 컨트롤	− 과업 내용 변경시 − 과업 내용 추가시	범위 관리 변경서 작성
범위 관리 검증	− 과업 내용 이행 여부	범위 관리서 작성

□ 범위 관리 계획서 준비 절차 (Process for preparing a plan)

A. Kick off Meeting	B. EPC 상세 범위 정의	C. 이해관계자 Workshop	D. 보완수정	E. 범위 관리 계획서 작성

※ EPC : 설계(Engineering), 구매(Procurement), 시공(Construction) 종합

○ 상세 범위 관리 계획서 준비 절차 (Process for preparing a detailed plan)

프로세스	내용	담당
A	EPC 관리 항목별 주요 업무 정의	TPM
B	타 영역과 협의 필요사항 List 화	PM
C	각 영역별 협의 사항 결론 도출	TPM
D	W/S 결과 반영하여 상세 범위 관리계획서 수정	PM
E	범위 관리 계획서 포함 후 확정	TPM

○ WBS 정의 절차 (Process that enables the creation of the WBS)

프로세스	내용	담당
A	주요 WBS 정의 (Lv.2)	TPM
B	분야별 상세 WBS 정의 (Lv.3)	PM
C	전체 상세 WBS 정의 (Lv.3)	TPM
E	범위 관리 계획서 포함 후 확정	TPM

○ WBS 유지 관리 및 승인 절차

구분	유지 및 절차	비고
Lv.2 WBS	PM 건의 --> 타 PM 합의 --> TPM 승인	
Lv.3 WBS	PM 건의 --> TPM 승인	

□ 완료 성과물 승인 절차

구 분			비 고
수시 검증	평가기준(객관성)을 통한 검증	– 발주처 요구 혹은 용역 수행시 필요에 따라 – 일시적인 등록의 필요성이 있을 경우	수시 검증
정기 검증	정기적인 목적(전문가적 입장)으로 하는 검증	– 범위의 전문기술이 필요 및 변경이 필요할 시 – 외주 증가로 기존의 협력업체만으로 수요를 만족시킬 수 없는 경우	분기별 1회

평가 과정

품질보증실 평가대상 범위선정	▶	프로젝트팀 경영지원부 품질보증실 1차 평가	▶	프로젝트 팀 이해관계자 의견 수렴	▶	품질보증실 2차 평가 TPM:검토	▶	경영진 결정

□ 변화 요구 관리 절차 (Control process for change request)

○ 프로젝트 수행중인 범위를 지속적인 모니터링과 통제
- 범위 변경시
- 신규 범위 항목 발생시
- 공동도급사간 업무분장 변경으로 인한 지분 변경시

프로젝트 범위 관리계획서(1차 변경)
20XX.XX.XX

1. 과업 내용

과 업 명	OO 사업 기본 및 실시 설계 용역		
발 주 처	OO 지방사업소	과업번호	OO – OOOO – OO
과업기간	20XX.XX.XX ~ 20.XX.XX	주관부서	OO 프로젝트 팀
과업위치	OO도 OO군 OO읍 일원		
과업개요	1. 기본계획 검토 및 실시설계 2. 현지조사 : 측량(14→18㎞), 토질조사(14공) 3. 도시계획 시설결정 : 사전환경성 검토, 사전재해영향성 검토 4. 설계자문추가(자문위원회 활용) 5. 인도물 작성		

o 변경 요청서 작성 요령
- 과업개요 부분에 개략적이 과업 변경 사항 추가 작성
- 변경되는 과업 부분만 당초 및 변경 두줄로 구별하여 기입
- 당초는 흑색 글씨, 변경은 적색 글씨로 작성
- 당초 대비 변화가 없는 항목에 대하여는 변경 작성하지 않음
- 2, 3차 변경 등 차수변경의 경우도 위의 변경 요령에 따름

o 필요시 세부 범위 관리계획변경에 따른 전체 범위 관리계획서 수정 가능 자세한 내용은 별도 '변경관리계획(Change Management Plan)' 참조

□ 양식 (Forms)

o 변경 관리계획(Change Management Plan)

<table>
<tr><td colspan="2" align="center">3.3</td><td align="center">일정 관리계획
(Schedule Management Plan)</td></tr>
</table>

일정 관리계획 (Schedule Management Plan)

3.3

프로젝트명(Project Title) : _____

□ 프로젝트 일정모델 개발 (Project Schedule model development)

○ 스케줄링 방법론

단 계	방 법 론
1단계	− WBS 작업 패키지의 산출물을 생산하기 위한 상세 활동 항목들의 정의 − 하나의 작업 패키지에 대해 하나 이상의 활동 항목으로 분할
2단계	− 활동들 사이의 의존 관계 설정 − 선후행도형법(PDM) 로직 적용
3단계	− 활동 기간 산정은 프로젝트 DB의 활동 기간 데이터를 참조 − 비 반복활동 또는 과거 데이터가 없는 활동의 경우 삼점산정법을 적용하여 기간 산정 − 초기 산정에는 일반적 기간을 적용하여, 추후 가용 자원을 고려한 구체적 기간 산정
4단계	− 주공정법(CPM) 분석 후 자원 평준화 및 목표 기간에 맞는 일정 단축 시도
5단계	− 일정 개발 후 프로젝트 예산 및 범위와 통합 조정에 따라 수정

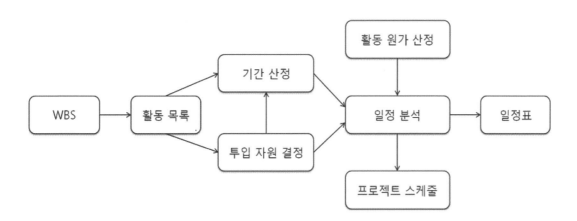

○ 스케줄링 도구
- 스케줄 형식
  - 대일정 계획(Master Schedule) : PMO 또는 경영층 보고용으로 간트 차트(Gantt chart) 형식의 일정표 적용
  - 네트워크 일정표 : 프로젝트 관리자 또는 프로젝트 관리팀의 관리용 일정표로 선후행도형법(PDM) 형식의 일정표 적용
  - 로직 바차트 : 네트워크 일정표를 상세하게 분할한 담당자용 일정 계획으로 선후행도형법(PDM)의 로직을 적용하며, 진척도를 측정하는 활동기준
- 스케줄링 분석 및 개발
  - 주공정법 (Critical Path Method) 분석
  - 자원 평준화 (Resource Leveling) 분석
  - 일정 / 원가 상충 관계 분석

□ **정확도 수준 (Level of accuracy)**

  ○ 활동 일정 산정시 허용 범위는 ±10% 이내로 하며, 우발사태 대비금은 최대 5% 이내로 산정한다.

□ **측정 단위 (Units of measure)**

  ○ 모든 활동들에 대한 기간(Duration)의 단위는 일(Day) 기준으로 하며, 대 일정계획은 주간(Week)기준으로 함.

  ○ 활동에 대한 기타 측정 요소들은 Man/Hour 단위의 공수 단위 적용

□ **조직 절차 연계 (Organizational procedures links)**

  ○ 작업분류체계의 작업패키지를 기준으로 상세 활동을 분할하며, 활동 코드는 작업분류체계 식별 코드와 활동 코드를 연결하여 적용
    - 예 : WBS 작업 패키지 코드, 활동 코드

  ○ 활동 코드는 활동 속성 코드와 일련번호로 구성
    - 예 : X005

□ **프로젝트 일정 모델 유지 관리 (Project schedule model maintenance)**

  ○ 프로젝트 일정은 기준선 변경 승인에 따라 재 계획

  ○ 프로젝트 일정 유지는 초기기준선과 진척을 고려한 현재일정으로 구분하여 유지 관리

  ○ 진척 관리는 활동 단위로 측정하여 입력하며, 계획 기간 대비 실제 작업 기간 결정, 그리고 잔여 작업기간의 예측과 함께 진척도를 계산

□ **통제 한계선 (Control thresholds)**

  ○ 활동 일정 차이의 허용 한계 : 주공정 활동의 경우 5일 지연, 비주공정 활동의 경우 10일 지연

  ○ 프로젝트 일정 차이의 허용 한계 : 전체 계획 대비 실적 진척도 차이가 5% 이상일 경우

□ **성과 측정 규칙 (Rules of performance measurement)**

  ○ 진도율 측정 기준 : 투입 Man/Hour 및 산출물 수량을 기준으로 하며, 그 밖의 활동은 50-50 법칙 적용

  ○ 통제 단위는 활동 및 이를 종합한 작업 패키지 수준에서 관리 적용

  ○ 통합된 프로젝트 성과를 위한 데이터 분석에 일정 차이(SV)를 적용

□ 보고 형식 [Reporting formats]

○ 상세 일정표

활동 코드	활동	진척률	시작일	종료일	여유	담당자

○ 대 일정표

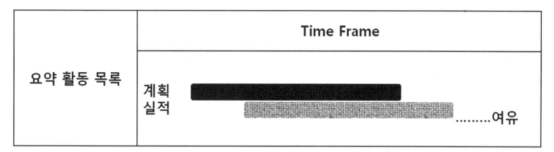

요약 활동 목록	Time Frame
	계획 실적 ....여유

□ 프로세스 설명 [Process descriptions]

활동 정의	일정 활동 목록 도출
활동 순서	활동 사이의 의존 관계 결정
기간 산정	투입 자원을 고려한 소요 기간 결정
일정 분석 및 개발	분석 기법을 적용하여 각 활동에 대한 최종 일정 확정
일정 통제	일정 계획과 실적의 차이 분석을 통한 조치 및 변경 결정

원가 관리계획
(Cost Management Plan)

프로젝트 명(Project Title) : OO 사업 기본 및 실시 설계 용역

□ 측정 단위 (Units of measure)

○ 각 자원에 적용되는 측정값을 정의한다.

구 분	단 위
인적자원	시간, 일 또는 주
물적자원	미터, 킬로미터, 킬로그램 등 SI 단위계
화폐단위	원화, 달러화

□ 정밀도 수준 (Level of precision)

○ 활동 원가 산정시 화폐단위는 정수로 표기하며, 100만원 또는 $1,000 단위 이하는 절사한다.

□ 정확도 수준 (Level of accuracy)

○ 활동 원가 산정시 허용범위는 ±10% 이내로 하며, 우발사태 대비금은 최대 5% 이내로 산정한다.

□ 조직절차 연계 (Organizational procedure links)

○ 원가관리계획의 기본이 되는 WBS에는 고유 코드를 부여하여, 최소 4 레벨까지 정의 되어져야 한다. Activity에는 회사 회계계정 코드를 별도로 부여하여 WBS코드와 함께 관리한다.

□ 통제한계선 (Control thresholds)

○ 원가 실행이 계획원가의 ±5%의 편차를 벗어나지 않도록 모니터링하며, 기준 편차를 벗어날 경우에는 프로젝트 통제 위원회를 소집하고 적절한 조치를 취하여 제시된 편차 범위 이내로 수렴하도록 한다.

□ 성과측정 규칙 (Rules of performance measurement)

○ 수행측정은 각 마일스톤(Milestone)에서 이루어지며, 기성고 측정방식 다음 3가지 중 프로젝트에 적합한 방식을 적용한다.

기성고 측정기준	내 용
0/100%	해당 작업이 완료된 경우에만 기성고 인정
가중치 적용 마일스톤	해당 마일스톤을 달성한 경우에 부여된 가중치만큼 기성고를 인정
%완료	마일스톤을 식별할 수 없는 경우 실적가치를 주관적 비율로 추정하여 인정

○ 각 측정단계에서의 EAC는 다음 2가지 공식 중 프로젝트에 적합한 공식을 적용한다.
  - EAC = BAC / CPI
  - EAC = AC + (BAC-EV) / (EV/AC)

☐ 보고형식 (Reporting format)

○ 보고양식은 사내 프로젝트 지침서의 표준양식을 따르며, 보고주기는 한 달간의 실적을 다음달 1일에 보고한다. 단, 별도 요청이 있을 경우 보고서를 제출하여야 한다.

☐ 프로세스 설명 (Process descriptions)

○ 기획프로세스에서 활동원가 산정치(Activity Cost Estimates), 산정기준(Basis of Estimates), 원가성과기준선(Cost Performance Baseline), 프로젝트 자금요구치 (Project Funding Requirements)를 작성한다.

○ 통제프로세스에서 프로젝트성과보고서(Project Performance Reports), 차이분석 (Variance Analysis), 획득가치 현황 (Earned Value Status), 진도보고서(Progress Report)를 통해서 계획된 원가대비 성과를 모니터링하고 통제한다.

☐ 환율관리 (Fluctuations in currency exchange rates)

○ 프로젝트 기간이 1년 이상이고, USD1,000,000이상의 외화거래가 있을 경우에는 외화 리스트관리 절차에 따라서 환헤지(hedge)를 적용한다.

☐ 원가 실적관리 (Project cost recording)

○ 발생 원가는 회사 ERP를 통하여 실시간으로 반영되도록 실적을 관리하고, 공정관리 툴에도 기입하여 기성고 분석에 활용한다.

3.5 이해관계자 관리계획 (Stakeholder Management Plan)

프로젝트 명(Project Title) : _____

☐ 핵심 이해관계자의 희망/현재 참여 수준 (Desired and current engagement level of key stakeholders)

구분	핵심 이해관계자	현 참여수준	희망 참여수준	대응방안
경영층	김 ○ ○	약	강	예산 승인사안 발생 예상 시기 2개월 전, 승인 요청 배경 및 기대효과에 대한 설명 기회 마련, 필요시 요청자료 및 근거자료 별도 제공, 납기 엄수
	박 ○ ○	중	강	인력 투입 필요시기 최소 2개월 전 인력 투입 카렌더 제공 및 설명 기회 마련, 필요 시 요청자료 및 근거자료 별도 제공, 납기 엄수
고객	이 ○ ○	강	중	프로젝트 계획상의 공식 검토회의를 최대한 활용하여 불필요한 접촉 기회를 최소화, 단계별 제출 대상 산출물 납기 엄수, 단계별 종료보고회 시 충분한 설명 및 근거자료 제공, 회의록 보고 내실화
	정 ○ ○	중	약	인프라 도입계획, 경과보고, 추진현황 등을 장비 도입 주요 마일스톤에 따라 지속적으로 보고하고 현안 발생 시 별도 보고체계 구축, 장비별 담당자 지정 및 실무 차원 대응체계 확보
협력사	송 ○ ○	중	강	월간회의 또는 운영위원회에 정기 참석 대상자로 선정하고 지속적인 참여를 유도하고 현안 발생 시 신속한 대응체계 구축

☐ 이해관계자 참여도 변경의 범위와 영향 (Scope and impact of change to stakeholders)

구분	핵심 이해관계자	현 참여수준	변경 참여수준	범위	영향
경영층	김 ○ ○	약	강	예산 승인	프로젝트 원가 검토 및 의사결정 시간 단축
	박 ○ ○	중	강	인력투입 규모 승인	프로젝트 인력 투입 규모 의사결정 시간 단축
고객	이 ○ ○	강	중	프로젝트 검수 책임	프로젝트의 결과에 대한 판단 집중으로 불필요한 참여 축소
	정 ○ ○	중	약	인프라 검수 책임	장비 도입 결과에 대한 적정성 판단 집중으로 비효율적 접촉시간 최소화
협력사	송 ○ ○	중	강	솔루션 변경 자체 승인	고객 솔루션 변경 요청 시 해당 사안 처리 시간 단축

□ 이해관계자간의 식별된 상호 관계와 잠재적 중복
(Identified interrelationships and potential overlap between stakeholders)

핵심 이해관계자	상호관계	잠재적 중복	핵심 이해관계자	비고
김 ○○	재무적 관계	예산 심의업무	박 ○○	
박 ○○	기술적 의존관계	기술도입 검토업무	이 ○○	의존관계 강함
이 ○○	R&D 과제 선정 의견 교환	R&D 과제 선정업무	정 ○○	
정 ○○	기술 마케팅 인터페이스	생산계획 심의 업무	송 ○○	
송 ○○	홍보 마케팅 인터페이스	광고계획 심의 업무	김 ○○	의존관계 강함

□ 현 프로젝트 단계의 이해관계자 의사소통 요구사항
(Stakeholder communication requirements for the current project phase)

핵심 이해관계자	현 단계	의사소통 요구사항	비고 (당사자)
김 ○○	예산 편성단계	예산 확정시까지 정기협의	박○○
박 ○○	기술 도입심의 단계	기술 도입 완료시까지 운영위원회 기동	이○○
이 ○○	R&D 과제 선정단계	R&D과제 선정 완료시까지 심의회 가동	정○○
정 ○○	생산계획 수립단계	생산계획 수립 종료 시까지 정기회의 동참	송○○
송 ○○	광고계획 심의단계	광고계획 수립 종료 시까지 정기회의 동참	김○○

□ 이해관계자에게 배포되는 정보 (Information to be distributed to stakeholders)

핵심 이해관계자	배포 정보	배포 근거	참여 기대수준	배포 시점	배포 주기
김 ○○	예산편성 정보	업무담당임원	예산편성기간 단축	예산편성 1개월전	1회/년
박 ○○	도입대상 기술정보	기술도입총괄	도입대상 기술 범위 축소	도입대상기술 선정 2주전	1회/반기
이 ○○	R&D과제대상정보	R&D과제결정권자	R&D과제선정 기간 단축	R&D과제선 정전 2개월전	1회/반기
정 ○○	생산계획 관련정보	생산계획심의위원	시장중심의 생산계획 수립	생산계획회의 2일전	1회/월
송 ○○	광고계획 관련정보	광고계획심의위원	광고평균단가 인하	광고계획회의 3일전	1회/격주

3.6 프로젝트 관리계획 (Project Management Plan)

프로젝트명(Project Title) : <u>OO 사업 기본 및 실시 설계 용역</u>

□ 기준선 관리 (Baseline Management)

○ 실제 결과를 비교하여 변경, 시정 또는 예방 조치 활용

기준선 관리	참고 자료
범위 기준선 관리(Scope Baseline Management) : 업무에 대한 조기 이해를 위해 사전 준비와 교육을 성실히 이행하여 고객과 원만한 의사소통	• 작업분류체계(WBS) 문서 참조
일정 기준선관리(Schedule Baseline Management) : 본 프로젝트는 철저한 일정관리를 통하여 전체 납기 뿐만 아니라, 단계별 납기 준수를 실현	• 일정관리계획 (Schedule Management Plan) 문서 참조
원가 기준선 관리(Cost Baseline Management) : 예산 증감액 해당사항 없음	• 원가관리계획(Cost Management Plan) 문서 참조

□ 보조 관리 계획 (Subsidiary Management Plans)

○ 프로젝트 관리계획서를 구성하는 보조계획서

관리영역	구 분	내 용	비 고
범위 (Scope)	범위 관리계획 (Scope Management Plan)	· 최종제품(성과물)에 대한 관리 계획 · 범위 변경에 대한 절차 포함	• 범위관리계획 (Scope Management Plan) 문서 참조
	요구사항 관리계획 (Requirement Management Plan)	· 프로젝트 실행, 감시 및 통제, 종료 방법 · 프로젝트 라이프 사이클 동안 지속적인 업데이트	• 요구사항관리계획 (Requirements Management Plan) 문서 참조
일정 (Time)	일정 관리계획 (Schedule Management Plan)	· 프로젝트 기간(시간)에 대한 관리 계획 · 일정단축 및 공정압축 등 변경사항 포함	• 일정관리계획 (Schedule Management Plan) 문서 참조
원가 (Cost)	원가 관리계획 (Cost Management Plan)	· 프로젝트 원가 관리 계획 · 범위, 일정 별 자원 및 원가 산정치 운영 계획 포함	• 원가관리계획 (Cost Management Plan) 문서 참조
품질 (Quality)	품질 관리계획 (Quality Management Plan)	· 프로젝트 계획서에 대한 품질 관리 계획 · 품질통제, 품질보증 지속적인 프로세스 개선방식 포함	• 품질관리계획 (Quality Management Plan) 문서 참조
	프로세스개선계획 (Process Improvement Plan)	· 프로세스 역량과 개선 사항을 식별하여 관리 계획	• 프로세스개선계획 (Process Improvement Plan) 문서 참조

인적자원 (Human Reource)	인적자원계획 (Human Resource Plan)	· 프로젝트 수행에 있어 직원 관리 계획 · 역할, 책임사항, 필요한 기량, 보고 관계를 식별 및 지속적으로 업데이 트 포함	• 인적자원계획 (Human Resource Plan) 문서 참조
의사소통 (Communication)	의사소통 관리계획 (Communications Management Plan)	· 프로젝트 수행에 있어 이해관계자 들과의 의사소통 관리 계획	• 의사소통관리계획 (Communications Management Plan) 문서 참조
리스크 (Risk)	리스크 관리계획 (Risk Management Plan)	· 프로젝트에 대한 리스트 관리 활동을 수행하는 방법 계획	• 리스크관리계획 (Risk Management Plan) 문서 참조
	리스크 대응계획 (Risk Response Plan)	· 식별된 리스크의 대응계획 수립 · 리스크 내용, 영향력 분석 결과, 우선순위, 대응 책임자, 세부계획, 목표일자 등 포함	
조달 (Procurement)	조달 관리계획 (Procurement Management Plan)	· 외주 관리 계획 　－ 사전자격보유 구매자 식별 　－ 조달계약 유형 등 결정	• 조달관리계획 (Procurement Management Plan) 문서 참조
	계약관리계획 (Contract Management Plan)	· 계약 발생 이후 수요자와 공급자 사이의 계약관리를 위한 절차 수립 · 중간 성과평과, 검수기준 등 포함	
이해관계자 (Stakeholder)	이해관계자관리계획 (Stakeholder Management Plan)	· 이해관계자의 관리 및 관여 수준 등 계획 · 프로젝트 단계의 이해관계자 의사소통 요구사항 관리	• 이해관계자관리계획 (Stakeholder Management Plan) 문서 참조

□ 기타 사항 (Other conditions)

○ 프로젝트 생애주기 (Project Life Cycle)

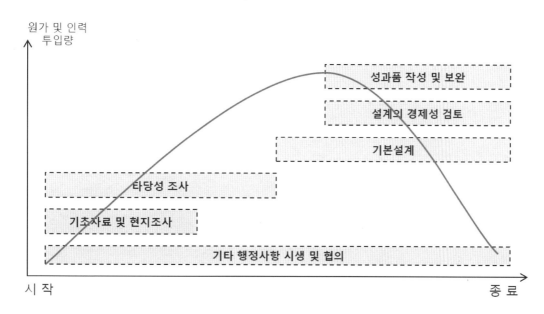

○ 프로젝트 관리 프로세스 (Project Management Process)
  - 단계별 프로세스, 프로젝트관리 프로세스, 각 프로세스별 도구 및 기법, 프로세스 구현 수준, 프로젝트 목표 달성을 위한 작업실행계획 포함

| 단계
프로세스 | 관리
프로세스 | 관리 영역 | 도구 및 기법
(절차 방법) | 구현 수준 | | 작업실행계획
(관리양식참조) | 담당 |
				적용 여부	테일러링 사유		
요구사항관리 (Requirement Management)	요구사항 관리조직 구성 및 일정 수립	요구사항 계획	요구사항 프로세스	적용	–	과업수행 (SOW)계획서	P M & 이 해 관 계 자
	요구사항 관련 문서 검토 및 승인	요구사항 관련 문서 내부검토 및 승인	요구사항 프로세스	적용	–	수립 계획 및 결과서	
		요구사항 관련 문서 고객 검토	요구사항 프로세스	적용	–	고객검토 회의록	
		고객 승인 획득	요구사항 프로세스	적용	–	(승인된) 요구사항관리서	
		요구사항 구성관리	요구사항 프로세스	적용	–	기준선	
	요구사항 변경 관리	요구사항 계획	요구사항변경 프로세스	적용	–	변경관리계획서, 변경통합관리대장	
	요구사항 추적 관리	요구사항 계획	요구사항추적 프로세스	적용	–	요구사항추적 매트릭스	
프로젝트 계획 수립 (Project Planning)	프로젝트 착수	프로젝트 목표	사업 목표 및 전략 프로젝트 성과물(결과물) 프로젝트 품질조건 성과물(결과물) 인수조건	적용	–	과업수행(SOW) 계획서	P M & 이 해 관 계 자
		계획 수립 인력 구성	인적자원 프로세스	적용	–	과업수행(SOW) 계획서	
		의사소통채널 및 Commitment확보	의사소통 프로세스	적용	–	과업수행(SOW) 계획서	
		프로젝트 초기 리스크/이슈 식별	리스크관리 프로세스 프로젝트관리 프로세스	적용	PMS > 이슈 및 리스크 관리	리스크 등록부 이슈 로그	
		프로젝트 등록	프로젝트관리 프로세스	적용	–	사내 시스템	
		프로젝트 규모 산정	프로젝트관리 프로세스	적용	(*착수,설계,종료)	규모 산정 내역서	
		자원 및 기간 산정	프로젝트관리 프로세스	적용	–	과업수행(SOW) 계획서	

단계 프로세스	관리 프로세스	관리 영역	도구 및 기법 (절차 방법)	구현 수준		작업실행계획 (관리양식참조)	담당
				적용 여부	테일러링 사유		
		프로젝트 실행 예산 확정	프로젝트관리 프로세스	적용	–	사내 시스템	
	프로젝트 계획수립	통합관리계획	통합관리 프로세스 통합변경통제 프로세스 프로젝트 계획 통합 프로젝트 관리 정의 수립	미적용	–	과업수행 (SOW) 계획서	P M & 팀 원 & 이 해 관 계 자
		범위관리계획	범위관리 프로세스 범위기술서 WBS	적용	PMS >일정관리	범위관리 계획서	
		일정관리계획	일정관리 프로세스 프로젝트 일정표	적용	–	일정관리 계획서	
		원가관리계획	원가관리 프로세스 예산내역 품의/지급 절차	적용	–	원가관리 계획서	
		품질관리계획	품질관리 프로세스 품질 표준 지표 품질 체크리스트	적용	–	품질관리 계획서	
		인적자원관리계획	프로젝트 인력 조직도 프로젝트 교육 훈련 계획 인력 투입 계획	적용	–	인적자원관리 계획서	
		의사소통관리계획	의사소통관리 프로세스 주요측정지표	적용	–	의사소통관리 계획서	
		리스크관리계획	리스크관리 프로세스 리스크 체크리스트 리스크 대응계획	적용	–	리스크관리 계획서	
		조달관리계획	조달관리 프로세스 구매, 계약,	적용	–	조달관리 계획서	

단계 프로세스	관리 프로세스	관리 영역	도구 및 기법 (절차 방법)	구현 수준		작업실행계획 (관리양식참조)	담 당
				적용 여부	테일러링 사유		
			관리, 종료 프로세스				
		이해관계자관리 계획	이해관계자 프로세스 이해관계자 참여도 계획	적용	–	이해관계자관리 계획서	
	프로젝트 계획 변경 관리	프로젝트 계획 변경	프로젝트 계획 변경 프로세스	적용	(* 각 단계 말)	변경통합관리 리스트	
	프로젝트 계획 검토 및 승인	프로젝트 계획 검토	프로젝트 계획 프로세스 프로젝트 계획서 검토	적용	–	수립 계획 및 결과서	
		프로젝트 계획 승인	프로젝트 계획서 승인	적용	–	(승인된)과업 수행계획서	
프로젝트 진행관리 (Project Processing Management)	자료 수집 및 분석	프로젝트 자료 수집 프로젝트 자료 분석	프로젝트 자료 수집 프로젝트 자료 분석	적용	–	자료 보고서 분석 보고서	P M & 팀 원 & 이 해 관 계 자
	프로젝트 진행	계획된 활동 수행	프로젝트 실행 프로세스	적용	PMS >일정관리	WBS	
		Critical-Path/ Dependency관리	프로젝트 일정 프로세스	적용	필요 시	WBS	
	리스크 및 이슈 관리	리스크 식별 및 해결	리스크관리 프로세스	적용	–	리스크 등록부	
		이슈 식별 및 해결	프로젝트관리 프로세스	적용	–	이슈로그	
	보고 및 검토	현황 보고	프로젝트 현황 보고	적용	–	주간/월간업무 보고서	
		내부 검토 및 회의	프로젝트 내부(비공식) 회의 실무자 회의	적용	–	회의록	
		공식 검토 (Formal Review)	프로젝트 외부(공식) 회의 전문가 회의	적용	–	회의록	
	프로젝트 완료 및 평가	프로젝트 완료 보고	프로젝트 최종보고	적용	–	프로젝트 종료보고서	
		프로젝트 평가 및 성과물 등록(Lessons learned포함)	프로젝트 평가 및 성과물(결과물)	적용	–	사내 시스템	

단계 프로세스	관리 프로세스	관리 영역	도구 및 기법 (절차 방법)	구현 수준 적용 여부	구현 수준 테일러링 사유	작업실행계획 (관리양식참조)	담당
		프로젝트측정자료 제출	프로젝트 성과 측정 자료	적용	–	프로젝트 종료 보고서	
		자원 반납 및 관리 시스템 등록 종료	프로젝트 종료 프로젝트 팀 해산	적용	–	사내 시스템	
공급자 계약 관리 (Supplier Agreement Management)	외주 (조달) 준비	외주(조달)대상 결정	조달관리 프로세스	미적용		조달관리계획서	P M & 팀 원 & 이 해 관 계 자
		협력업체선정	조달관리 프로세스	미적용		조달관리계획서	
		계약	조달관리 프로세스	미적용		조달관리계획서	
	외주 (조달) 계획	일괄 외주 용역 – 협력업체 오리엔테이션	조달관리 프로세스	미적용		조달관리계획서	
		일괄외주용역 – 협력업체프로젝트 계획수립	조달관리 프로세스	미적용	발주관리 일괄 미적용 : 전사 업무 및 타 영역으로 통합 관리	조달관리계획서	
		일반 외주 용역 – 자체 개발 프로젝트 관리	조달관리 프로세스	미적용		조달관리계획서	
		COTS 제품 – COTS 제품 검토	조달관리 프로세스	미적용		조달관리계획서	
		일괄외주용역 – 협력업체프로젝트 기술서승인	조달관리 프로세스	미적용		조달관리계획서	
	외주 프로젝트 관리	계약 사항 이행 점검	조달관리 프로세스	미적용		조달관리계획서	
		협력업체 진행 관리	조달관리 프로세스	미적용		조달관리계획서	
		구성관리 및 품질보증활동 점검	조달관리 프로세스	미적용		조달관리계획서	
	검수 및 이관	검수	조달관리 프로세스	미적용		조달관리계획서	
		사용자교육	조달관리 프로세스	미적용		조달관리계획서	
		협력업체 수행 결과 평가	조달관리 프로세스	미적용		조달관리계획서	
		사후 관리	조달관리 프로세스	미적용		조달관리계획서	
프로젝트 품질 보증	품질보증 계획 수립	프로젝트품질보증 활동대상식별	품질관리 프로세스	미적용	–	품질보증 계획서	P M

단계 프로세스	관리 프로세스	관리 영역	도구 및 기법 (절차 방법)	구현 수준		작업실행계획 (관리양식참조)	담당
				적용 여부	테일러링 사유		
(Project Quality Assurance)		프로젝트품질보증 계획수립					& 팀 원
		프로젝트 품질보증 계획 검토 및 승인	품질관리 프로세스	미적용	–	(승인된) 품질보증계획서	
	프로젝트 품질보증활동 오리엔테이션 실시	품질보증활동 오리엔테이션 자료 작성	품질관리 프로세스	적용	–	오리엔테이션 교육자료	
		오리엔테이션 실시, 오리엔테이션 결과 기록	품질관리 프로세스	적용	교육 참석자명단 (*인력 투입시)	오리엔테이션 결과서	
	프로젝트 품질보증 활동	프로젝트 산출물 품질 검토	품질관리 프로세스	적용	(* 각 단계 말)	산출물품질검토 결과서	
		프로세스 이행 검토	품질관리 프로세스	적용	(* 각 단계 말)	프로세스이행 검토결과서	
		프로젝트 감리 계획 수립	품질관리 프로세스	적용	감리업체 role	감리계획서	
	프로젝트 감리 수검	프로젝트 감리 실시 및 결과확인	품질관리 프로세스	적용	감리업체 role	감리결과서	
		감리 시정조치 계획 수립	품질관리 프로세스	미적용	–	감리시정조치 계획서	
		감리 시정조치 이행 결과 보고	품질관리 프로세스	미적용	–	감리시정조치 결과서	
정량적 프로젝트관리 (Quantitative Project Management)	프로젝트 목표 정의	품질 목표 정의, 측정지표 선정, 시정조치, 활동 보고 계획	프로젝트관리 프로세스	적용	–	측정 및 결함 예방계획서	P M & 팀 원
	데이터 수집 /분석 및 보고 계획 수립	데이터 수집/분석, 보고 계획	프로젝트실행 프로세스	적용	PMS 상태보고 서 일부적용(일정관리, 이슈 및 리스크, 프로그램 관리)	상태보고서	
	데이터 기록 및 수집		프로젝트실행 프로세스	적용		상태보고서	
	성과 분석/ 보고 및 시정 조치	프로젝트 상태 보고서 작성	프로젝트실행 프로세스	적용		상태보고서	
		통계적 분석 기법 사용을 통한 목표 달성 Monitoring	프로젝트실행 프로세스	적용		상태보고서	
원인분석 및 해결 (Cause	원인 분석 계획 수립		프로젝트관리 프로세스	미적용	레벨 목표 초과 영역	원인분석 활동 내역서	P M &

단계 프로세스	관리 프로세스	관리 영역	도구 및 기법 (절차 방법)	구현 수준		작업실행계획 (관리양식참조)	담 당
				적용 여부	테일러링 사유		
Analysis & Resolution)		원인 식별 및 예방 방안 도출	프로젝트관리 프로세스	미적용			팀 원
		원인 제거 및 효과 분석	프로젝트관리 프로세스	미적용			

○ 변경 관리계획
  - 양식(Forms) : 변경 관리계획(Change Management Plan) 참조

○ 형상 관리계획
  - 양식(Forms) : 형상관리계획(Configuration Management Plan) 참조

○ 성과측정기준서의 완전성 유지방법

관리요소 (Manage ment Factor)	변동 한계치 (Variance Threshold)			기준선(Baseline)					비고
	허용 가능	경고	허용 불가	허용 가능	경고	허용 불가	예방/시정조치 가동	변경 프로세스 가동	
일정 (Schedule)	목표 대비 +5% 미만 변동	목표 대비 +5~1 0% 미만 변동	목표 대비 10% 이상 변동	납기 대비 +5% 미만 지연	납기 대비 +5~1 0% 미만 지연	납기 대비 10% 이상 지연	[예방조치] 납기 대비 +3% 이상 지연 [시정조치] 납기 대비 +5% 이상 지연	납기 대비 +7% 이상 지연	경고수준 에서 하용 불가 수준 으로 변동 요인 관리
원가 (Cost)	목표 대비 +5% 미만 변동	목표 대비 +5~ 10% 미만 변동	목표 대비 10% 이상 변동	예산 대비 +5% 미만 초과	예산 대비 +5~ 10% 미만 초과	예산 대비 10% 이상 초과	[예방조치] 예산 대비 +3% 이상 초과 [시정조치] 예산 대비 +5% 이상 초과	예산 대비 +7% 이상 초과	상동
범위 (Scope)	목표 대비 +5% 미만 변동	목표 대비 +5~ 10% 미만 변동	목표 대비 10% 이상 변동	목표 대비 +5% 미만 초과	목표 대비 +5~ 10% 미만 초과	목표 대비 10% 이상 초과	[예방조치] 목표 대비 +3% 이상 초과 [시정조치] 목표 대비 +5% 이상 초과	목표 대비 +7% 이상 초과	상동
품질 (Quality)	목표 대비 ±5% 미만 변동	목표 대비 ±5~ 10% 미만 변동	목표 대비 ±10% 이상 변동	목표 대비 -5% 미만 측정	목표 대비 -5~ 10% 미만 측정	목표 대비 -10% 미만 측정	[예방조치] 목표 대비 -3% 이상 측정 [시정조치] 예산 대비 -5% 이상 측정	목표 대비 -7% 이상 측정	상동 (기준선은 성능관점)

○ 이해관계자간의 의사소통 요구 및 방법
  - 이해관계자관리계획 문서 참조

○ 이슈 처리 방법
  - 모든 팀원은 이슈 발견 즉시 프로젝트관리정보시스템을 통해 발견된 이슈를 등록한다.
  - 프로젝트관리자는 이슈 등록자와 필요시 협의하여 이슈 등록을 승인한다.
  - 최종 등록된 이슈는 프로젝트 상황회의에서 조치 사항을 결정한 후 이슈 로그에 등록한다.
  - 이슈 로그는 프로젝트 상황회의에서 이행 여부 및 현황을 추적하고 갱신한다.
  - 이슈 등록, 검토, 조치 계획 수립은 1주일 내에 처리하는 것을 원칙으로하나 긴급도에 따라 프로젝트 관리자가 주관하여 처리한다.

○ 핵심관리진의 검토 (Reviews for Core Management)
  - 프로젝트 항목 재검토(단계, 고객 제품, 품질 등)
  - 과업 범위 재 정렬, 요구사항 구체화, 통합 데이터 모델 도출 표준화
  - 현행 시스템과 기능 통합 목표로 재검토

프로세스 영역		세부 프로세스	검토시점	검토주체
요구사항 관리	요구사항 관련 문서 검토 및 승인	요구사항 관련 문서 내부 검토 및 승인	분석단계말	품질담당자
		요구사항 관련 문서 고객 검토	분석단계말	고객담당자
프로젝트 계획수립	프로젝트 계획 검토 및 승인	프로젝트 계획 검토	착수시점	고객담당자
		프로젝트 계획 승인	착수시점	고객책임자
		구성관리 요청	착수시점	구성관리자
프로젝트 진행관리	보고 및 검토	현황 보고	정기/수시	개발담당자
		내부 검토 및 회의	정기/수시	개발책임자
		공식 검토(Formal Review)	정기/수시	품질담당자
공급자 계약관리	외주 조달 계획	COTS 제품 - COTS 제품 검토	필요시	외주담당자
프로젝트 품질보증	프로젝트 품질보증 활동	프로젝트 산출물 품질 검토	단계말	품질담당자
		프로세스 이행 검토	이행완료시점	이행책임자

□ 프로젝트 별 고려사항 (Project-Specific Considerations)

○ 주변 환경 (업무환경 조성)

○ 제품 통합
  - 최종 결과물(성과물) 표준, 설계 및 개발 활동

○ 사업 보증 정보
  - 품질보증의 표준 및 작업기준 제시 및 업무 수행 점검

프로젝트 관리계획
(Project Management Plan)

프로젝트 명(Project Title) : _____

☐ **사업 기간 (Duration) : 20XX.01.02 ~ 20XX.12.31**

☐ **사업 목적 (Objectives)**

☐ **사업 범위 (Scope)**

  ○ 목표시스템 구성도

  ○ 개발범위 및 내용

  ○ 인프라(H/W, S/W, N/W) 환경

☐ **기준선 (Baselines)**

기준선 유형 (Baseline Type)	관련 지표 (Related Index)	측정 방법 (How to measure)	비고 (Related Deliverables)
범위 기준선 (Scope Baseline)	범위 변경율	전체 범위 대비 변경비율	작업분류체계(WBS) 문서 참조
일정 기준선 (Schedule Baseline)	일정 진척율	주/월별 산정 및 차이 분석	일정관리계획(Schedule Management Plan) 문서 참조
원가 기준선 (Cost Baseline)	예산 집행율	전체 예산 대비 집행내역	원가관리계획(Cost Management Plan) 문서 참조

☐ **보조계획 (Subsidiary Plans)**

계획 (Plan)	관리 요소 (Management Factor)	적용 방안 (Applicable Plan)	비고 (Related Deliverables)
범위관리계획 (Scope Management Plan)	- 산출물에 대한 기준선의 설정 - 변경내역에 관한 기록 및 추적, 변경심사	- 진척 / 리스크관리와 연계한 변경 기준선의 설정 - 변경요청 평가 절차에 따른 변경수행 및 해당 내역에 대한 통제 수행	범위관리계획 참조
요구사항관리계획 (Requirement Management Plan)	- 요구사항 계획, 추적, 보고 - 요구사항 변경 권한, 우선순위 관리 - 추적체계 수립	- 요구사항 변경관리 - 발의자별 요구사항 관리 - 서브시스템별 요구사항 매핑 관리	요구사항관리계획 참조
일정관리계획 (Schedule Management Plan)	- 일정진척에 따라 자원 분배 - 일정지연 시 리스크관리와 연계한 대처방안의 강구 - 일정의 타당성 평가	- 주별, 월별 보고에 의한 진행 일정 공유 및 상호 협의 - 선행 경험을 바탕으로 실현 가능한 일정계획 수립	일정관리계획 참조
원가관리계획 (Cost	- 측정단위 - 정밀도/정확도 수준	- 월별/단계별 원가계획 대비 실적 보고에 의한 진행현황	원가관리계획 참조

계획 (Plan)	관리 요소 (Management Factor)	적용 방안 (Applicable Plan)	비고 (Related Deliverables)
Management Plan)	– 조직적 절차 연계 – 원가관리 차이 허용수준 – 실적측정 규칙	– 공유 및 상호 협의 – EVM을 활용한 원가예측 및 대응방안 수립, 시행	

품질관리계획
(Quality
Management
Plan)
	– 품질목표 결정
	– 수행사 품질관리 프로세스
	  적용
	– 표준, 문서화, 방법론 관리
		– 이행 전 충분한 전환
		  테스트로 안정적인 데이터
		  이행
		– 시스템 통합 요소별 표준화
		  작업
		– 자동화 도구 활용 및 시험
		  운영
			품질관리계획 참조

프로세스개선계획
(Process
Improvement
Plan)
	– 프로세스 경계
	– 프로세스 형상
	– 프로세스 지표
	– 개선 실적 목표
		– 월별/단계별 개선 대상
		  프로세스 진행현황 평가
		  및 개선방안 도출, 시행
		– 프로세스 간 영향도 분석
			프로세스개선계획
			참조

인적자원관리계획
(Human
Resource
Management
Plan)
	– 개발인력 팀 편성 및 조직
	  관리
	– 조직/인력 감시 및 통제
		– 개발인력에 대한 리스크요소는
		  리스크관리와 연계하여 수행
		– 개발 인력에 대한 대상업무
		  교육
			인적자원관리계획
			참조

의사소통관리계획
(Communication
Management
Plan)
	– 구성 조직간 업무분장
	  관리
	– 보고, 회의 관리
		– 이슈사항을 조정할 수 있는
		  프로젝트 운영위원회 구성
		– 정기/ 비정기 보고 및
		  보고회의, 검토회의를 통한
		  의사소통 증진
			의사소통관리계획
			참조

리스크관리계획
(Risk
Management
Plan)
	– 프로젝트의 리스크요소
	  식별, 평가, 최소화
	– 타 요소의 Input로 활용
	– 지속적인 리스크요소
	  모니터링
		– 시행령, 업무처리 기준과
		  절차 확정
		– 리스크요소별 사전
		  마감일자 통보제도 실시
		– 업무 분석, 설계에 대한
		  리스크요소 작성
		– 자문위원회에 상정 검토
		  의뢰
			리스크관리계획
			참조

조달관리계획
(Procurement
Management
Plan)
	– 조달계약 유형
	– 리스크관리 이슈
	– 독립적인 업체 평가기준
	– 표준조달문서
	– 복수 공급자 관리
	  조달과 타 관리 프로세스
	  연계성 관리
	– 조달계획에 영향을 미치는
	  가정 및 제약사항
		– 활동 자원 예측과 일정개발
		– 프로세스를 연계한
		  "Make or Buy" 의사결정
		  작업분류체계를 개발/유지
		  하는 구매자에 제공되는
		  가이드 수립
		– 사전자격보유 구매자 식별
			조달관리계획 참조

이해관계자관리계획
(Stakeholder
Management
Plan)
	– 핵심 이해관계자의 현재/
	  희망 관여 수준
	– 이해관계자의 관여도 변경
	  의 범위와 영향
	– 이해관계자 요구 정보의
	  배포 시점 및 주기
		– 현 프로젝트 단계의
		  이해관계자 의사소통
		  요구사항 관리
		– 이해관계자에 배포되는
		  정보 관리
		– 이해관계자 관여에 대한
		  정보 배포 및 예상 영향도
		  관리
			이해관계자관리계획
			참조

□ 기타 (Others)

○ 생애주기(Life Cycle) : 단계별 프로세스, 프로세스별 도구 및 기법, 프로젝트 목표 달성을 위한 작업 실행계획 포함

- 프로젝트관리 프로세스(Project Management Process)

프로세스 영역 (Process Area)	세부 프로세스 (Sub Process)		관련 산출물 (Related Deliverables)
프로젝트 계획수립 (Project Planning)	프로젝트 착수	계획수립 인력 구성	과업수행 계획서
		의사소통채널 및 Commitment확보	과업수행 계획서
		프로젝트 초기 리스크 이슈 식별	리스크_이슈_Action 관리대장
		프로젝트 등록	사내 시스템
		프로젝트 규모 산정	규모 산정 내역서
		자원 및 기간 산정	과업수행 계획서
		프로젝트 실행 예산 확정	사내 시스템
	프로젝트 계획수립	표준 프로세스 테일러링	프로세스테일러링내역서
		표준 개발방법론 테일러링	방법론 테일러링 내역서
		프로젝트 개요 및 범위 상세화	과업수행 계획서
		프로젝트 수행 조직 및 역할 정의	과업수행 계획서
		프로젝트 목적 정의	과업수행 계획서
		프로젝트 추진 방안 기술	과업수행 계획서
		회의/보고 및 검토 계획	과업수행 계획서
		프로젝트 리스크 계획 및 이슈 관리 절차 정의	과업수행 계획서
		프로젝트 품질 보증 계획	품질보증 계획서
		프로젝트 구성 관리 계획	구성관리 계획서
		프로젝트 교육 훈련 계획	과업수행 계획서, 교육훈련 계획서
		프로젝트 기타 계획	변화관리 계획서
		프로젝트 작업 계획 수립	WBS
		프로젝트 인력 투입계획 수립	인력투입계획서
		프로젝트 측정 계획 수립	측정 및 결함예방계획서
		프로젝트 원가 관리 계획	사내 시스템
		프로젝트 계획 통합	과업수행 계획서
		프로젝트 관리 정의 수립	과업수행 계획서
	프로젝트 계획 검토 및 승인	프로젝트 계획 검토	Inspection계획 및 결과서
		프로젝트 계획 승인	(승인된) 과업수행 계획서
		구성관리 요청	Baseline내역서
	프로젝트 계획 변경관리		변경통합관리대장
프로젝트 진행관리 (Project Processing Management)	프로젝트 진행	계획된 활동 수행	WBS
		교육 및 역량 확보	교육훈련결과 추적매트릭스, 교육 참석자 명단
		Critical Path/ Dependency관리	WBS
		주요의사결정의 대안평가 결과	대안평가 결과서(변경내역서)
		이해 관계자 참여 관리	회의록
	자료 수집 및 분석		상태보고서

프로세스 영역 (Process Area)	세부 프로세스 (Sub Process)		관련 산출물 (Related Deliverables)
	리스크 및 이슈관리	리스크 식별 및 해결	리스크_이슈_Action Item 관리대장
		이슈 식별 및 해결	리스크_이슈_Action Item 관리대장
	Action Item 관리		리스크_이슈_Action Item 관리대장
	보고 및 검토	현황 보고	주간/월간업무보고서
		내부 검토 및 회의	회의록
		공식 검토(Formal Review)	회의록
	프로젝트 완료 및 평가	프로젝트 완료 보고	완료보고서
		프로젝트 평가 및 산출물 등록(Lessons learned 포함)	사내 시스템
		프로젝트 측정 자료 전사 제출	상태보고서
		자원 반납 및 관리 시스템 등록 종료	사내 시스템

○ 프로젝트 구현 수준(Tailoring Decisions)

프로세스 영역 (Process Area)	세부 프로세스 (Sub Process)		적용여부 (Application)	산출물 (Deliverable)	테일러링 사유 (Tailoring Cause)
요구사항관리 (Requirement Management) ·*	요구사항 관리조직 구성 및 일정 수립		적용	과업수행계획서	
	요구사항 관련 문서 검토 및 승인	요구사항 관련 문서 내부 검토 및 승인	적용	Inspection계획 및 결과서	
		요구사항 관련 문서 고객 검토	적용	고객검토 회의록	
		고객 승인 획득	적용	(승인된)요구사항정의서	
		요구사항 구성관리	적용	Baseline내역서	
	요구사항 변경 관리		적용	변경관리계획서, 변경통합관리대장	
	요구사항 추적 관리		적용	요구사항추적 매트릭스	
프로젝트 계획수립 (Project Planning)	프로젝트 착수	계획수립 인력 구성	적용	과업수행계획서	
		의사소통채널 및 Commitment 확보	적용	과업수행계획서	
		프로젝트 초기 리스크이슈 식별	적용	리스크_이슈_Action Item 관리 대장	PMS > 이슈 및 리스크관리
		프로젝트 등록	적용	사내 시스템	
		프로젝트 규모 산정	적용	규모 산정 내역서	(*착수, 설계, 종료)
		자원 및 기간	적용	과업수행계획서	

프로세스 영역 (Process Area)	세부 프로세스 (Sub Process)		적용여부 (Application)	산출물 (Deliverable)	테일러링 사유 (Tailoring Cause)
		산정			
		프로젝트 실행 예산 확정	적용	사내 시스템	
	프로젝트 계획수립	표준 프로세스 테일러링	적용	프로세스테일러 링내역서	
		표준 개발방법론 테일러링	적용	방법론 테일러링 내역서	
		프로젝트 개요 및 범위 상세화	적용	과업수행계획서	
		프로젝트 수행 조직 및 역할 정의	적용	과업수행계획서	
		프로젝트 목적 정의	적용	과업수행계획서	
		프로젝트 추진 방안 기술	적용	과업수행계획서	
		회의/보고 및 검토 계획	적용	과업수행계획서	
		프로젝트 리스크 계획 및 이슈 관리 절차 정의	적용	과업수행계획서	
		프로젝트 품질 보증 계획	적용	품질보증 계획서	
		프로젝트 구성 관리 계획	적용	구성관리 계획서	
		프로젝트 교육 훈련 계획	적용	과업수행계획서, 교육훈련계획서	
		프로젝트 기타 계획	적용	변화관리계획서	
			미적용	–	
			미적용	–	
		프로젝트 작업 계획 수립	적용	WBS	PMS > 일정관리
		프로젝트 인력 투입계획 수립	적용	인력투입계획서	
		프로젝트 측정 계획 수립	적용	측정 및 결함예방계획서	··
		프로젝트 원가 관리 계획	적용	사내 시스템	
		프로젝트 계획 통합	적용	과업수행계획서	
		프로젝트 관리 정의 수립	적용	과업수행계획서	
	프로젝트 계획 검토 및 승인	프로젝트 계획 검토	적용	Inspection계획 및 결과서	
		프로젝트 계획 승인	적용	(승인된) 과업수행계획서	
		구성관리 요청	적용	Baseline내역서	(* 각 단계 말)
	프로젝트 계획 변경관리		적용	변경통합관리대장	
프로젝트 진행관리	프로젝트 진행	계획된 활동 수행	적용	WBS	PMS > 일정관리

프로세스 영역 (Process Area)	세부 프로세스 (Sub Process)		적용여부 (Application)	산출물 (Deliverable)	테일러링 사유 (Tailoring Cause)
(Project Processing Management)		교육 및 역량 확보	적용	교육훈련결과추 적매트릭스, 교육참석자명단	
		Critical Path/ Dependency관리	적용	WBS	
		주요의사결정의 대안평가 결과		대안평가 결과서(변경내역 서)	필요 시
		이해 관계자 참여 관리		회의록	
	자료 수집 및 분석		적용	상태보고서	PMS>상태보 고서, 공유 파일(*1회/월)
	리스크 및 이슈관리	리스크 식별 및 해결	적용	리스크_이슈_ Action Item 관리대장	PMS > 이슈 및 리스크 관리
		이슈 식별 및 해결	적용	리스크_이슈_ Action Item 관리대장	PMS > 이슈 및 리스크 관리
	Action Item 관리		적용	리스크_이슈_ Action Item 관리대장	PMS > 이슈 및 리스크 관리
	보고 및 검토	현황 보고	적용	주간/월간업무 보고서	
		내부 검토 및 회의	적용	회의록	
		공식 검토(Formal Review)	적용	회의록	
	프로젝트 완료 및 평가	프로젝트 완료 보고	적용	완료보고서	
		프로젝트 평가 및 산출물 등록(Lessons learned 포함)	적용	사내 시스템	
		프로젝트 측정 자료 전사 제출	적용	상태보고서	
		자원 반납 및 관리 시스템 등록 종료	적용	사내 시스템	
공급자 계약관리 (Supplier Agreement Management)	외주 조달 준비	외주 조달 대상 결정	적용		발주관리 일괄 미적용 : 전사 업무 및 타 영역으로 통합 관리
		협력업체 선정	적용		
		계약	미적용		
	외주 조달 계획	일괄외주용역- 협력업체 오리엔테이션	미적용		
		일괄외주용역- 협력업체프로젝트 계획수립	미적용		

프로세스 영역 (Process Area)	세부 프로세스 (Sub Process)		적용여부 (Application)	산출물 (Deliverable)	테일러링 사유 (Tailoring Cause)
		일반 외주 용역- 자체 개발 프로젝트 관리	미적용		
		COTS 제품- COTS 제품검토	미적용		
		일괄외주용역- 협력업체프로젝트 기술서승인	미적용		
	외주 프로젝트 관리	계약 사항 이행 점검	미적용		
		협력업체 진행 관리	미적용		
		구성관리 및 품질보증 활동 점검	미적용		
	검수 및 이관	검수	미적용		
		사용자교육	미적용		
		협력업체 수행 결과 평가	미적용		
		사후 관리	미적용		
프로젝트 품질보증 (Project Quality Assurance)	품질보증 계획 수립	프로젝트품질보 증활동대상식별, 프로젝트품질보 증계획수립	미적용	품질보증 계획서	
		프로젝트 품질보증 계획 검토 및 승인	미적용	(승인된) 품질보증계획서	
	프로젝트품질 보증활동 오리엔테이션실시	품질보증활동 오리엔테이션 자료 작성	적용	오리엔테이션교 육자료	
		오리엔테이션 실시, 오리엔테이션 결과 기록	적용	오리엔테이션 결과서	교육 참석자 명단 (*인력투입시)
	프로젝트 품질보증 활동	프로젝트 산출물 품질 검토	적용	산출물품질검토 결과서	(* 각 단계 말)
		프로세스 이행 검토	적용	프로세스이행검 토결과서	(* 각 단계 말)
	프로젝트 감리 수검	프로젝트 감리 계획 수립	적용	감리계획서	감리업체 role
		프로젝트 감리 실시 및 결과확인	적용	감리결과서	감리업체 role
		감리 시정조치 계획 수립	미적용	감리시정조치계 획서	
		감리 시정조치 이행 결과 보고	미적용	감리시정조치결 과서	
형상관리 (Configuration Management)	구성 관리 계획 수립	프로젝트 구성관리 계획 수립	적용	구성관리 계획서	

프로세스 영역 (Process Area)	세부 프로세스 (Sub Process)		적용여부 (Application)	산출물 (Deliverable)	테일러링 사유 (Tailoring Cause)
		구성관리 계획서 검토 및 승인	적용	(승인된) 구성관리 계획서	
	구성 관리 시스템 구축 및 운영		적용	구성관리라이브러리(파일서버)	
	Baseline 관리		적용	Baseline내역서	(* 각 단계 말)
	변경 관리		적용	변경통합관리대장	
	구성 감사		적용	프로세스이행검토결과서	
동료검토 (Peer Review)	동료검토 대상 산출물 식별		적용	Inspection계획 및 결과서	
	동료검토 수행 및 시정조치수행		적용	Inspection계획 및 결과서	
	동료검토 수행결과분석		적용	Inspection결과 분석서	
정량적 프로젝트관리 (Quantitative Project Management)	프로젝트 목표 정의	품질 목표 정의, 측정지표 선정, 시정조치, 활동 보고 계획	적용	측정 및 결함예방계획서	
	데이터 수집/분석 및 보고 계획 수립	데이터 수집/분석, 보고 계획	적용	상태보고서	PMS 상태보고서 일부적용(일정 관리, 이슈 및 리스크, 프로그램 관리)
	데이터 기록 및 수집		적용	상태보고서	
	성과 분석/보고 및 시정조치	프로젝트 상태 보고서 작성	적용	상태보고서	
		통계적 분석 기법 사용을 통한 목표 달성 모니터링	적용		
원인분석 및 해결 (Cause Analysis & Resolution)	원인 분석 계획 수립		미적용	원인분석 활동내역서	레벨 목표 초과 영역
	원인 식별 및 예방 방안 도출		미적용		
	원인 제거 및 효과 분석		미적용		

o 변경 관리계획
  - 양식(Forms) : 변경 관리계획(Change Management Plan) 참조

o 형상 관리계획
  - 양식(Forms) : 형상관리계획(Configuration Management Plan) 참조

○ 성과측정기준선의 완전성 유지방법

관리요소 (Management Factor)	변동 한계치 (Variance Threshold)			기준선(Baseline)					비고
	허용 가능	경고	허용 불가	허용 가능	경고	허용 불가	예방/시정조치 가동	변경 프로세스 가동	
일정 (Schedule)	목표 대비 +5% 미만 변동	목표 대비 +5~10% 미만 변동	목표 대비 10% 이상 변동	납기 대비 +5% 미만 지연	납기 대비 +5~10% 미만 지연	납기 대비 10% 이상 지연	[예방조치]납기 대비 +3% 이상 지연 [시정조치] 납기 대비 +5% 이상 지연	납기 대비 +7% 이상 지연	경고수준 에서 하용불가 수준으로 변동요인 관리
원가 (Cost)	목표 대비 +5% 미만 변동	목표 대비 +5~10% 미만 변동	목표 대비 10% 이상 변동	예산 대비 +5% 미만 초과	예산 대비 +5~10% 미만 초과	예산대비 10% 이상 초과	[예방조치]예산 대비 +3% 이상 초과 [시정조치] 예산 대비 +5% 이상 초과	예산 대비 +7% 이상 초과	상동
범위 (Scope)	목표 대비 +5% 미만 변동	목표 대비 +5~10% 미만 변동	목표 대비 10% 이상 변동	목표 대비 +5% 미만 초과	목표 대비 +5~10% 미만 초과	목표대비 10% 이상 초과	[예방조치]목표 대비 +3% 이상 초과 [시정조치] 목표 대비 +5% 이상 초과	목표 대비 +7% 이상 초과	상동
품질 (Quality)	목표 대비 ±5% 미만 변동	목표 대비 ±5~10% 미만 변동	목표 대비 ±10% 이상 변동	목표 대비 -5% 미만 측정	목표 대비 -5~10% 미만 측정	목표대비 -10% 미만 측정	[예방조치]목표 대비 -3% 이상 측정 [시정조치] 예산 대비 -5% 이상 측정	목표 대비 -7% 이상 측정	상동 (기준선은 성능관점)

○ 이해관계자의 의사소통 요구 및 방법
  - 양식(Forms) : 이해관계자 관리계획(Stakeholder Management Plan) 참조

○ 이슈 처리 방법
  - 모든 팀원은 이슈 발견 즉시 프로젝트관리정보시스템을 통해 발견된 이슈를 등록한다.
  - 프로젝트관리자는 이슈 등록자와 필요시 협의하여 이슈 등록을 승인한다.
  - 최종 등록된 이슈는 프로젝트 상황회의에서 조치 사항을 결정한 후 이슈 로그에 등록한다.
  - 이슈 로그는 프로젝트 상황회의에서 이행 여부 및 현황을 추적하고 갱신한다.
  - 이슈 등록, 검토, 조치 계획 수립은 1주일 내에 처리하는 것을 원칙으로하나 긴급도에 따라 프로젝트 관리자가 주관하여 처리한다.

○ 핵심 관리진의 검토(Reviews for Core Management)

프로세스 영역 (Process Area)	세부 프로세스 (Sub Process)		검토시점 (Review Time)	검토주체 (Principal Agent)
요구사항관리	요구사항 관련 문서 검토 및 승인	요구사항 관련 문서 내부 검토 및 승인	분석 단계 말	품질담당자
		요구사항 관련 문서 고객 검토	분석 단계 말	고객담당자
프로젝트 계획수립	프로젝트 계획 검토 및 승인	프로젝트 계획 검토	착수시점	고객담당자
		프로젝트 계획 승인	착수시점	고객책임자
		구성관리 요청	착수시점	구성관리자
프로젝트 진행관리	보고 및 검도	현황 보고	정기/수시	개발담당자
		내부 검토 및 회의	정기/수시	개발책임자
		공식 검토(Formal Review)	정기/수시	품질담당자
공급자 계약관리	외주 조달 계획	COTS 제품 – COTS 제품 검토	필요시	외주담당자
프로젝트 품질보증	프로젝트 품질보증 활동	프로젝트 산출물 품질 검토	단계말	품질담당자
		프로세스 이행 검토	이행완료시점	이행책임자
구성관리	구성 관리 계획 수립	프로젝트 구성관리 계획 수립	착수시점	구성관리담당자
		구성관리 계획서 검토 및 승인	착수시점	수행사 PM
동료검토	동료검토 대상 산출물 식별		단계말	타 업무 담당자
	동료검토 수행 및 시정조치수행			
	동료검토 수행결과분석			

□ 프로젝트 특성에 따른 고려사항 (Project-Specific Considerations)

프로젝트 요소 (Project Factor)	고려사항 (Considerations)	비고 (Notes)
프로젝트 내·외부 환경 (Project Inside/Outside Environment)	개인정보보호법 본격 적용에 따른 암호화 대상 개인정보 선별 및 관리방안 강구 필요 내부 개인정보보호를 위한 전담팀 구성 검토 필요	
이해관계자 (Stakeholder)	기존 AS-IS DW 시스템의 TO-BE 시스템으로의 전환에 따른 관련자의 이해관계 변화에 대한 대책 모색 필요성 대두	
제품 통합 (Product Integration)	신구 DW 시스템의 데이터 통합에 따른 데이터 중복 최소화 및 스토리지 효율화 방안 제시 필요	신규 시스템 개발 완료 1개월 이전 제시 목표
프로젝트 관심사항 (Matter of Project Concern)	신규 DW 시스템에 대해 검색 속도에 대해 현행 대비 20% 이상의 향상 기대	

3.7	형상 관리계획 (Configuration Management Plan)

프로젝트 명(Project Title) : OO 사업 기본 및 실시 설계 용역

□ 형상관리 수립 (Configuration Management Approach)

○ 형상관리계획 및 문서화
- 형상항목 식별 및 관리를 위한 형상항목 전략, 표준, 절차, 기준 등 수립(책임/권한 포함)

□ 형상항목 식별 (Configuration Identification)

○ 형상 항목과 기준선 식별 및 식별 체계 설정
- 설계 명세(Design Specification)
- 테스트 명세(Test Specification)
- 인도시기 사용자 설명서(As-built User Manual)
- 유지보수 문서(Maintenance Documents)
- 표준 및 절차(Standards and Procedures for Software engineering)

○ 각 형상항목을 책임지는 사람(형상항목 담당자)을 식별

□ 형상문서 통제 (Document Configuration Control)

○ 변경관리 및 형상항목 이력 유지
- 변경 요청 기록, 변경요청의 평가, 변경 결과 기록, 버전관리 실행 : 형상변경이력서

○ 형상 상태 보고
- 관리 기록 및 상태보고 작성

□ 형상 변경 통제 절차 (Configuration Change Control)

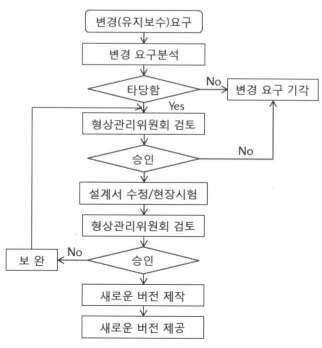

버전(ver.)	변경일자	변경사유 (요청번호)	담당자	비고
1.0	20XX.XX.XX	최초작성	김변경	
1.2	20XX.XX.XX	고객1차 시정조치 반영	김변경	
1.4	20XX.XX.XX	현장 데이터 추가 변경	김변경	
1.5	20XX.XX.XX	전문가 의견 시정조치반영	김변경	
1.6	20XX.XX.XX	검토 결과 반영	김변경	

□ 형상 항목 확인 및 감사 수행 (Configuration Verification and Audit)

o 형상 항목 승인 및 변경 내용을 공식 검증
  - 승인 및 변경 기록을 생성(변경에 대한 이유 기록 및 관리 기록 작성)
  - 관련 문서 복사본(사본) 유지
  - 변경 문서 기준선에 업데이트(기준선에 최신 버전 명시)

o 적절한 형상감사를 수행

□ 형상 관리 역할과 책임 (Configuration Management Roles and Responsibilities)

o 형상관리 역할
  - 형상 관리 항목의 구분은 각 단계별 산출물 중심으로 구분
    • 프로젝트 문서, 설계 산출물, 발표(중간, 최종보고) 자료 등
    • 형상 관리 등록(최초 작성일자, 변경일자 및 변경자 표기)

o 형상관리 책임
  - 형상 관리 결과를 이해관계자들에게 주기적으로 보고(담당업무의 완료에 책임)
    • 형상관리 회의록
    • 변경 요청 요약과 현재 상태
    • 문제 보고 요약과 현재 상태(정정 사항 포함)
    • 형상항목의 수정 갱신(업데이트)

형상 관리계획
(Configuration Management Plan)

프로젝트명(Project Title) : _____

□ 형상관리 목적(Objectives)

○ 프로세스 또는 프로젝트의 모든 작업 산출물의 무결성(Integrity)을 유지하고, 사후 추적 관리

○ 원활한 프로세스(개발, 운영, 유지보수) 확보 유지

□ 기본 수행 활동(Activities)

본 프로젝트에서는 프로젝트 규모에 맞추어, 다음과 같은 형상관리 방안을 적용
/유지하여 실질적인 관리 및 운영이 이루어지도록 한다.

○ 형상관리 계획 수립(Planning)
 - 형상관리 계획 수립 및 문서화 : 형상관리계획서

○ 형상항목 식별(Identification)
 - 형상 항목과 기준선 식별 및 버전 식별 체계 설정 : 형상항목정의서
 - 소프트웨어 형상 항목
   • 시스템 명세(System Specification)
   • 소프트웨어 프로젝트 계획(Software Project Plan)
   • 소프트웨어 요구 명세(Software Requirements Specification)
   • 예비 사용자 설명서(Preliminary User Manual)
   • 설계 명세(Design Specification)
   • 소스 코드(Source Code Listing)
   • 테스트 명세(Test Specification)
   • 운용 및 설치 설명서(Operation and Installation Manuals)
   • 실행 프로그램(Executable Program)
   • 데이터베이스 기술서(Database Description)
   • 인도시기 사용자 설명서(As-built User Manual)
   • 유지보수 문서(Maintenance Documents)
   • 표준 및 절차(Standards and Procedures for Software engineering)

○ 변경관리 및 형상항목 이력 유지(Log Maintenance)
 - 변경 요청 기록, 변경요청의 평가, 변경 결과 기록, 버전관리 실행 : 형상변경이력서

○ 형상상태 보고(Reporting)
 - 관리 기록 및 상태보고 작성

□ 단계별 활동 지침

순서	단계	지침	비고
1	형상관리 계획 수립	• 형상관리 전략을 결정하여 형상관리 활동과 그 활동을 수행하기 위한 일련의 계획을 정의한다. • 전체 프로젝트 계획과 같이 프로젝트의 초기 단계에서 형상관리를 위한 계획에 착수한다. • 형상관리 담당자가 수행하는 활동, 소프트웨어 담당자 및 공급자가 수행하는 활동을 포함시켜 형상관리 프로세스를 문서화 한다. • 형상관리 계획을 문서화 한다. • 형상관리 계획은 관련자들의 검토를 거쳐 동의를 받는다. 이러한 사람들에는 프로젝트 관리자, 시스템 엔지니어, 시스템 형상관리 담당자, 시스템 시험자, 소프트웨어 관리자, 소프트웨어 담당자 등이 있다. • 소프트웨어 형상관리 수행에 필요한 적절한 기능 및 전문지식을 가진 인원을 할당한다. • 소프트웨어 형상관리를 지원하기 위한 적절한 도구를 획득한다. 이러한 도구에는 데이터베이스 프로그램, 형상관리 도구 등이 있다. • 소프트웨어 형상관리를 위한 책임 및 권한을 부여한다.	
2	형상항목 식별	• 베이스라인 및 버전 참조, 기타 관련 식별 세부(identification details)을 설정한 문서를 식별하여 소프트웨어 시스템, 모듈, 구성요소, 관련 문서와 같은 형상항목을 식별한다. • 문서화된 기준에 근거하여 형상항목 및 그들을 구성하는 작업산출물을 선정한다. • 형상항목에 포함되는 작업산출물 • 프로세스 기술서 • 할당된 요구사항 • 소프트웨어 요구사항 • 소프트웨어 설계 • 소프트웨어 시험 계획 및 절차 • 인터페이스 기술서 • 형상항목에 유일한 식별자를 부여한다. • 각 형상항목을 책임지는 사람(형상항목 담당자)을 식별한다.	

3	변경관리	• 형상항목의 상태와 변경요청을 기록하고 보관한다. 형상항목 변경은 검토되고 정식으로 허가되어야 한다.
		• 변경 요청의 식별과 기록, 변경의 분석과 평가, 요청의 승인 또는 거부, 수정된 소프트웨어 항목의 구현, 검증 및 릴리즈 등의 사항이 구현되며 감사가 이루어진다.
		• 변경 요청 및 문제 보고를 기록한다.
		• 제안된 변경 및 수리(fixes)에 대한 영향도를 분석한다.
		• 영향 받는 사람들이 다음 소프트웨어 베이스라인에서 언급되는 변경 요청 및 문제보고를 검토하고 동의를 한다.
		• 변경 요청 및 문제보고의 상세를 끝까지 추적한다.
		• 소프트웨어 생명주기 전체에 걸쳐 형상에 대한 변경을 관리한다.
		• 소프트웨어 형상 라이브러리의 정확성과 무결성을 유지시킬 수 있는 방법으로 형상항목을 체크인하고 체크 아웃한다. 체크인/아웃의 예에는 다음이 포함된다.
		  • 변경이 공식적으로 승인되었음을 검증함
		  • 변경 기록을 생성함
		  • 변경에 대한 복사본을 유지함
		  • 소프트웨어 형상 라이브러리를 생성함
		  • 바뀐 소프트웨어 베이스라인을 저장함	

순서	단계	지침	비고
		• 변경으로 인해 소프트웨어 베이스라인이 영향을 받지 않았음을 확인하기 위해 검토 및 회귀시험을 수행한다. • 변경 및 변경에 대한 이유를 적절히 기록한다. • 필요시 이전의 베이스라인 된 버전으로 복구할 수 있도록 각 형상항목의 이력을 충분히 자세히 유지한다. • 베이스라인을 포함하는 통제된 소프트웨어 항목의 상태와 이력을 보여주는 관리 기록이 작성된다. • 형상항목을 설명한 기록을 유지한다. 이 활동에는 다음이 포함된다. • 각 형상항목의 상태가 알려져 있고, 이전 버전으로 복귀될 수 있도록 소프트웨어 형상관리 조치를 기록한다. • 소프트웨어 베이스라인의 최신 버전을 명시한다. • 특정 소프트웨어 베이스라인을 구성하는 형상항목의 버전을 식별한다. • 연관된 소프트웨어 베이스라인간의 차이점을 기술한다. • 필요시 각 형상항목의 상태 및 이력(즉 변경 또는 다른 조치)을 수정한다. • 적절한 형상감사를 수행한다.	
4	형상상태 보고	• 현재 시스템 통합(Integration)내 각 형상항목의 상태와 항목간의 관계를 정기적으로 보고한다. • 상태보고서에는 한 프로젝트에 대한 변경 횟수, 가장 최근의 형상항목 버전, 릴리즈의 식별자, 릴리즈 횟수, 릴리즈 간의 비교가 포함되도록 한다. • 소프트웨어 형상관리 활동의 결과를 영향 받는 다음 당사자에게 주기적으로 보고한다. • 형상관리 회의록 • 변경 요청 요약과 현재 상태 • 문제 보고 요약과 현재 상태(정정 사항 포함) • 소프트웨어 베이스라인에의 변경내용 요약 • 형상항목의 수정 이력 • 형상항목 상태 • 소프트웨어 형상 감사 결과	

□ 단계별 활동 지침

○ 형상항목에 해당되는 각 산출물(파일 단위)의 형상항목 정의서를 작성한다.
- \\1.사업수행산출물\1.사업관리\1.5형상관리\KPC032_형상항목정의서.DOC

○ 형상 항목번호 : D-항목번호(3자리)
- EX) D-102 : 산출물목록

○ 형상 항목명칭 : 산출물 문서번호 + '_' + 산출물 명
- EX) 001_산출물작성규칙

○ 구분 : 형상 관리항목의 구분으로 기본적으로 각 단계별 산출물 중심으로 구분한다.
- EX) 프로젝트 문서, 사업관리산출물, 요구분석산출물, 설계 산출물, 발표자료 등

○ 라이브러리명 : 실제 형상항목 파일이 있는 서버상의 위치를 표기하며, 파일명은 표기하지 않고 기본 경로만 지정한다.
- EX) \\정보화시스템\1.사업관리

○ 등록일 : 형상 관리 대상 항목으로 식별된(등록된) 일자의 표기 산출물의 경우, 최초 작성일자를 표기하며 변경이 발생하였을 경우, 대상 형상 항목이 최종 변경된 일자를 표기

□ 형상관리 역할 및 책임 (Configuration Management Roles and Responsibilities)

역할(Roles)	책임(Responsibilities)
개발자(Developer)	변경사항 확인 및 검토, 변경 요청 변경 시행
검토자(QAO)	변경요청 내용 검토 및 수정/보완 요청 변경요청 내용 상신
승인자(PM/PMO)	변경요청 내용 승인/기각/보류 결정 변경 시행 통보

□ 변경관리 절차

형상항목정의서의 각 항목에 대해 형상 변경 이력을 작성하고, 형상 파일이 변경될 때 변경이력을 기입한다.

○ 형상항목에 해당되는 각 산출물(파일단위)의 형상 변경 이력을 관리한다.
   - \\정보화시스템\00.사업관리\033_형상변경이력서.DOC

○ 변경번호 : C-변경번호(3자리)
   - EX) C-001 : 형상 항목의 변경 번호를 순차적으로 관리하나, 제외 가능

○ 형상 항목번호 : 형상항목 정의서에서 식별된 관리번호
   - EX) D-102 : 산출물목록

○ 형상 항목 명칭 : 산출물 문서번호 + '_' + 산출물 명
   - EX) KPC001_산출물작성규칙

○ 버전 : 형상 관리 대상 산출물의 변경 이력을 표기
   - 기본 : 1.0
   - 산출물이 변경될 경우 소수점 첫째 자리 숫자를 1씩 증가시키며, 산출물을 고객 제출 및 확인 받는 시점에 정수 1씩 증가시킨다.

○ 형상관리 대상 산출물(파일)은 단계별 최종파일 한 개만 유지하며 (자료는 월 단위 CD백업을 받아 관리하므로 가장 최종파일만 관리), 불필요한 파일이나 중복된 파일은 삭제한다.

버전	변경일자	변경사유(요청번호)	담당자	비고
1.0	2011. 7.14	최초작성	홍길동	
1.2	2011. 8.31	고객1차 시정조치반영	홍길동	
1.3	2011.11.13	데이터모델 변경	홍길동	
1.4	2011.11.14	데이터모델 변경	홍길동	
1.5	2011. 9.18	고객2차 시정조치반영	홍길동	
1.6	2011.10.19	고객3차 시정조치반영	홍길동	
1.7	2011.11. 1	검토 결과 반영	홍길동	

[형상관리를 위한 변경관리 흐름도]

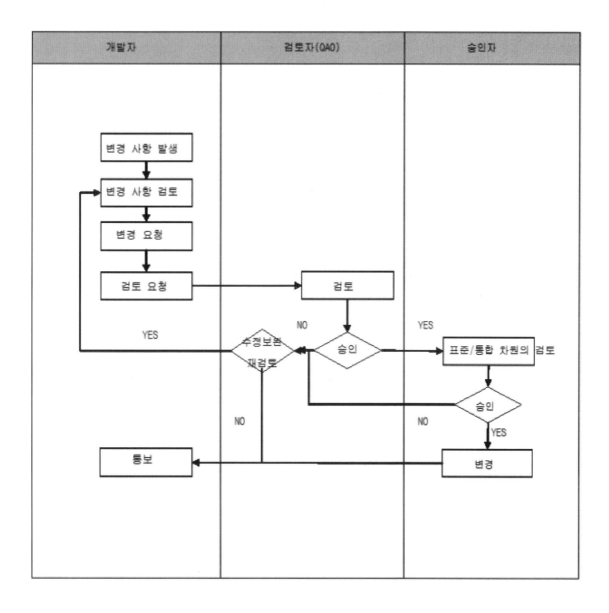

□ 라이브러리 구성

- ㅇ 컴퓨터 이름 : File Server

- ㅇ 접근권한 : 개발 관련자만 접근 가능하며, 필요 시 관리자의 승인 하에 공유 가능

- ㅇ 형상 항목으로 정의된 파일은 최종 버전만 관리

- ㅇ 형상 라이브러리 구성 예

```
1. 사업 수행 산출물
   1.1 사업관리
       1.1.1 일반관리
       1.1.2 프로젝드 표준
       1.1.3 품질관리
       1.1.4 변경관리
       1.1.5 형상관리
       1.1.6 위험관리
       1.1.7 일정관리
       1.1.8 감리
       1.1.9 완료보고서
       1.1.10 기타
   1.2 산출물
   1.3 공통
```

변경 관리계획
(Change Management Plan)

3.8

프로젝트명(Project Title) : <u>OO 사업 기본 및 실시 설계 용역</u>

☐ 변경관리 수립

- ○ 변경관리식별
  - – 변경사항을 식별하고 관리 계획(변경사항 승인, 인도물, 조직프로세스 자산, 프로젝트 문서, 프로젝트 관리 계획서 변경 관리)

☐ 변경의 정의 (Definitions of Change)

- ○ 전체 프로젝트에 걸쳐서 변경사항 조정, 완료된 모든 변경 요청의 영향을 문서화
  - – 결정 지연이 시간, 원가 또는 변경 타당성에 부정적인 영향을 미칠 수 있으므로 중요 변경 요청을 즉시 검토 및 분석하여 승인
- ○ 일정 변경(Schedule change)
  - – 프로젝트 기간의 일정 단축 또는 지연으로 인해 발생되는 변경사항 반영
- ○ 예산 변경(Budget change)
  - – 실제 결과를 비교하여 변경, 시정 또는 예방 조치를 위한 원가 성과 기준선 변경(원가관리계획서)
- ○ 범위 변경(Scope change)
  - – 범위 변경은 이해관계자들이 서로 합의 했을 때 발생
  - – 공식적으로 인수되지 않은 인도물은 거부 사유와 함께 문서화, 결함 수정을 위한 변경 요청 필요
- ○ 프로젝트 문서 변경(Project document changes)
  - – 변경이 구두로 요청되더라도 반드시 문서 양식으로 기록 및 갱신 관리
    - • 변경 관리 및 형상관리 시스템에 입력(기록화)

☐ 변경통제위원회 (Change Control Board)

성명(Name)	담당업무(Role)	책임(Responsibility)	권한(Authority)
김책임	위원장(사업총괄)	변경사항에 대한 진행 승인 및 거부 통보	• 권한 강 • 이해관계 강
김경리	부위원장(스폰서)	변경사항 영향력 분석	• 권한 강 • 이해관계 강
김지반	위원1(기술 분야)	변경사항 기술적 분석	• 권한 강 • 이해관계 강
김차장	위원2(과업 실무)	변경사항 기술적 분석	• 권한 중 • 이해관계 강
김사원	위원3(과업 지원)	변경사항 문서작성	• 권한 중 • 이해관계 약

□ 변경통제프로세스 (Change Control Process)

변경사항제출 (Change request submittal)	– 프로젝트 내/외부에서 발생하는 변경요청사항은 변경요청서를 작성
변경사항추적(분석) (Change request tracking)	– 변경요청사항의 기술적 분석 – 변경요청사항의 영향력 분석
변경사항재검토 (Change request review)	– 변경요청사항의 분석결과를 근거로 그 변경요청사항을 수용할 것인가에 대한 여부를 결정
변경사항 처리 (Change request disposition)	– 변경을 수용하기로 결정한 사항의 진행여부를 확인하여, 프로젝트와 사업추진기관은 최종적인 승인

□ 양식 (Forms)

○ 변경 요청서 (Change Request) 참조

변경 관리계획
(Change Management Plan)

프로젝트명(Project Title) : _____

□ 개요 (Change Management Description)

- 계약 시 명시된 사항 이외에 프로젝트 수행에 영향을 미치는 변경이 필요한 경우, 사업추진기관 및 프로젝트 내/외부 관계자는 프로젝트에 변경을 요청할 수 있고, 요청된 변경사항에 대해서는 발주사와 협의하여 수용여부를 결정한다.
- 변경요청사항은 요구사항 추적표에 기록, 관리한다.

○ 변경관리 대상범위(Scope)

- 과업지시서에 명시된 과업내용 및 범위를 변경하여야 할 사항
- 과업지시서에 명시되지 않은 사항 중에서 추가로 지시하는 사항
- 과업수행인의 단독결정이 곤란한 사항

○ 우선순위(Priority)

- 과업지시서와 수행업체가 제출한 제안서에 명시되지 아니한 사항 또는 수정이 필요 한 사항, 과업내용 중 해석이 상이한 부분 또는 이견이 있는 경우에는 발주사와 수행업체가 협의하는 것을 원칙으로 하되 조정이 불가능할 경우 발주사의 의견을 우선으로 한다.

○ 핵심활동 흐름도(Activity Flow)

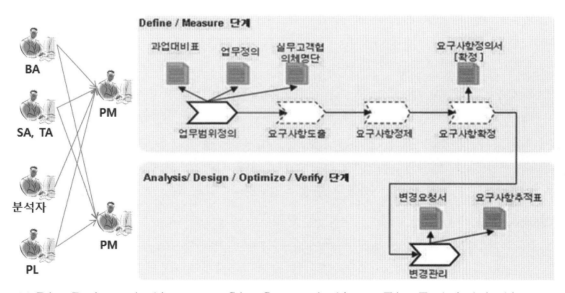

※ BA : Business Architect   SA : System Architect   TA : Technical Architect,
   PL : Project Leader   PM : Project Manager

□ 변경관리절차 (Process)

○ 변경요청사항의 접수(Receipt)

- 사업추진기관 측 변경요청사항의 접수형태는 구두, 전화, 공문 등의 형식으로 접수를 받을 수 있지만, 변경요청사항은 사업추진기관 최종 인수책임자 또는 그에 준하는 권한을 가진

사람의 승인을 받은 것이어야 한다.

- 프로젝트에서 사업추진기관 측 변경요청사항을 접수한 사람은 PM 혹은 그에 준하는 권한을 가진 사람에게 통보하여야 한다. 만일 사업추진기관이 변경요청서를 작성하지 않은 경우, 프로젝트에서 고객의 변경요청사항을 접수 받아 변경요청서를 작성할 수 있다.
- 프로젝트 내/외부에서 발생하는 변경요청사항은 변경요청서를 작성하여 PM 또는 그에 준하는 권한을 가진 사람의 승인을 받도록 한다.

○ 변경요청사항의 분석(Analysis)
  - 변경요청사항의 기술적 분석
    • 접수된 변경요청사항에 대한 기술적 분석은 변경을 실제로 담당해야 할 개발자 혹은 프로젝트 팀원이 주로 분석하고 필요할 경우 관련자(고객, 분석/설계자, PL, PM)들이 참석한다.
    • 기술적 분석 시에는 공수나 일정 지연, 예산 초과 발생여부 및 초과 금액 등에 대해서는 고려하지 않는다.
  - 변경요청사항의 영향력 분석
    • 변경요청사항의 수용 시 발생할 수 있는 영향력을 분석한다. 영향력을 분석하기 위해서는 PM, PL, 분석/설계자, 개발팀원 등의 참석이 필요하며, 필요에 따라 사업추진기관에게도 참석을 요청할 수 있다.
    • 각각의 항목 즉, 공수, 일정, 금액, 품질 및 발생할 수 있는 리스크항목을 도출해 내고 변경요청서에 기록한다. 각 항목별로 발생할 수 있는 내용은 모두 기록을 해야 하며, 사업추진기관과도 공유한다.

○ 변경요청사항의 수용여부 결정(Decision-making)
  - 변경요청사항의 분석결과를 근거로 그 변경요청사항을 수용할 것인가에 대한 여부를 결정한다. 최종 결정은 변경요청사항에 따라 결정권을 가진 사람이 달라지며, 변경의 영향력에 대해 충분히 숙지 및 공유를 통해서 결정을 해야 한다. 최종적으로 결정이 되면 변경요청서에 그 수용여부를 기록한다.

○ 변경사항 최종 승인(Authorization)
  - 변경을 수용하기로 결정한 사항의 진행여부를 확인하여, 프로젝트와 사업추진기관은 최종적인 승인을 해야 한다. 조치결과대로 조치가 되었는지의 여부를 프로젝트 측에서는 PM 혹은 그에 준하는 권한을 가진 사람, 고객 측에서는 최종인수책임자 혹은 그에 준하는 권한을 가진 사람이 확인을 하고 서명을 해야 한다. 이는 요구변경사항의 종료를 의미한다.

○ 변경사항의 변경통제(Change Control)
  - 변경사항을 수용하기로 결정한 사항에 대해서는 변경절차의 시작과 동시에 문서, 소스프로그램 모두 변경통제를 실시한다. 변경통제는 프로젝트에서 작성한 형상관리 계획서에 명시된 대로 진행한다. 특히, 고객 요구사항에 대한 변경 발생 시는 이를 별도의 요구사항 추적표에 기록하고 추적, 관리하도록 한다.

□ 변경관리 책임 및 역할 (Roles and Responsibilities)

- 변경요청사항에 대한 수용여부를 최종 결정하는 결정권자의 구성은 다음의 표를 참고한다.

구분	내용
담당자 결정	- 다른 사람이 영향을 받지 않는 경우 - 품질, 일정, 비용 관련하여 해당자에게만 영향을 주는 경우
담당자 PL PM	- 품질, 일정, 비용 관련하여 변경요구사항이 예비비 내에 있을 경우 - 고객 영향도가 극소할 경우 - 다른 개발자 그룹에게 영향이 작을 경우 - 단계(Phase) 내 변경인 경우(즉, 다른 단계에 영향을 주지 않는 경우)
담당자 PL / PM 인수책임자	- 선행 단계(Phase)에 대한 영향을 미치는 경우 - 계약범위에 대한 상이한 의견이 발생한 경우 - 품질, 일정, 비용에 프로젝트 여유이상으로 영향을 주는 경우 - 다른 엔지니어링 그룹의 선행 단계(Phase)에 심각한 영향을 주는 경우

□ 양식(Forms)

○ 변경기록부(Change Log) 참조

○ 변경 신청/요청서(Change Request) 참조

문서 통제계획
(Document Control Plan)

3.9

프로젝트명(Project Title) : <u>OO 사업 기본 및 실시 설계 용역</u>

문서 번호	개정일자	개정 사유	문서내용 및 개정내용 요약	문서보관위치
입찰보고서 20XX-XX	20XX.XX.XX	· 최초제정	· 신규 제정	P-1
입찰보고서 20XX-XX	20XX.XX.XX	· 임원회의 의견 반영	· 입찰 사업 세금, 보증서 및 보험부보 세분화	P-1
착수보고서 20XX-XX	20XX.XX.XX	· 최초제정	· 신규 제정	P-2
착수보고서 20XX-XX	20XX.XX.XX	· 임원회의 의견 반영	· 자원 변경	P-2
착수보고서 20XX-XX	20XX.XX.XX	· 승인 내용 반영	· 자원 투입 결과	P-2

요구사항 문서
(Requirements Documentation)

3.10

프로젝트명(Project Title) : OO 사업 기본 및 실시 설계 용역

분류 (category)	이해관계자 (Stakeholder)	직위 (Position)	담당 업무 (Role)	요구사항 (Requirements)	우선순위 (Priority)	수용기준 (Acceptance Criteria)
20XX-XX	김고객	발주처	사업본부 담당	정책 및 외부환경의 변화에 따라 대책 절차가 필요함	C	A
20XX-XX	김경리	스폰서	재무 분야	국제 환율 변동에 따른 사업 투자자의 투자(자금) 관리	C	A
20XX-XX	김책임	이사대우	사업 총괄	사업의 성공을 위한 이사소통 절차서 작성 후 배포	C	P
20XX-XX	김지반	지반부장	토질 분야	기술적 검토서 품질관리 통보	C	P
20XX-XX	김차장	차장	과업 실무	기술적 분석서 품질관리 통보	I	H
20XX-XX	김사원	사원	과업 지원	조직도 활성화(체계적인 보고체계)	I	R
20XX-XX	김환경	대표	NGO단체	사업 환경보고서 요청	I	R
20XX-XX	김기자	신문기자	건설신문	사업 홍보를 위한 홍보자료 요구	U	H

※ 우선순위 :'C'-Critical(상), 'I'-Important(중), 'U'-Useful(하)

※ 수용기준 : 'A'-Approved(승인), 'P'-Proposed(접수), 'R'-Rejected(보류), 'H'-Holdback(반려)

요구사항 문서
[Requirements Documentation]

프로젝트명(Project Title) : _____

□ **비즈니스 요구 또는 포착할 기회 [Business Needs/Opportunities]**

  ○ 범정부 정보화 사업 요건 만족 및 정부 지원에 의한 해외 수출 가능

□ **비즈니스 및 프로젝트 목표 [Business and Project Objectives]**

  ○ 전자정부 요구 아키텍처 기준 만족

업무 (Work)	요구사항 ID (Require ment ID)	요구사항 명 (Requirement Name)	요구사항 설명 (Requirement Description)	상태 (Stat us)	중요도 (Critic ality)	난이도 (Diffic ulty)	유형 분류 (Type)	영향력 (Impact)	요구사항의 가정과 제약 (Assumption & Constraint)	관련 부서 (Organi zation)	발의자 (Person Name)	인수 기준 (Accept ance Criteria)	출처 (Sour ce)
아키텍처		정책 및 외부환경, 정보기술의 변화에 유연한 아키텍처 설계	정책 및 외부환경 의 변화와 정보기술 패러다임의 변화에 유연하게 대응하는 시스템 아키텍처 설계가 필요함	수용	상	상	비기능	A	별개 정시 반영 필요 및 기존 내용 효력 상실	시스템부	홍길동	정보기술 아키텍처 요건 충족	제안 요청서 10쪽

요구사항 문서 (Requirements Documentation) 작성 가이드

프로젝트명(Project Title) :

항목명	작성 방법	필수여부
공통	비즈니스 요구/포착할 기회 : 현재 상황에서 제한사항과 프로젝트의 수행 사유를 설명 비즈니스 및 프로젝트 목표 : 추적지표로 활용	
업무 (Work)	기업이나 기관이 한 분야를 완전하게 지원하는 업무활동들의 집합 업무영역을 좀 더 세분화한 것으로, 초기 프로젝트 범위를 정할 때 도출된 것일 수 있다.	N
요구사항 ID (Requirement ID)	도출된 요구사항의 ID를 Unique하게 부여한다.	Y
요구사항 명 (Requirement Name)	요구사항의 명을 기술한다.	Y
요구사항 설명 (Requirement Description)	요구사항을 간략하게 설명한다.	Y
상태 (Status)	접수:'P'(Proposed) – 공식적인 절차에 의해 승인받지 않았으나 팀내 논의과정에 있는 상태. 반려:'R'(Rejected) – 팀내 논의 후에 공식적인 절차에 의해 프로젝트 범위에서 제외하기로 승인받은 상태. 승인:'A'(Approved) – 유용하고 구현가능하다고 판단되고 공식적인 절차에 의해 승인받은 상태. 보류:'H'(Holdback) – 팀내 논의를 하였으나 프로젝트 범위로 승인/반려 결정이 되지 않은 상태	Y
중요도 (Criticality)	상:'C'(Critical) – 필수적인사항. 본사항에대한구현실패는근本시스템전체의실패를의미함. 모든필수사항들은 일정 내에 반드시 구현 되어야 함. 중:'I'(Important) – 시스템 기능적 효율적 측면에서 중요한 사항들. 본 사항에 대한 구현 실패는 예산이나 고객 만족에 영향을 미치지만 실제 일정상에는 영향을 미치지 않음. 하:'U'(Useful) – 유용은 하나 예산이나 고객만족에 심각한 영향을 미치지 않는 사항.	Y
난이도 (Difficulty)	상:'H'(High) – 자체 개발일정에 차질이 있을 정도의 노력이 필요한 경우 중:'M'(Medium) – 자체 개발 개발 일정내에 완수할 수 있는 경우 하:'L'(Low) – 자체 개발일정에 일부분으로 흡수되어도 되는 경우	Y
유형분류 (Type)	기능적 요구사항: 요구사항 목록, 모델 또는 두 가지 모두에 적절히 작성하여 문서화할 수 있는 비즈니스 프로세스, 정보, 제품과 상호 작용을 기술함	Y

항목명	작성 방법	필수여부
	비기능적 요구사항: 서비스 수준, 성과, 안전성, 보안, 준수성, 지원 가능성, 보유/제거 등 품질 요구사항 데이터 요구사항 비즈니스 규칙: 조직의 운영규칙 지원 및 교육 요구사항 :	
영향력 (Impact)	A유형: 콜센터, 영업부서, 기술 그룹 등의 다른 조직 영역에 미치는 영향력 B유형: 수행조직 내부 또는 외부의 다른 주체에 미치는 영향력	N
요구사항의 가정과 제약 (Assumption & Constraint)	해당 요구사항을 구현하는데 필요한 전제 조건 및 제약사항을 기술함	N
관련부서 (Organization)	해당 요구사항과 관련된 이해자 그룹을 기술한다.	Y
발의자 (Person Name)	해당 요구사항을 발의한 당사자를 기술한다.	Y
인수기준 (Acceptance Criteria)	고객이 해당 요구사항이 완료여부를 승인하는 기준을 명시한다.	Y
출처 (Source)	본 요구사항이 도출된 근거를 기술한다. 해당 문서나 요구한 이해관계자가 될 수 있다.	Y

3.11 요구사항 관리계획 (Requirements Management Plan)

프로젝트명(Project Title) : <u>OO 사업 기본 및 실시 설계 용역</u>

☐ 요구사항 수집 활동 (Requirements Collection)

○ 각 문서내용 중 요구되는 사항을 중요도에 따라 수집(일괄적 관리 목표)
  - 이해관계자의 개인적인 태도와 의식에 따라 요구사항
  - 현지 조사 등 의사소통이 어려운 사항을 파악하여 요구사항 도출
  - 문서 및 요구사항 변경에 따른 갱신(업데이트) 문서 수집

☐ 분류 (Categories)

○ 업무 효율을 높이기 위한 문서 분류 방법 (R-상,중,하-01)
  - 표준분류법
  - 조직프로세스자산에 의한 분류
  - 연관성이 있는 분류 등

☐ 우선순위지정 (Prioritization)

○ 중요도에 따라 등급 배정
  - 상 : 'C'(Critical)
    • 필수적인 사항, 본사항에 대한 구현 실패는 곧 사업 전체의 실패를 의미함.
    • 모든 필수 사항들은 일정 내에 반드시 구현 되어야 함
  - 중 : 'I'(Important)
    • 기능적, 효율적 측면에서 중요한 사항들
    • 본 사항에 대한 구현 실패는 예산이나 고객 만족에 영향을 미치지만 실제
    • 일정상에는 영향을 미치지 않음
  - 하 : 'U'(Useful)
    • 유용은 하나 예산이나 고객만족에 심각한 영향을 미치지 않는 사항

☐ 계획 추적 방법 (Traceability)

○ 목적과 관련성 (Relates to Objective)

○ WBS 결과물 (Manifests in WBS Deliverable)

○ 확인여부 (Verification)

○ 승인여부 (Validation)

☐ 확인 (Verification)

○ 요구사항 항목 승인 및 변경 내용을 공식 검증
  - 승인 및 변경 기록을 생성(변경에 대한 이유 기록 및 관리 기록 작성)
  - 관련 문서 복사본(사본) 유지
  - 변경 문서 기준선에 업데이트(기준선에 최신 버전 명시)

요구사항 관리계획
(Requirements Management Plan)

프로젝트 명(Project Title) : _____

☐ 요구사항 수집 활동 (Requirements Collection)

- ○ 각 문서내용 중 요구되는 사항을 중요도에 따라 수집(일괄적 관리 목표)
  - – 이해관계자의 개인적인 태도와 의식에 따라 요구사항
  - – 현지 조사 등 의사소통이 어려운 사항을 파악하여 요구사항 도출
  - – 문서 및 요구사항 변경에 따른 갱신(업데이트) 문서 수집

☐ 분류 (Categories)

- ○ 업무 효율을 높이기 위한 문서 분류 방법 (R-상,중,하-01)
  - – 표준분류법
  - – 조직프로세스자산에 의한 분류
  - – 연관성이 있는 분류 등

☐ 우선순위지정 (Prioritization)

- ○ 중요도에 따라 등급 배정
  - – 상 : 'C'(Critical)
    - • 필수적인 사항. 본 사항에 대한 구현 실패는 곧 사업 전체의 실패를 의미함.
    - • 모든 필수 사항들은 일정 내에 반드시 구현 되어야 함.
  - – 중 : 'I'(Important)
    - • 기능적, 효율적 측면에서 중요한 사항들
    - • 구현 실패가 예산이나 고객 만족에 영향을 미치지만, 실제 일정상에는 영향을 미치지 않음.
  - – 하 : 'U'(Useful)
    - • 유용하기는 하나 예산이나 고객만족에 심각한 영향을 미치지 않는 사항

☐ 계획 추적 방법 (Traceability)

- ○ 목적과 관련성 (Relates to Objective)
- ○ WBS 결과물 (Manifests in WBS Deliverable)
- ○ 확인여부 (Verification)
- ○ 승인여부 (Validation)

☐ 확인 (Verification)

- ○ 요구사항 항목 승인 및 변경 내용을 공식 검증
  - – 승인 및 변경 기록을 생성(변경에 대한 이유 기록 및 관리 기록 작성)
  - – 관련 문서 복사본(사본) 유지
  - – 변경 문서 기준선에 업데이트(기준선에 최신 버전 명시)

요구사항 추적 매트릭스
[Requirements Traceability Matrix]

3.12

<u>프로젝트명(Project Title)</u> : <u>OO 사업 기본 및 실시 설계 용역</u>

구분 ID	요구사항 설명 (Requirements Description)	Business Needs, Opportunities, Goals, Objectives	프로젝트 목적 (Project Objectives)	WBS 결과물 (WBS Deliverables)	제품 설계 (Product Design)	제품 개발 (Product Development)	사례 (Test Cases)
20XXR-OO	주요업무의 사전승인	요구사항 준수	산업단지 조성 설계	상시 보고서	보고서	지속적 모니터링	보고 및 승인
20XXR-OO	과업수행 및 공정보고	제출서류 준수	기본설계 및 실시설계	착공 보고서 (착수, 중간, 최종)	보고서	제출 이행 여부 확인	보고 및 승인
20XXR-OO	적용기준 및 시방서	관련자료 준수	사업계획 검토 및 현황분석	참고자료 문서	참고문서	적용기준 및 시방서 확인	보고 및 승인
20XXR-OO	선진 설계기술의 도입·활용	필요시에 따라 적용	기본설계 현황	신기술 및 특허 목록	참고문서	적용가능 여부 확인	샘플링 보고
20XXR-OO	기타 준수사항 및 수행 여부	필요시에 따라 적용	설계도서 및 인허가 서류 검토	감사목록	감사목록	통제 및 감사인원 부족	보고 및 승인
20XXR-OO	조직도활성화 (체계적인 보고체계)	필요시에 따라 적용	사업타당성 분석	해당사항없음	조직도	확인	보고 및 승인
20XXR-OO	사업 환경보고서 요청	필요시에 따라 적용	사업계획 검토 및 현황분석	기술보고서	보고서	사업 종료시점에 배포 예정 (확인)	현장 출장 및 보고

요구사항 추적 매트릭스 - 1
[Requirements Traceability Matrix]

프로젝트명(Project Title) : <u>OO 사업 기본 및 실시 설계 용역</u>

구분 ID	요구사항 정보 (Requirement Information)				추적 관계 (Relationship Traceability)			
	요구사항 (Requirement)	우선사항 (Priority)	분류 (Category)	출처 (Source)	목적과 관련성 (Relates to Objective)	WBS 결과물 (Manifests in WBS Deliverable)	확인여부 (Verification)	승인여부 (Validation)
20XXR-OO	주요업무의 사전승인	상 'C'(Critical)	R-상-01	작업기술서 (과업기술서)	요구사항 준수	상시 보고서	지속적 모니터링	A
20XXR-OO	과업수행 및 공정보고	상 'C'(Critical)	R-상-02	프로젝트 현장 요구사항	제출서류 준수	각종 보고서 (착수, 중간, 최종)	제출 이행 여부 확인	A
20XXR-OO	적용기준 및 시방서	상 'C'(Critical)	R-상-03	프로젝트 현장 요구사항	관련자료 준수	참고자료 문서	적용기준 및 시방서 확인	A
20XXR-OO	선진 설계기술의 도입·활용	중 'I'(Important)	R-중-01	프로젝트 현장 요구사항	필요시에 따라 적용	신기술 및 특허 목록	적용가능 여부 확인	R
20XXR-OO	기타 준수사항 및 수행 여부	하 U'(Useful)	R-하-01	프로젝트 현장 요구사항	필요시에 따라 적용	검사목록	통계 및 감사인원 부족	H
20XXR-OO	조직도활성화 (체계적인 보고체계)	중 'I'(Important)	R-중-01	요구사항 문서	필요시에 따라 적용	해당 사항 없음	확인	R
20XXR-OO	사업 환경보고서 요청	하 U'(Useful)	R-하-02	요구사항 문서	필요시에 따라 적용	기술보고서	사업 종료시점에 배포 예정 (확인)	R

※ 수용기준 : 'A'-Approved(승인), 'P'-Proposed(접수), 'R'-Rejected(반려), 'H'-Holdback(보류)

요구사항 추적 매트릭스 - 2
[Requirements Traceability Matrix]

프로젝트명(Project Title) : OO 사업 기본 및 실시 설계 용역

프로젝트 계획 단계		요구사항 정의 단계		업무 설계 단계		업무 시행 단계		비고
ID	세부기능	요구사항 ID	요구사항 명	설계 ID	설계 명	시행 ID	시행명	
20XX-R-XX	현장 조사	R-001	현장 조사 계획	D-001	조사 계획서 작성	A-001	조사 계획서 보고 및 승인	
				D-002	현장 출장 계획	A-002	현장 출장	
		R-002	현장 조사	D-003	현장 확인	A-003	현장 시험	현장 여건에 따라 진행
				D-004	현장	A-004	현장 샘플링	
		R-003	현장 조사 보고	D-005	현장 보고서 작성	A-005	현장 보고서 제출 및 승인	

요구사항 추적 매트릭스
[Requirements Traceability Matrix]

프로젝트명(Project Title) : _____

추적 항목 ID	관련 ID	요구사항 명 (Requirements Name)	요구사항 유형 (Requirements Type)	프로세스 ID (Process ID)	화면 ID (Screen ID)	프로그램 ID (Program ID)	인터페이스 ID (Interface ID)	단위 테스트 케이스 ID (Unit Test Case ID)	통합 테스트 케이스 ID (Integrated Test Case ID)
1	1.0	A/S 음성 녹취 접수	기능	CM.5.1.1	W_CM1601	CM1601MF	CM.8	UT_CM1601	IT_CM_012
	1.1	우편번호 위치표시기능 추가	기능	GI.1.2.3	W_GI0001	GI0001MF	CM.6	UT_GI0001	IT_GL_001
	1.2	GIS 주소표시 기능 추가	기능	GI.1.1.5	W_GI0001	GI0001MF	CM.6	UT_GI0001	IT_GL_001
	1.2.1	GIS 주소(전문표시) 기능 추가	기능	GI.1.1.5-1	W_GI0001-1	GI0001MF-1	CM.6-1	UT_GI0001-1	IT_GL_001-1
2	2.0	단말 UI 해상도 변경	기능	CM.1.2.15	W_CT1070	CT1070DF	CM.6	UT_CT1070	IT_GL_004
	2.1	단말 병원정보에 응급의료센터 정보 연계	기능	CR.1.1.2	W_CM1101	CM1101MF	CM.6	UT_CM1101_4	IT_GL_002
	2.1.1	맵(Map) 다운로드 기능	기능	CT.3.1.1	W_CT3010	CT3010DF	CM.6	UT_CT3010	IT_GL_006
3	3.0	GIS 지도표시 속도 개선	비기능	-	-	-	-	-	-
4	4.0	GIS 인근 A/S 센터 최단경로 계산방식 개선	비기능	-	-	-	-	-	-

<table>
<tr><td>3.13</td><td>프로젝트 범위기술서
(Project Scope Statement)</td></tr>
</table>

프로젝트 명(Project Title) : <u>OO 사업 기본 및 실시 설계 용역</u>

□ 프로젝트 과업 내용 (Project Scope Description)

○ 조사 및 자료 수집

과업수행을 위한 현지조사 및 기존 시설의 기본설계 또는 실시설계당시 조사된 성과를 재검토하여 이를 최대한 활용

- 조사항목
  - 기초현황 및 관련계획 조사
    - 가. 사회 및 인문현황조사
    - 나. ○○시설 현황조사
    - 다. 기전 설비 조사
    - 라. 기타 자료의 조사
  - 현지답사
  - 기존 시설 운영현황 및 관련 기초자료 조사(기전설비 포함)
  - 부지내 지장물 조사(지하매설물 및 지상시설물)
  - 생태조사 및 토양조사
  - 지반조사 및 시험 (토양조사 포함)
  - 구조물 조사
  - 골재원 및 사토장 조사
  - 기전설비 조사
  - 시설물 조사
  - ○○정비 기본계획 등 관련계획 조사
  - 고도처리시설도입 타당성 조사
    - 가. 용수수요 추정 및 공급계획
    - 나. 고도정수처리계획
    - 다. 고도정수처리 대상물질과 고도정수처리 목표치 설정
    - 라. 고도정수처리공정 선정
  - 환경기초시설 탄소중립시범사업도입 여부 조사
    - 가. 환경기초시설 탄소중립 시범사업 도입의 필요성 검토
    - 나. 국내외 기반시설의 탄소중립사업 현황조사 및 분석
    - 다. 환경기초시설 탄소중립시설 공정 선정
  - 기타 본 과업수행에 필요한 조사
- 기본조사
  - 사회 및 인문현황 조사 : 급수 대상지역 일원의 사회 및 인문에 대한 전반적인 조사를 수행
  - 수도시설 현황조사 : 기존 수도시설, 시설확장 및 폐쇄계획
  - 기전 설비 조사 : 정수장 운영설비 현황 및 노후 정도
  - 기타 자료의 조사 : 사업 구역 내 측량성과 또는 D/B 구축자료

□ 프로젝트 인도물 (Project Deliverable)

○ 성과품의 종류
- 기본설계 성과품
- 지반조사 및 시험보고서
- 조사자료

○ 성과품의 구성 및 내용
- 기본설계 보고서
- 기본설계 도면
- 구조계산서

※ 특기사항
  • 보 고 서
    가. 지반조사 및 시험을 비롯한 조사사항은 본 보고서에 한 항목으로 수록하는 것이 원칙
    나. 조사량이 과대하여 별도 보고서로 작성하는 것이 적절한 경우에는 발주자와 협의 후 작성하고 본 보고서에는 요약 분을 수록
  • 설계도면 : 설계도면은 이해가 쉽도록 상세히 작성
  • 구조계산서 : 구조계산서는 계산된 모든 것을 정확하게 정리하고 수록하여 손쉽게 검토 가능하게 작성

성과품(인도물) 목록		수 량	비 고
· 기본설계 보고서		10부	보고서
· 수리 및 용량계산서		10부	계산서
· 기초 및 구조계산서(기본 : 개략)		10부	계산서
· 지반조사 및 시험보고서		10부	부록
· 설 계 도 면(A3)		5부	설계도면
· 성과품 CD-ROM		5set	CD-ROM
용 지 도	원 도	1부	설계도면
	복 사 본(A1)	5부	"
지 장 물 도	원 도	1부	"
	복 사 본(A1)	5부	"
· 용지조서 및 지장물 조서		10부	용지조서
· 기타 발주자가 요구하는 자료 (현장사진 등)		1식	타당성조사보고서

□ 프로젝트 인수기준 (Project Acceptance Criteria)

○ 성과품 납품시기
- 최종 성과품은 계약기한 20일전에 제출
- 최종 발주자의 심의를 받은 후 수정, 보완 요구사항이 있을시 수정, 보완한 후 계약기한까지 납품
- "건설공사의 설계도서 작성기준(건설교통부,2005년)" 에서 제시하는 기준

○ 모든 성과품의 인쇄는 발주자와 협의하여 승인을 득한 후 실시

○ 성과품은 토목, 기계, 전기, 계장, 건축, 조경 등으로 분리하여 납품

○ 주요공법, 자재 등에 대하여는 과업수행 중 검토사항들이 모두 수록

□ 프로젝트 제외 사항 (Project Exclusions)

- ○ 프로젝트 기간 동안 지속적인 수집, 분석 및 조치 수행 관리
- ○ 당초 계획에 없던 신규 계약 내용
- ○ 고객의 요구사항 변경으로 인한 프로젝트 범위의 증감 내용

□ 프로젝트 제약 사항 (Project Constraints)

- ○ 프로젝트 비용(Cost) : 845백만원 (부가세 포함)
- ○ 프로젝트 기간(Time) : 6개월 (착수일부터 180일간 - 공휴일 및 휴지일수 포함)
- ○ 프로젝트 성과물 : 최종 성과물은 계약 종료 20일 전에 제출
- ○ 특정 기술 포함
- ○ "건설공사의 설계도서 작성기준(건설교통부,2005년)" 에서 제시하는 기준
- ○ 모든 성과품의 인쇄는 발주자와 협의하여 승인을 득한 후 실시

□ 프로젝트 가정 사항 (Project Assumptions)

- ○ 지반조사 및 시험보고서는 사업 착수와 동시에 진행 후 2달 이내에 완료할 것으로 가정
  - 자원은 가용할 것으로 가정하나 지반조사 및 시험 팀의 현장 여건에 따라 프로젝트에 영향을 받기 때문에 지속적인 검토 요망
- ○ 본 사업 이후 2단계 발주와 시공관련 사업 발주할 것으로 가정
  - 후속 사업에 대한 우선권 선점
  - 사실로 전환한 지를 지속적으로 모니터링 요망

프로젝트 범위기술서
(Project Scope Statement)

프로젝트 명(Project Title) : _____

□ 범위기술서 개요 [Description]

- ○ 목적(Purpose)
  - 본 문서는 ○○시스템 구축 파트의 과업범위, 산출물 등 제공될 서비스 범위 등을 명확하게 정의하고, 문서화함으로써 업무 범위를 식별하고 통제하기 위한 목적으로 작성한다.

- ○ 관련 문서(Related Documents)
  - 제안요청서(Request for Proposal)
  - 제안서(Proposal)
  - 사업수행계획서(Statement of Work)

□ 범위기술서 [Scope Statement]

- ○ 프로젝트 기간(Project Duration)

- ○ 프로젝트 개요(Project Description)

- ○ 제품 범위 명세(Product Scope Description)
  - 개발환경 표준화
    - 정보시스템 운영관리 업무표준 수립
    - 정보시스템 운영관리를 위한 개발표준 수립
    - 정보시스템 기반표준 수립
    - 정보시스템 운영관리 조직구성방안
  - 정보시스템 기술표준 수립
    - 정보시스템 기술 참조모형 수립(TRM/SP)
    - 기술 참조모형의 현행화 체계 수립
  - DB품질관리체계 수립
    - 데이터모델 설계지침 수립
    - 데이터 품질진단체계 수립
    - 데이터 품질관리체계 수립

- ○ 프로젝트 인도물(Project Deliverables)
  - 개발환경 표준화 영역

산출물명	세부내용	비고
정보시스템 운영관리 지침서	- 정보시스템 운영관리업무 분석서 - 정보시스템 운영관리 업무정의 및 처리표준서 - 전사개발 방법론 정의서 - 개발공정별 산출물 항목 정의서 - 장애관리 지침서 - 기술가이드라인 - 운영관리조직구성방안서	

- 정보시스템 기술표준 수립영역
  - 기술참조모형 방향성 정의서
  - 기술참조모형 정의서
  - 표준프로파일 정의서
- DB품질관리체계 수립영역
  - 데이터모델 설계지침서
  - 데이터 품질진단체계 지침서
  - 데이터 품질관리체계 정의서

○ 프로젝트 인수기준(Project Acceptance Criteria)

구분	관련 지표	인수 기준	비고
산출물	공식 산출물 제출율	100%	
결함	결함율	5% 미만	무상유지 보수기간 내 결함율 0% 전제
디자인	디자인 만족도	85% 이상	사용자 만족도 조사 근거 (전체 사용자 50% 이상 참여 전제)
활용	활용 만족도	90% 이상	사용자 만족도 조사 근거 (전체 사용자 50% 이상 참여 전제)

○ 프로젝트 제외사항(Project Exclusives)

구분	설명
환경	- 테스트 장소 및 장비의 준비, 교육훈련 장소 및 사무 관리용 개인 전산장비의 설치 등.
업무	- 구축된 시스템과 관련된 현업 고유 업무에 대한 각종 컨설팅 활동 및 개선활동. - "발주기관(갑)" 업무관행 및 절차에 대한 개발, 개정 활동
제공할 작업 범위 이외의 애플리케이션 개발	- 제공할 작업 범위에 포함되어 있지 않은 즉, 위에서 정의한 핵심 업무 이외의 애플리케이션 개발 업무
시스템 청사진 작성	- 제공할 작업 범위에 정의한 핵심 업무와 직접적으로 관련되지 않은 "갑"의 시스템 청사진 작성 등

○ 프로젝트 제약사항(Project Constraints)
- 프로젝트 범위와 연관되어 관리 팀의 옵션을 제한하는 특정 프로젝트 제약사항을 열거하여 설명한다. 예를 들면, 고객이나 수행조직이 제시하는 미리 책정된 예산, 지정일 또는 일정 마일스톤 등이 있다. 계약 아래 프로젝트가 수행될 때는 일반적으로 계약 조항이 제약이 된다.
- 제약에 대한 정보를 프로젝트 범위 기술서나 별도 기록부에 기술할 수 있다.
- ○○ 법 ○○ 조 ○○ 항에서 제시된 요건 준수
- 기술규격서 규격 준수
- ○○ 계약 준수

○ 프로젝트 가정사항(Project Assumptions)
- 프로젝트 범위와 연관된 특정 프로젝트 가정을 열거하여 설명하고, 그러한 가정이 오류로 판정되는 경우 잠재적 영향력에 대한 설명을 추가한다. 프로젝트 팀에서 기획 프로세스의 일환으로 가정사항을 식별하여 문서화하고 유효성을 확인한다. 가정에 대한 정보를 프로젝트 범위 기술서나 별도 기록부에 기술할 수 있다.
- ○○법 통과를 전제로 개발함
- 환율 ○○원/US$ 기준으로 시스템을 개발함.

작업분류체계
(Work Breakdown Structure)

프로젝트 명(Project Title) : <u>OO 사업 기본 및 실시 설계 용역</u>

☐ **WBS**

Code	Code	Level1 핵심과제	Code	Level2 세부과제	Code	Level3 세부과제	Code	Level4 활동 Activity	Code	Level 5 세부활동 Sub-Activity
40	4	OO 사업 기본 및 실시 설계	0	총괄						
41T			1	조사 및 자료 수집	T	총괄				
41A0					A	조사 항목 계획	0	총괄	0	총괄
41A1							1	기존자료 조사		
41A101									01	총괄 및 현장 조사
41A102									02	지반조사 및 시험
41A103									03	측량조사
41A104									04	지장물 조사 (지하매설물 및 지상시설물 등)
42T			2	기본 설계	T	총괄				
42A0					A	관련 계획 및 상위계획 검토	0	총괄	0	총괄
42A1							1	고도정수 장처리시 설 파악		
42A101									01	기본설계 총괄
42A102									02	시설규모 검토
42A103									03	국내외 처리시설 현황조사 및 분석

작업분류체계
(Work Breakdown Structure)

프로젝트 명(Project Title) : _____

[형식 1] – 다이어그램 방식(Diagram Style)

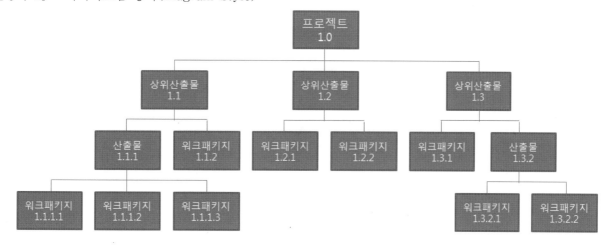

[형식 2] – 표 형식(Table Style)

프로젝트(Project)			
	1.1 상위 산출물 (Major Deliverable)		
		1.1.1 산출물(Deliverable)	
			1.1.1.1 워크 패키지 (Work Package)
			1.1.1.2 워크 패키지 (Work Package)
			1.1.1.3 워크 패키지 (Work Package)
		1.1.2 워크 패키지 (Work Package)	
	1.2 상위 산출물 (Major Deliverable)		
		1.2.1 워크 패키지 (Work Package)	
		1.2.2 워크 패키지 (Work Package)	
	1.3 상위 산출물 (Major Deliverable)		
		1.3.1 워크 패키지 (Work Package)	
		1.3.2 산출물 (Deliverable)	
			1.3.2.1 워크 패키지 (Work Package)
			1.3.2.2 워크 패키지 (Work Package)

3.15

작업분류체계 사전
(WBS Dictionary)

프로젝트명(Project Title) : OO 사업 기본 및 실시 설계 용역

○ 워크 패키지 명(Work Package Name) : 사업후보지 조사

○ 작업분할구조 식별자(WBS ID) : 41A101

○ 작업 명세(Description of Work) :
　OO 사업 기본 및 실시 설계를 위한 후보지 조사(지반 및 토질 조사)

○ 주요 이벤트 내역(Milestones) :
　1. 후보지조사 착수 신고 (완합정)
　2. 후보지 지반 및 토질 조사시행 (현장 및 시험 보고서 작성)
　3. 1차 위크숍 (전문가 회의)

○ 예정일(Due Dates) :
　1. 20XX년 XX월 XX일 ~ 20XX년 XX월 XX일 (1주)
　2. 20XX년 XX월 XX일 ~ 20XX년 XX월 XX일 (6주)
　3. 20XX년 XX월 XX일 ~ 20XX년 XX월 XX일 (3일)

식별코드 (ID)	활동 (Activity)	자원 (Resource)	투입인력 (Labor)				재료 (Material)				총 비용, 전원 (Total Cost)
			기간 (Month)	비용 (Rate)	투입량 (M/M)	계 (Total)	내용	단위 (Units)	비용 (Cost)	계 (Total)	
41A0	사업 후보지 및 타당성 총괄	김책임 (7,500)	4.0	30%	1.20	9,000	사무실 임대	1식	18,250	18,250	27,250
41A10	총괄 및 사업후보지 조사	김지반 (5,800)	11.0	40%	4.40	25,520	전산소모품(토너)	15개	200	3,000	28,520
41A102	개별기술 모니터링	김차장 (5,800)	11.0	40%	4.40	25,520	전산소모품(용지 등)	40개	25.0	1,000	26,520
41A102	개별기술 모니터링	김사원 (5,800)	11.0	82%	9.02	52,316					52,316

○ 품질 요구사항(Quality Requirements) : 최종 지반 및 시험 보고서

○ 인수 기준(Acceptance Criteria) : 1차 위크숍(전문가 회의)에 의한 이전 수렴 및 고객 승인 기준

○ 기술 정보(Technical Information) : 연약지반 보강공사 이력

○ 계약 정보(Contract Information) : 사업 착수 이후 2개월 이내 완료

작업분류체계 사전
[WBS Dictionary]

프로젝트 명(Project Title) :

워크 패키지 명(Work Package Name): Frame Set	작업분류체계 식별자(WBS ID): 1.1

작업 명세(Description of Work): 모든 주 구성품들과 부속품들은 주문 자전거를 설계, 조립 그리고 시험 필요

주요 이벤트 내역(Milestones):
1. Frame 제작　　　: 20XX. XX. XX
2. Handlebar 제작　: 20XX. XX. XX
3. Fork 제작　　　 : 20XX. XX. XX
4. Seat 제작　　　 : 20XX. XX. XX
5. 조립 및 테스팅　: 20XX. XX. XX

예정일(Due Dates): 20XX. XX. XX

ID	활동 (Activity)	자원 (Resource)	투입인력 (Labor)			재료 (Material)			총 비용 (Total Cost)
			시간 (Hours)	비용 (Rate)	계 (Total)	단위 (Units)	비용 (Cost)	계 (Total)	
1.1.1	Frame 제작	고급 1명	5	0.5	2.5	5	10	50	57.5
1.1.2	Handlebar 제작	중급 1명	10	1	10	10	5	50	80
1.1.3	Fork 제작	중급 1명	10	1	10	10	3	30	60
1.1.4	Seat 제작	초급 1명	8	1	8	15	1	15	23
1.6.3	조립	초급 1명	5	1	5	3	2	6	11
1.6.4	테스팅	중급 1명	10	0.5	5	10	2	20	45

품질 요구사항(Quality Requirements): 조립완성도 98% 이상, 불량률 2% 이하

인수 기준(Acceptance Criteria)　　 : 자전거 조립 가능 수준

기술 정보(Technical Information)　 :

계약 정보(Contract Information)　 :

(※ 인건비 고급 5, 중급 3, 초급 1/시간으로 산정함)

활동 목록
(Activity List)

프로젝트명(Project Title) : <u>OO 사업 기본 및 실시 설계 용역</u>

식별코드 (ID)	활동 (Activity)	작업 명세 (Description of Work)
20XX-A-001	조사 및 자료 수집	– 기존 시설의 기본설계 또는 실시설계 당시 조사된 성과를 재검토하여 이를 최대한 활용 – 계획변경 및 미조사 부분 또는 필요시 발주자가 지시하는 부분에 대하여는 항목을 포함한 추가조사를 실시 – 설계 시 현지여건이 충분히 반영될 수 있도록 소사
20XX-A-002	기본조사	– 사회 및 인문현황 조사 : 대상지역 일원의 사회 및 인문에 대한 전반적인 조사를 수행 – 시설 현황조사
20XX-A-003	현지답사	– 현지 답사하여 과업내용의 계획시설물이 현장여건에 적합한지를 확인 · 현지답사 때는 반드시 사진(또는 비디오)을 촬영하여 CD에 정리하여 구조물 계획 시에 참조
20XX-A-004	운영현황 및 관련 기초자료 조사	– 기존 시설의 구조물과 설비현황은 관계부처에 협조를 받아 설계도와 준공도를 참고하여 현장조사를 시행 · 기타 운영 자료를 확보하여 기초 자료로 활용 · 기존시설 관련 인·허가 사항을 조사하여 금회 시설추가로 인한 인·허가 변경사항에 활용
20XX-A-005	지장물 조사	– 계획구역 내 지장물(지상 및 지하시설물) 조사는 사업소 또는 시설물 종합도의 활용 및 각종 지장물 유지관리 관련기관과 사전 협의를 통해 정확히 조사하여 설계 · 지장물 중 이설이 필요한 시설(수목, 전신주, 가로등, 맨홀, 상수관, 하수관, 가스관, 통신케이블, 고압케이블, 송유관 등)은 해당기관과 협의하여 이설비를 산출하여 공사비에 반영 · 공사시 터파기 등으로 인해 보호공이 필요한 시설들에 대하여는 해당기관과 협의하여 적절한 보호 방안을 수립하여 공사 중에 손상이 없도록 함 · 조사된 지장물은 지장물 현황도에 정확히 표기
20XX-A-006	측량조사	– 측량조사 지침에 따라 측량조사 과업을 수행 · 도면 제작 · 성과의 작성 및 제출
20XX-A-007	지반조사 및 시험	– 계획부지내의 지반조사는 본 과업 지시서에 의거, 조사하며 다음 기존의 자료들을 수집하여 지형 및 지질 특성을 파악하고 적정한 조사 계획을 수립

활동 목록
(Activity List)

프로젝트 명(Project Title) : _____

식별코드 (ID)	활동 (Activity)	작업 명세 (Description of Work)
1.1	H/W 설치계획 수립	설치대상 H/W 목록을 확인하고 목록별 설치절차, 설치방법, 설치담당자, 설치장소, 설치일정 등의 계획을 수립한다.
2.1	H/W 설치	설치담당자는 H/W 목록을 확인하고 목록별 설치절차서를 숙지한 후 설치방법에 따라 설치장소에 H/W 설치를 진행한다.
3.1	H/W 설치완료보고서 작성	설치 완료된 H/W의 설치상태를 점검하고 그 결과를 보고서로 작성하고 관리자에게 보고한다. 보고서에는 설치담당자명, 설치장소, 설치일자, 라벨링 부착여부, 설치 시 특기사항 등을 기록하도록 한다.
...	...	...

3.17 활동 속성 [Activity Attributes]

<u>프로젝트명(Project Title) : OO 사업 기본 및 실시 설계 용역</u>

○ 식별자(ID) : 20XX-A-001   ○ 활동(Activity) : 조사 및 자료 수집

○ 작업 명세(Description of Work) :
- 기존 시설의 기본설계 또는 실시설계 당시 조사된 성과를 재검토하여 이를 최대한 활용
- 계획변경 및 미조사 부분 또는 필요시 발주자가 지시하는 부분에 대하여는 항목을 포함한 추가조사를 실시
- 설계 시 현지여건이 충분히 반영될 수 있도록 조사

선행업무 (Predecessors)	관계 (Relationship)	선도 또는 지연 (Lead or Lag)	후행업무 (Successor)	관계 (Relationship)	선도 또는 지연 (Lead or Lag)
해당사항 없음	완료 후 시작 Finish-to-Start	해당사항 없음	해당업무 없음	해당업무 없음	해당업무 없음

○ 소요 자원의 수 또는 유형(Number and Type of Resources Required)
- 조사 및 자료 수집 담당자 2명

○ 기타 소요 자원(Other Required Resources) :
- 관련 문서 프로그램 및 조사 장비 필요

○ 노력 유형(Type of Effort) :
- 작업이 완성된 노력 공수

○ 숙련도 요구사항(Skill Requirements) :
- 유사 업무의 실적 요구 (경력자)

○ 작업수행 위치(Location of Performance) :
- 현장 및 프로젝트 사무실(PMO)

○ 확정 날기 또는 기타 제약조건(Imposed Dates or Other Constraints) :
- 사업 착수 후 2개월 이내 성과물 도출

○ 가정사항(Assumptions) :
- 사업 착수와 동시에 진행 후 2달 이내에 완료할 것으로 가정
- 자원은 가용할 것으로 가정하나 조사팀은 현장 여건에 따라 프로젝트에 영향을 받기 때문에 지속적인 검토 요망

활동 속성
[Activity Attributes]

프로젝트 명(Project Title) : _____

식별코드(ID): 2.1	활동(Activity): H/W 설치	

작업 명세(Description of Work): 설치담당자는 H/W 목록을 확인하고 목록별 설치 설치처를 숙지한 후 설치방법에 따라 설치장소에 H/W 설치를 진행한다.

선행업무 (Predecessors)	관계 (Relationship)	선도 또는 지연 (Lead or Lag)
H/W 설치계획수립	완료 후 시작 Finish-to-Start	2일 지연
후행업무 (Successor)	관계 (Relationship)	선도 또는 지연 (Lead or Lag)
H/W 설치완료보고서 작성	완료 후 시작 Finish-to-Start	해당 없음

소요 자원의 수 또는 유형(Number and Type of Resources Required): 설치담당자 1명

숙련도 요구사항(Skill Requirements): 중급 이상

기타 소요 자원(Other Required Resources): 오실로스코프 장비 필요

노력 유형(Type of Effort): 작업이 확정된 노력 공수

작업수행 위치(Location of Performance): A 빌딩 10층 전산실 B구역

확정 납기 또는 기타 제약조건(Imposed Dates or Other Constraints): S/W 입고 전 설치 완료 필요

가정 사항(Assumptions): 해당사항 없음

마일스톤 목록
(Milestone List)

프로젝트명(Project Title) : OO 사업 기본 및 실시 설계 용역

마일스톤 (Milestone)	기간 (Time)	마일스톤 설명 (Milestone Description)	유형 (Type)
착수보고회 (20XX.XX.XX)	1개월 이내	· 프로젝트 관련 주요 이해관계자가 참석하여 프로젝트 추진 배경 및 목적에 대한 이해를 통해 상호 의사소통을 공고히 할 수 있는 계기를 제공하는 이벤트임. · 일반적으로 계약 후 시행하는 것이 원칙이나 계약이 1개월 이상 지연이 되는 경우 계약 이전에 시행하는 경우도 있음.	원칙적인 필수
1차 워크샵 (전문가 회의) (20XX.XX.XX)	1개월 이내	· 착수보고회 완료 후 분석단계를 마무리하는 시점에서 실시하는 이벤트임. · 분석산출물을 토대로 분석 및 요구사항 도출의 적정성 등을 판단하기 위해 프로젝트 주요 이해관계자들이 참석하여 시행함.	선택
중간보고회 (20XX.XX.XX)	사업 중간 (중간보고서 제출시 보고)	· 설계단계를 마무리하는 시점에서 요구사항이 설계 산출물에 적정하게 반영되었는지를 판단함으로서 설계의 완료 가능성과 구현단계 착수 기준을 만족하고 있는지를 판단하기 위한 이벤트임. · 프로젝트 주요 이해관계자들이 참석하여 시행하는 것으로 원칙으로 함.	원칙적인 필수 (프로젝트 지연이 20% 이상일 경우 선택적으로 시행할 수 있음)
2차 워크샵 (전문가 회의) (20XX.XX.XX)	사업 중간 (중간보고서 제출시 보고)	· 단계를 마무리하는 시점에서 설계된 대로 적절하게 구현 및 개발이 완료되었는지의 여부를 판단하기 위해 프로젝트 주요 이해관계자들이 참석하여 검토하는 이벤트로서 통합테스트 착수기준 준수여부를 판단할 수도 있음.	선택
종료보고회 (20XX.XX.XX)	사업 종료시점 (최종보고서 제출시)	· 프로젝트 요구사항이 사업 범위내의 개발완료 된 시스템에 적정하게 반영되었는지를 프로젝트 주요 이해관계자가 참석한 자리에서 공식화하고 프로젝트의 종료를 선언하는 이벤트임.	원칙적인 필수 (발주사의 사정에 따라 선택적으로 시행할 수 있음)
상시보고	사업진행시	· 프로젝트에 대한 특별한 사항 발생 시	필요시

마일스톤 목록
(Milestone List)

프로젝트 명(Project Title) : _____

마일스톤 (Milestone)	마일스톤 명세 (Milestone Description)	유형 (Type)	예정일 (Date)
착수보고회	프로젝트 관련 주요 이해관계자가 참석하여 프로젝트 추진 배경 및 목적에 대한 이해를 통해 상호 의사소통을 공고히 할 수 있는 계기를 제공하는 이벤트임. 일반적으로 계약 후 시행하는 것이 원칙이나 계약이 1개월 이상 지연이 되는 경우 계약 이전에 시행하는 경우도 있음.	원칙적인 필수	20XX.XX.XX
1차 워크숍	착수보고회 완료 후 분석단계를 마무리하는 시점에서 실시하는 이벤트임. 분석산출물을 토대로 분석 및 요구사항 도출의 적정성 등을 판단하기 위해 프로젝트 주요 이해관계자들이 참석하여 시행함.	선택	20XX.XX.XX
중간보고회	설계단계를 마무리하는 시점에서 요구사항이 설계 산출물에 적정하게 반영되었는지를 판단함으로서 설계의 완료 가능성과 구현단계 착수 기준을 만족하고 있는지를 판단하기 위한 이벤트임. 프로젝트 주요 이해관계자들이 참석하여 시행하는 것으로 원칙으로 함.	원칙적인 필수 (프로젝트 지연이 20% 이상일 경우 선택적으로 시행할 수 있음)	20XX.XX.XX
2차 워크숍	구현단계를 마무리하는 시점에서 설계된 대로 적절하게 구현 및 개발이 완료되었는지의 여부를 판단하기 위해 프로젝트 주요 이해관계자들이 참석하여 검토하는 이벤트로서 통합테스트 착수기준 준수여부를 판단할 수도 있음.	선택	20XX.XX.XX
종료보고회	프로젝트 요구사항이 사업 범위내의 개발 완료된 시스템에 적정하게 반영되었는지를 프로젝트 주요 이해관계자가 참석한 자리에서 공식화하고 프로젝트의 종료를 선언하는 이벤트임.	원칙적인 필수 (발주사의 사정에 따라 선택적으로 시행할 수 있음)	20XX.XX.XX

프로젝트 스케줄 네트워크도
(Project Schedule Network Diagrams)

프로젝트 명(Project Title) : <u>OO 사업 기본 및 실시 설계 용역</u>

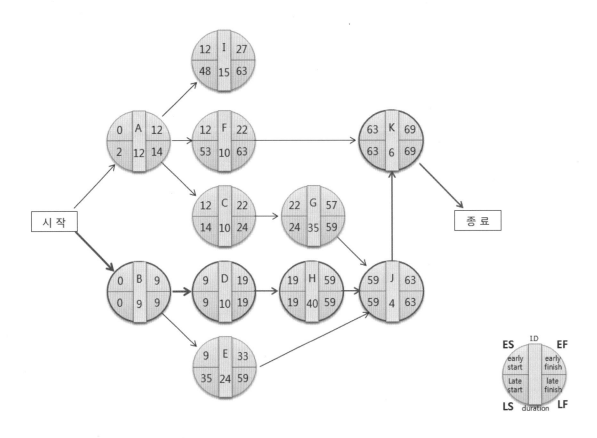

☐ 작업 일정 (Schedule)

ID	작업 내용	기간(일)	시작일	완료일	선행활동	담당부서
시작	착 수	0	xx.xx.xx	xx.xx.xx	-	프로젝트 팀 및 경영지원부
A	조사 및 자료 수집	12	xx.xx.xx	xx.xx.xx	-	조사팀(현장 지원)
B	목표시장 현황분석	9	xx.xx.xx	xx.xx.xx	-	전략팀(기획 전략실)
C	벤치마킹	10	xx.xx.xx	xx.xx.xx	A	개발팀 벤치마킹 담당
D	경쟁사 설계 분석	10	xx.xx.xx	xx.xx.xx	B	전략팀
E	개발원가 분석	24	xx.xx.xx	xx.xx.xx	B	재무팀
F	개발공정 분석	10	xx.xx.xx	xx.xx.xx	A	공정팀
G	기안 보고	35	xx.xx.xx	xx.xx.xx	C	PM
H	예산 편성	40	xx.xx.xx	xx.xx.xx	D	PM, 재무팀
I	개발일정(초안)	15	xx.xx.xx	xx.xx.xx	A	PM, 공정팀
J	수익성 분석	4	xx.xx.xx	xx.xx.xx	E, G, H	PM, 프로젝트 팀
K	종합 보고서 작성	6	xx.xx.xx	xx.xx.xx	F, I, J	설계 담당
종료	종 료	0	xx.xx.xx	xx.xx.xx	-	프로젝트 팀 및 경영지원부

프로젝트 스케줄 네트워크도
(Project Schedule Network Diagrams)

프로젝트 명(Project Title) : _____

스마트폰용 앱 개발 프로젝트 스케줄 네트워크도 (Project Schedule Network Diagrams)

○ 스마트폰용 앱 개발(App. Development for Smart Phone) 프로젝트 일정

ID	Level 1	Level 2	기간(일)	시작일	완료일	선행활동	담당부서
1	기획		15	5.21	6.6		외주담당, 리서치회사
2		1.1 시장조사	10	5.21	6.1		
3		1.2 목표시장 현황분석	5	6.4	6.8		
4	2. 벤치마킹		10	6.4	6.15		개발팀 벤치마킹 담당
5		2.1 경쟁 앱 사양분석	5	6.11	6.15	3	
6		2.2 개발원가 분석	5	6.4	6.8	2	
7		2.3 개발공정 분석	5	6.4	6.8	2	
8	3. 기안보고		15	6.11	6.29		PM
9		3.1 예산 편성	5	6.18	6.22	5	
10		3.2 개발일정(초안)	5	6.11	6.15	7	
11		3.3 개발조직 구성	5	6.18	6.22	10	
12		3.4 수익성 분석	5	6.25	6.29	9	
13	4. 앱 설계		15	6.18	7.6		설계담당
14		4.1 기본 설계	3	6.18	6.20	10	
15		4.2 상세 설계	12	6.21	7.6	14	
16	5. UI 설계		20	7.9	8.3		UI담당
17		5.1 UI 목록	20	7.9	8.3	15	
18		5.2 UI 분석서	3	7.9	7.11	14	
19		5.3 UI 디자인 시안	3	7.12	7.16	18	
20		5.4 UI 설계서	5	7.23	7.27	19	

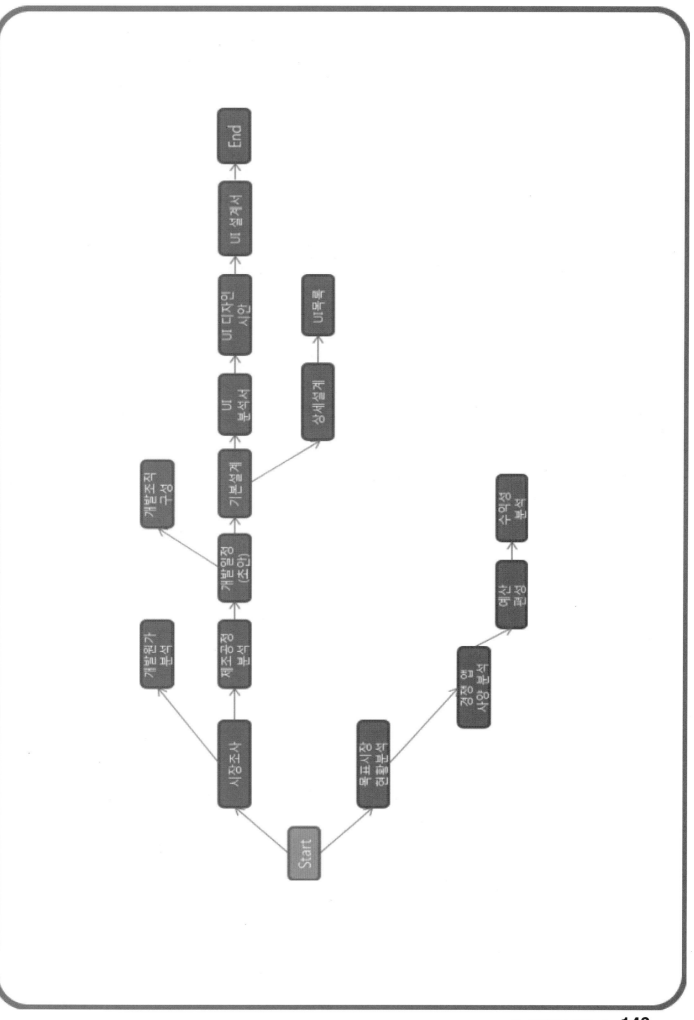

프로젝트명(Project Title) : OO 사업 기본 및 실시 설계 용역

WBS 식별 (WBS ID)	자원 유형 (Type of Resource)	수량 (Quantity)	의견 (Comments)
41A0 사업 총괄	사업 총괄 관리 인력	1명	• 고급 기술자(PM) • 사업의 총괄 책임의 역할
	MS 프로젝트	1식	• 라이선스 필요, v2.0 이상
	노트북 PC 펜티엄급 DDR 2GB 이상	1대	• OS Windows 7 탑재 및 라이선스 필요
41A10 현장 조사	현장 조사 인력	2명	• 기술등급 중급 이상, NT급 서버 설치 가능 인력
	측량 장비 세트	1식	• 지적도 • 기준점, 수준 측량 포함
41A101 개별 기술	현장 조사 인력	5명	• 중급기술자 2명, 초급기술자 3명 • 설치결과보고서 작성 가능 인력
	현장 조사 및 시험	1식	•현장시험(표준관입시험, 현장투수시험, 시험굴조사, 하향식탄성파탐사, 지하수위측정, 현장밀도시험)
	실내시험	1식	• 토성시험(기본물성시험, 직접전단시험, 다짐 및 CBR 시험) • 암석시험(일축압축강도, 유용성 시험)

○ 가정 사항(Assumptions) :

• 토질 공학적 기본 자료를 조사 분석하여 설계에 필요한 제반자료를 제공함으로써 경제적이고 합리적인 설계 및 시공 가능
• 현장답사를 수행하여 조사방법, 수량 및 기간 등을 과업내용과 현장여건에 상호 부합하도록 수행한 후 전문기술자에 의하여 효율적으로 분석
• 현장 시추조사, 현장시험 및 실내시험 결과를 종합적으로 분석하여 설계에 필요한 지반공학적 물성치를 제시

활동자원 요구사항
(Activity Resource Requirements)

프로젝트 명(Project Title) : _____

WBS/Activity 식별자 (WBS ID)	자원 유형 (Type of Resource)	수량 (Quantity)	의견 (Comments)
1.1	H/W 설치계획 작성인력	1명	기술등급 고급 이상
	MS 프로젝트	1식	라이선스 필요, v2.0 이상
	노트북 PC 펜티엄급 DDR 2GB 이상	1대	OS Windows 7 탑재 및 라이선스 필요
2.1	H/W 설치 인력	1명	기술등급 중급 이상, NT급 서버 설치 가능 인력
	오실로스코프	1대	전압, 전류 점검 가능 장비
	H/W 설치 장비세트	1식	서버장비 설치용 장비세트
3.1	H/W 설치보고서 작성 인력	1명	기술등급 중급이상, 설치결과보고서 작성 가능 인력
	MS 워드	1식	라이선스 필요, 2003년식 이상
	노트북 PC 펜티엄급 DDR 2GB 이상	1대	OS Windows 7 탑재 및 라이선스 필요

자원 명세
(Resource Pool Description)

3.21

프로젝트명(Project Title) : <u>OO 사업 기본 및 실시 설계 용역</u>

□ 자원 역일표 (Resource Calendar)

달력 (C) : 00본부
기본 달력 (B) : 표준

범례

□ : 작업

▨ : 휴무

이 달력에서 :

31 : 예외일

31 : 기본 설정
되지 않은 작업 주

20XX 년 XX 월

일	월	화	수	목	금	토
1	2	3	4	5	6	7
8	9	10	11	12	2	13
15	16	17	18	19	20	21
22	23	24	25	26	27	28
29	30					

– 20XX년 XX월 10일 휴무일 입니다.
– 기준 : 달력 "김책임" 에 예외 "창립기념일" 이 있습니다.

– 자원 테이블(Resources Table)

구분	자원 명 (Resource Name)	소속 부서 (Dept.)	자원 명세 (Resource Description)	자원 역일표 (Resource Calendar) 시작일	완료일	가용일	비고
1	김책임	통합팀	· 고급 기술자(PM) · 총괄 책임의 역할	20XX년 XX월 XX일	20XX년 XX월 XX일	10주	차기 프로젝트 투입예정
2	김경리	통합팀	· 중급 기술자 · 사업 예산 담당	20XX년 XX월 XX일	20XX년 XX월 XX일	주 3일	추가사용 협의불가
3	김통합	통합팀	· 중급 기술자	20XX년 XX월 XX일	20XX년 XX월 XX일	주 20시간	추가사용 협의불가
4	김지반	기술부	· 중급 기술자 · 실험 책임 인력	20XX년 XX월 XX일	20XX년 XX월 XX일	5주	차기 프로젝트 투입예정
5	김사원	기술부	· 중급 기술자 · 실험장비 설치가능 인력	20XX년 XX월 XX일	20XX년 XX월 XX일	주 20시간	추가사용 협의가능
6	김개발	개발부	· 초급 기술자 · 현장 시험가능인력	20XX년 XX월 XX일	20XX년 XX월 XX일	주 20시간	추가사용 협의불가
7	김자원	개발부	· 초급 기술자 · 현장시험 가능인력	20XX년 XX월 XX일	20XX년 XX월 XX일	7주	이후일정 협의가능

자원 명세
(Resource Pool Description)

프로젝트 명(Project Title) : _____

자원 명 (Resource Name)	자원 유형 (Resource Type)	자원 명세 (Resource Description)	자원 역일표 (Resource Calendar)			
			시작일	완료일	가용일	비고
김○○	Human	H/W 설치계획 작성인력, 국가 기술등급 고급 이상	20XX년 XX월 5일	20XX년 XX월 25일	10주	차기 프로젝트 투입예정
MS 프로젝트	Equipment (S/W)	MS 라이선스 필요, v2.0 이상	20XX년 XX월 10일	20XX년 XX월 20일	주 3일	추가사용 협의불가
노트북 PC	Equipment (H/W)	펜티엄급 DDR 2GB 이상, OS 탑재 및 벤더 라이선스 필요	20XX년 XX월 10일		주 20시간	추가사용 협의불가
이○○	Human	H/W 설치 인력, 국가 기술등급 중급 이상, NT급서버 설치 가능 인력	20XX년 XX월 10일	20XX년 XX월 10일	5주	차기 프로젝트 투입예정
오실로스코프	Equipment (H/W)	전압(xxV~xxV), 전류(xx암페어~xx암페어) 점검 가능 장비	20XX년 XX월 10일		주 20시간	추가사용 협의가능
H/W 설치 장비세트	Equipment (H/W)	서버장비 설치용 장비세트	20XX년 XX월 10일		주 20시간	추가사용 협의불가
박○○	Human	H/W 설치 인력, 국가 기술등급 중급이상, 설치결과보고서 작성 가능 인력	20XX년 XX월 15일	20XX년 XX월 15일	7주	이후일정 협의가능
MS 워드	Equipment (S/W)	MS 라이선스 필요, 2003년식 이상	20XX년 XX월 15일		주 10시간	추가사용 협의가능
데스크톱 PC	Equipment (H/W)	펜티엄급 DDR 4GB 이상, OS 탑재 및 벤더 라이선스 필요	20XX년 XX월 1일		주 10시간	추가사용 협의가능

자원분류체계
(Resource Breakdown Structure)

3.22

프로젝트 명(Project Title) : OO 사업 기본 및 실시 설계 용역

코드 (ID)	분류체계				비고
	대분류 (자원구분)	중분류 (분야)	소분류 (세부분야)	세분류 (자격 및 등급)	
P100	인적 자원 (People)	사업책임기술자 (PM)	상하수도기술자	상하수도기술사 고급기술사 박사학위 및 PMP	상하수도 분야
P210		분야별 책임기술자	상하수도기술자	상하수도기술사 고급기술자	상하수도 분야
P220			전기기술자	전기기술사 중급기술자	전기분야
P230			기계기술자	기계기술사 중급기술자	기계분야
P240			구조기술자	구조기술사 중급기술자	구조분야
P250			수처리기술자	수처리기술사 중급기술자	수처리 분야
P310		분야별 참여기술자	계약 스페셜리스트	법률전문자격 사내외변호사	계약분야
P320			환경 스페셜리스트	환경기술사 고급기술자	환경 및 민원분야
P330			원가 스페셜리스트	회계자격	재무분야
E110	장비 자원 (Equipment)	기초공사 장비	파이프 드라이브 (Pile Driver)	디젤햄머/중추식햄머 진동파일햄머	중량(ton) 출력(kw)
E210		토공사 장비	불도저 (Bulldozer)	작업 가능 힘	ton
E220			로더 (Loader)	표준 버킷 용량	m³
E230			모터 스크리퍼 (Motor Scraper)	Bowl의 평적 용량	
E310		굴착공사 장비 (터널)	TBM	최대 굴삭 치수	mm
E320			Shield TBM	사용 동력	kw
E330			Jump Drill	프래트롤 단수 착암기 대수	
E410		해상공사장비	준설서 (Dredger)	펌프식 퍼킷식	정격출력 m³
E420			바지	최소프리보드(free board) 50cm일 때의 최대부력	
E510		기타 장비	에어 컴프레셔	토출압력 분당 토출 능력	
M110	자재 및 재료 (Material)	기본건축자재 (Structural materials and basic shapes)	앵글(Angles)	비철합금앵글 철강앵글 플라스틱앵글	
M120			빔(Beams)	비철합금빔 철강빔	

코드 (ID)	분류체계				비고
	대분류 (자원구분)	중분류 (분야)	소분류 (세부분야)	세분류 (자격 및 등급)	
				플라스틱빔 콘크리트빔	
M130			판(Plate)	비철합금판 강판 스테인리스강판 알루미늄판 동판 황동판 아연판	
M140			골재(Aggregates)	천연골재 순환골재	
M210		배관류 (Plumbing fixtures)	위생도기 (Sanitary ware)	수세밸브 절수장치	
M310		도로포장 및 조경재 (Roads and landscape)	역청파생물 (Bituminous derivatives)	콜타르	
M320			아스팔트류 (Asphalts)	아스팔트 길소나이트 맨홀뚜껑	
M330			도로 및 철도건설자재 (Road and railroad construction materials)	토목섬유 교량난간 가드레일 도로포장용보수재	
M410		구조재료 (Structural materials)	주석주괴스트립 및 코일 (Tin ingots strip and coil)	주석주괴	
M420			귀금속 및 특수금속 코일스트립바 및 빌렛 (Precious metal and specialty metal coil strips billets and ingots)	안티몬주괴 카드뮴주괴 지르코늄주괴 코발트주괴	
M430			특수재료바 및 시트 (Specialty material bars and sheets)	탄탈륨봉	
M440			특수재료 코일스트립바 및 빌렛 (Specialty material coil strips billets and ingots)	탄탈륨세편	
M450			니켈시트 및 주괴 (Nickel sheets and ingots)	니켈주괴 차세대	

자원분류체계
(Resource Breakdown Structure)

프로젝트 명(Project Title) : _____

분류체계				자원코드	비고
대분류	중분류	소분류	세분류		
인력 (People)	분석자	업무		RC-P-01-01	SW기술자대가기준 고급
		DB		RC-P-03-01	
	설계자	업무		RC-P-01-02	SW기술자대가기준 고급
		DB		RC-P-03-02	
	아키텍트	업무		RC-P-01-03	SW기술자대가기준 중급
		인프라		RC-P-04-01	
	전문가	DW	ETL	RC-P-02-01-01	SW기술자대가기준 고급
			OLAP	RC-P-02-01-02	SW기술자대가기준 고급
		보안	방화벽	RC-P-02-02-01	SW기술자대가기준 고급
			PKI	RC-P-02-02-02	SW기술자대가기준 고급
		테스트	응용	RC-P-02-03-01	SW기술자대가기준 고급
			성능	RC-P-02-03-02	SW기술자대가기준 고급
		DB	데이터이행	RC-P-02-04-01	SW기술자대가기준 특급
	프로그래머	C		RC-P-05-01	개발자 SW기술자대가기준 중급
		Web	JAVA	RC-P-05-02-01	개발자 SW기술자대가기준 초급
			FRESH	RC-P-05-02-02	개발자 SW기술자대가기준 중급
장비 (Equipment)	서버	DB		RC-E-01-01	
		Web		RC-E-01-02	
	스토리지	HDD		RC-E-02-01	500GB 이상
		Tape		RC-E-02-02	1 TB 이상
자재 및 재료 (Material)	복사지	A4		RC-M-01-01	
		A3		RC-M-01-02	
	토너	복합기용		RC-M-02-01	
장소 (Location)	개발실(A)			RC-L-01-01	30~50인용
	개발실(B)			RC-L-01-02	50~100인용
	회의실	대회의실		RC-L-02-01	30명이상 사용 가능
		소회의실		RC-L-02-01	10~20인용

활동 기간 산정
(Activity Duration Estimates)

프로젝트명(Project Title) : <u>OO 사업 기본 및 실시 설계 용역</u>

WBS 식별 (WBS ID)	활동 (Activity)	노력시간 (Effort Hours)	기간 산정 (Duration Estimate)
41A101	개별기술 (실내시험)	160	2달(8주)
41A102	시험 보고서 작성	40	5일
41A103	전문가 의견 수렴	4	1일
41A104	보고서 검토	8	2일

활동 기간 산정
(Activity Duration Estimates)

프로젝트 명(Project Title) : _____

WBS 식별 (WBS ID)	활동 (Activity)	노력시간 (Effort Hours)	기간 산정 (Duration Estimate)
41A102	통합테스트 결과보고서 작성	40	5일
41A103	전문가 의견 수렴	10	2일
41A104	보고서 초안 합동 검토 및 보완사항 도출	3	1일
41A105	통합테스트 결과보고서 보완 및 최종안 보고	15	3일
41A106	최고 의사결정권자 시정조치 요청 수렴	4	1일
41A107	시정조치 요청내용 보완 및 최종본 검토 요청	3	1일
41A108	공문 처리	2	1일

3.24 프로젝트 스케줄 (Project Schedule)

프로젝트명(Project Title) : <u>OO 사업 기본 및 실시 설계 용역</u>

□ 마일스톤 일정

활동식별 코드	활동 설명	역일 단위	프로젝트 일정 시간 체계					비고
			20XX	20XX	20XX	20XX	20XX	
1.1MB	최종 보고서 작성 - 개시	0	◆					
1.1.1M1	A 분야 보고서 - 완료	0				◇		
1.1.2M2	B 분야 보고서 - 완료	0			◆			
1.1MF	최종 보고서 작성 - 완료	0					◇	

← 자료 기준선

□ 요약 일정

활동식별 코드	활동 설명	역일 단위	프로젝트 일정 시간 체계					비고
			20XX	20XX	20XX	20XX	20XX	
1.1	최종 보고서 작성	120						
1.1.1	A 분야 보고서-실험보고서	67						
1.1.2	A 분야 보고서-출장보고서	53						
1.1.3	A 분야 보고서-보고서통합	53						

← 자료 기준선

□ 논리 관계가 포함된 상세 일정

활동식별 코드	활동 설명	역일 단위	프로젝트 일정 시간 체계					비고
			20XX	20XX	20XX	20XX	20XX	
1.1MB	최종 보고서 작성-개시	0	◆ SS					
1.1.1	A 분야 보고서-실험보고서	67						
1.1.1D	설계 보고서	20	FS					
1.1.1B	제작 보고서	33						
1.1.1T	테스트 보고서	14						
1.1.1.M1	보고서-완료	0			◇			
1.1.2	A 분야 보고서-출장보고서	53						

← 자료 기준선

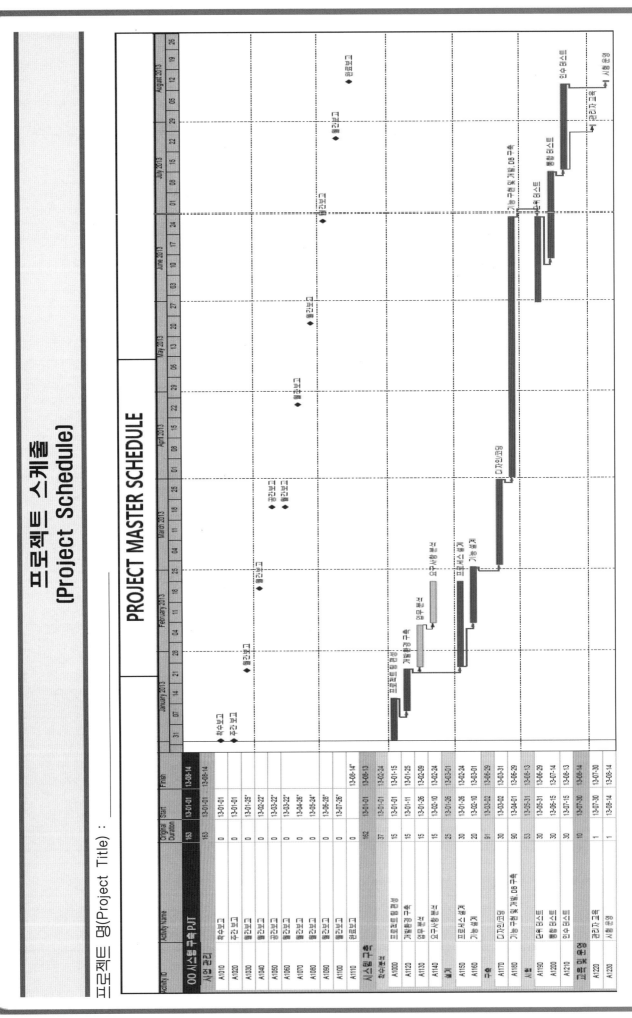

프로젝트 스케줄
(Project Schedule)

프로젝트 명(Project Title) :

PROJECT MASTER SCHEDULE

활동 원가 산정치
[Activity Cost Estimates]

3.25

프로젝트명(Project Title) :

☐ **실행 예상 원가 [Estimated cost] 1**

(단위 : 백만 원)

분류코드 WBS ID	구분 Resource	직접비 Direct Costs	간접비 Indirect Costs	예비비 Reserve	예상가격 Estimate	방법 Method	제약조건 Assumptions/ Constraints	원가관리계정 Cost Management Code	범위 Range	신뢰수준 Confidence Level
CV	토목	390	76	56	523	유사	E/S 불가	CV1000	1단계	Budget
AR	건축	655	156	115	925	견적		AR1000	1단계	Definitive
MA	기계	552	204	151	907	유사		MA1000	2단계	Budget
EL	전기	400	280	206	886	유사	E/S 불가	EL1000	2단계	Budget
ZO	기타	221	404	320	975	유사		ZO1000	2단계	Concept
계		2,430	434	320	3,184					

□ 실행 예상 원가 (Estimated cost) 2

(단위: 원)

구분	단위	수량	단가				금액	비고
			재료비	노무비	경비	제		
순 공사비	식	1	2,200,000,000	142,000,000	88,000,000	2,430,000,000	2,430,000,000	
토목 공사	식	1	350,000,000	25,000,000	15,000,000	390,000,000	390,000,000	유사
건축 공사	식	1	600,000,000	35,000,000	20,000,000	655,000,000	655,000,000	견적
기계 공사	식	1	500,000,000	35,000,000	17,000,000	552,000,000	552,000,000	유사
전기 공사	식	1	400,000,000	25,000,000	16,000,000	441,000,000	441,000,000	유사
조경 공사	식	1	150,000,000	10,000,000	11,000,000	171,000,000	171,000,000	유사
기타 공사	식	1	200,000,000	12,000,000	9,000,000	221,000,000	221,000,000	유사
간접비	식	1	400,000,000	23,000,000	11,000,000	434,000,000	434,000,000	유사
예비비	식	1	300,000,000	10,000,000	10,000,000	320,000,000	320,000,000	유사
제			2,900,000,000	175,000,000	109,000,000	3,184,000,000	3,184,000,000	

활동 원가 산정서
[Activity Cost Estimates]

프로젝트명(Project Title) : _____

☐ 실행 예상 원가 [Estimated cost]

WBS1	WBS2	산정 계정	산정 내용	단가(천원) (재료비/노무비)	기준 원가(천원)			원가관리계정
					직접인건비	직접경비	기술료	개발비	
공정구현	기획	#STK-20XX	기본기획서	500,000	300,000	150,000	300,000	340,000	#COS-10XXX
시스템 요구 사항	분석	#ALY-20XX	요구사항 분석서	700,000	300,000	250,000	200,000	340,000	#COS-10XXX
	설계	#ALY-20XX	요구설계서	800,000	300,000	450,000	300,000	340,000	#COS-10XXX
	S/W 설계	#ALY-20XX	S/W설계서	1,180,000	300,000	550,000	200,000	340,000	#COS-10XXX
	H/W 설계	#ALY-20XX	H/W설계서	2,980,000	1,000,000	350,000	300,000	340,000	#COS-10XXX
프로그램 코딩 및 시험	코딩	#COD-20XX	S/W코딩 분석서	1,500,000	300,000	250,000	200,000	340,000	#COS-10XXX
	단위테스트	#COD-20XX	테스트 계획서	1,200,000	300,000	560,000	300,000	340,000	#COS-10XXX
	통합테스트	#COD-20XX	통합 테스트 계획서	3,450,000	5,000,000	350,000	200,000	340,000	#COS-10XXX
시스템 통합	H/W 설치	#INT-20XX	H/W 설치 검수 확인서	12,300,000	3,000,000	150,000	500,000	340,000	#COS-10XXX
	S/W 설치	#INT-20XX	S/W 설치 검수 확인서	5,000,000	300,000	250,000	500,000	340,000	#COS-10XXX
	프로그램 설치	#INT-20XX	S/W 설치 요구서	3,500,000	300,000	150,000	500,000	340,000	#COS-10XXX
모의테스트	모의훈련	#TES-20XX	모의훈련 계획서	2,300,000	1,500,000	350,000	600,000	340,000	#COS-10XXX
	모의테스트	#TES-20XX	모의테스트 시나리오	5,000,000	1,500,000	250,000	600,000	340,000	#COS-10XXX
	장애훈련	#TES-20XX	장애훈련 시나리오	3,700,000	1,500,000	150,000	600,000	340,000	#COS-10XXX

산정 기준
(Basis of Estimates)

프로젝트명(Project Title) : _____

□ 산정치 기준 및 가정 사항 (Basis & Assumptions)

○ 파일공사 (유사 산정)

구분	A Project	B Project	C Project	평균
순공사비	400,000,000	450,000,000	320,000,000	390,000,000

- A Project : 지하 2층, 지상 10층 구조 (RCD 파일 200 EA)
- B Project : 지하 3층, 지상 15층 구조 (RCD 파일 250 EA)
- C Project : 지하 2층, 지상 10층 구조 (RCD 파일 180 EA)

○ 건축공사 (3사 견적)

구분	A 사	B 사	C 사	평균
순공사비	650,000,000	700,000,000	615,000,000	655,000,000

- A 사 : 당사 프로젝트 25건 수행 실적
- B 사 : 당사 프로젝트 45건 수행 실적
- C 사 : 당사 프로젝트 15건 수행 실적

○ 기계공사 (유사 산정)

구분	A Project	B Project	C Project	평균
순공사비	600,000,000	502,000,000	554,000,000	552,000,000

- A Project : 실내 유비쿼터스 장치 특화
- B Project : 단지 내 옥외 설비 특화
- C Project : 우수 및 중수 재활용 시스템 도입

○ 전기공사 (유사 산정)

구분	A Project	B Project	C Project	평균
순공사비	450,000,000	430,000,000	443,000,000	441,000,000

- A Project : LED 등 절전형 전기 기기 설치
- B Project : 특이사항 없음
- C Project : 단지 내 경관 조명 특화

○ 조경공사 (유사 산정)

구분	A Project	B Project	C Project	평균
순공사비	183,000,000	168,000,000	162,000,000	171,000,000

- A Project : 단지 내 조경 특화 ('12 친환경 아파트 조경부문 대상 수상)
- B Project : 고급 수목을 중심으로 한 포인트 조경
- C Project : 인공 수로, 정원 등 수변 공간 설치

○ 기타공사 (유사 산정)

구분	A Project	B Project	C Project	평균
순공사비	225,000,000	228,000,000	210,000,000	221,000,000

- 직접 공사비 중 위의 항목 제외분

○ 간접비 (유사 산정)

구분	A Project	B Project	C Project	평균
순공사비	453,000,000	455,000,000	394,000,000	434,000,000

- 본사 운영비, 프로젝트 직원 노무비 등

○ 예비비 (유사 산정)

구분	A Project	B Project	C Project	평균
순공사비	350,000,000	360,000,000	250,000,000	320,000,000

- Contingency & Management Reserves

□ 확인된 제약 기술서 (Any known constraints)

○ 건설노조파업으로 인한 노무비 3% 증가 예상

○ 현재 Construction Document 30% 수준으로 추후 설계변경에 따른 실행 금액

○ 변경 가능성 높음

□ 가능한 한정치 범위 및 신뢰도 (Range of possible estimates)

○ 전체 공사비 3,184,000,000 원 (±10%) 수준

산정 기준
(Basis of Estimates)

프로젝트명(Project Title) : ＿＿＿＿＿＿＿＿＿＿＿＿

□ 산정치 기준 및 가정사항 (Basis & Assumptions)

○ Application 원가 (유사 산정)

구분 (금액단위: 원)	단계별 단가	보정 계수				개발 원가
		언어	유형	규모	품질	
공정 구현	3,510	1.0		0.6	0.8	3,510
시스템 요구 분석	1,020	0.9		0.7	0.7	1,020
시스템 구조 설계	2,534	0.5		0.8	0.4	2,534
SW 요구 분석 설계	3,512	1.0		0.5	0.3	3,512
HW 요구 분석 설계	4,563	0.6	1.0	1.0	0.2	4,563
SW 코딩 및시험	7,063	0.7		0.6	0.6	7,063
SW/HW 통합	3,078	0.8		0.7	0.8	3,078
시스템 통합	2,941	0.5		0.8	0.9	2,941
SW 설치	3,510	0.7		0.6	1.0	3,510

○ Database 원가 (유사 산정)

구분 (금액단위: 원)	단계별 단가	보정 계수				개발 원가
		언어	유형	규모	품질	
공정 구현	11,900	0.6		1.0	0.5	11,900
시스템 요구 분석	1,502	0.7		0.6	0.7	1,502
시스템 구조 설계	2,924	0.8		0.7	0.8	2,924
SW 요구 분석 설계	3,452	0.5		0.8	0.5	3,452
HW 요구 분석 설계	4,875	0.6	1.0	1.0	0.6	4,875
SW 코딩 및시험	19,316	0.7		0.6	0.7	19,316
SW/HW 통합	8,418	0.8		0.7	0.8	8,418
시스템 통합	8,043	0.5		0.8	0.5	8,043
SW 설치	9,600	0.7		0.6	0.7	9,600

○ Server 원가 (유사 산정)

구분 (금액단위: 원)	단계별 단가	보정 계수				개발 원가
		언어	유형	규모	품질	
공정 구현	22,500	0.5		0.6	0.8	22,500
시스템 요구 분석	3,587	1.0		0.7	0.7	3,587
시스템 구조 설계	3,719	0.6		0.8	0.4	3,719
SW 요구 분석 설계	5,252	0.7		0.5	0.5	5,252
HW 요구 분석 설계	45,215	0.6	1.0	1.0	1.0	45,215
SW 코딩 및 시험	2,113	0.7		0.6	0.6	2,113
SW/HW 통합	8,452	0.8		0.7	0.7	8,452
시스템 통합	3,521	0.5		0.8	0.9	3,521
SW 설치	4,561	0.7		0.6	1.0	4,561

○ Network 원가 (유사 산정)

구분 (금액단위: 원)	단계별 단가	보정 계수				개발 원가
		언어	유형	규모	품질	
공정 구현	18,000	0.5		0.2	0.8	18,000
시스템 요구 분석	10,218	1.0		0.6	0.7	10,218
시스템 구조 설계	10,593	0.6		0.8	0.4	10,593
SW 요구 분석 설계	4,851	0.7		0.9	0.3	4,851
HW 요구 분석 설계	35,214	0.6	1.0	1.0	0.2	35,214
SW 코딩 및 시험	2,315	0.7		0.6	0.6	2,315
SW/HW 통합	9,851	0.8		0.7	0.8	9,851
시스템 통합	4,321	0.5		0.8	0.9	4,321
SW 설치	2,145	0.7		0.6	1.0	2,145

○ Operation System 원가 (유사 산정)

구분 (금액단위: 원)	단계별 단가	보정 계수				개발 원가
		언어	유형	규모	품질	
공정 구현	3,251	0.2		0.6	0.2	3,251
시스템 요구 분석	1,235	0.6		0.7	0.6	1,235
시스템 구조 설계	3,992	0.8		0.8	0.8	3,992
SW 요구 분석 설계	5,637	0.9		0.5	0.9	5,637
HW 요구 분석 설계	6,302	0.6	1.0	0.2	0.2	6,302
SW 코딩 및시험	7,039	0.7		0.6	0.6	7,039
SW/HW 통합	3,068	0.8		0.8	0.8	3,068
시스템 통합	2,931	0.5		0.9	0.9	2,931
SW 설치	3,498	0.7		0.6	1.0	3,498

○ 예비비 (유사 산정) : Contingency & Management Reserves

구분	SDK 프로젝트	NAS 프로젝트	Cisko 프로젝트	평균(단위: 원)
전체 개발비	33,410,000	33,612,400	34,512,000	33,514,200

□ 확인된 제약 기술서 (Any known constraints)

○ 시스템 전반의 성능 향상을 모색하는 방향으로 10% 수준의 실행 금액 변경 가능성이 있음.

○ 별도의 라이선스가 필요하거나, 저작권료 지불이 필요한 기술 또는 소프트웨어의 사용을 피함. (5% 수준의 실행 금액 변경 가능성)

○ 상업적인 용도로 사용할 것을 고려하여, 시스템의 단가와 유지 보수 비용을 고려

□ 가능한 한정치 범위 및 신뢰도 (Range of possible estimates)

○ 전체 공사비 335,142,000원 (±10%) 수준

프로젝트명(Project Title) : _____

□ 분기별 예산 (Budget Performance Baseline)

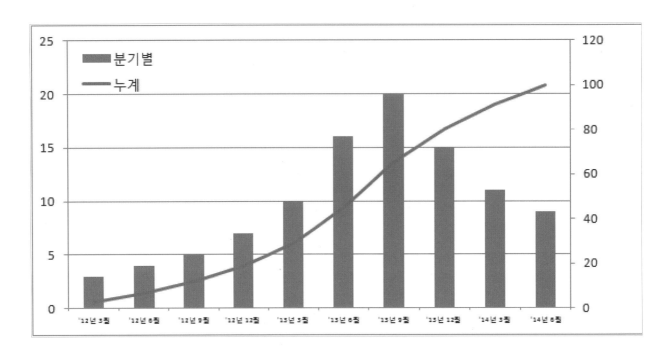

(단위: 백억원)

구 분	'12-1	'12-2	'12-3	'12-4	'13-1	'13-2	'13-3	'13-4	'14-1	'14-2
분기별	3	4	5	7	10	16	20	15	11	9
누 계	3	7	12	19	29	45	65	80	91	100

- ㅇ 골조공사 마무리, 외장공사, 인테리어 공사가 집중되는 '13년 초 피크
- ㅇ '12년 중반기 자원 평준화를 통한 계획 Revision 검토 예정

□ 주요 마일스톤별 예산 (Budget for milestone)

(단위 : 백만원)

구 분	골조공사 착수	외장공사 착수	골조공사 완료	인테리어 공사 완료	식재 공사 완료	준공
예정일	'12. 3. 1.	'12. 5.30.	'12. 9.30.	'13. 9.31.	'14. 3.15.	'14. 6.30.
매출액	934.4	4,672	7,008	10,512	11,329	11,680
매출률	8%	40%	60%	90%	97%	100%

원가성과기준선
(Cost Performance Baseline)

프로젝트명(Project Title) : _____

□ 분기별 예산 (Budget Performance Baseline)

(단위 : 백만원)

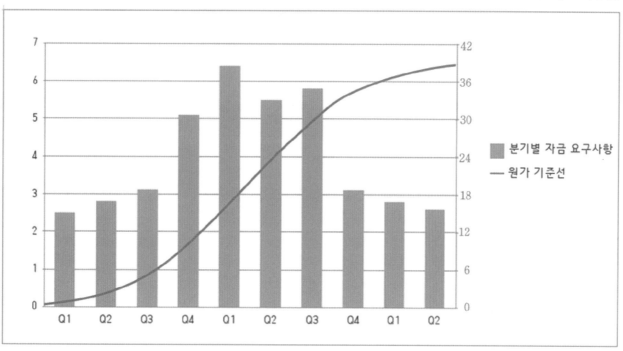

Resource	구 분	2012				2013				2014	
		Q1	Q2	Q3	Q4	Q1	Q2	Q3	Q4	Q1	Q2
Application & DataBase	분기별 자금 요구사항	2.5	2.8	3.1	5.1	6.4	5.5	5.8	3.1	2.8	2.6
	원가 기준선	2.5	5.3	8.4	13.5	19.9	25.4	31.2	34.3	37.1	39.7

○ 공정 구현을 위해, Q1/Q2에 외부 전문가를 초빙하여, 사전 조사에 따른 비용 지출이 예상되며, 시스템 요구 분석 및 시스템 구조 설계에 따른 S/W License 구매 비용 지출이 예상 된다.

□ 주요 마일스톤별 예산 (Budget for milestone)

활동 내용		2012				2013				2014	
		Q1	Q2	Q3	Q4	Q1	Q2	Q3	Q4	Q1	Q2
○공정 구현 / 시스템 요구 분석 & 구조 설계											
○SW요구 분석 설계 / HW 요구 분석 설계											
○SW 코딩 및 시험 / SW/HW 통합											
○시스템 통합 / SW 설치											
예산 (단위 : 백만원)	단 계 별	31				79				112	

3.28

프로젝트 자금요구사항
(Project Funding Requirement)

프로젝트명(Project Title) : _____

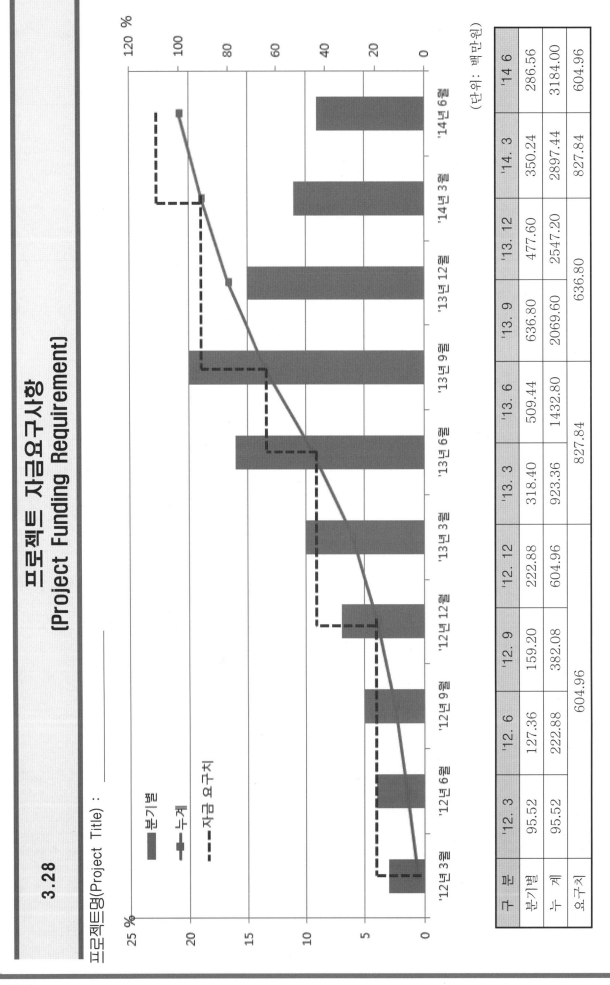

(단위 : 백만원)

구 분	'12. 3	'12. 6	'12. 9	'12. 12	'13. 3	'13. 6	'13. 9	'13. 12	'14. 3	'14 6
분기별	95.52	127.36	159.20	222.88	318.40	509.44	636.80	477.60	350.24	286.56
누 계	95.52	222.88	382.08	604.96	923.36	1432.80	2069.60	2547.20	2897.44	3184.00
요구치			604.96			827.84	636.80		827.84	604.96

범례: ▇ 분기별 ■ 누계 ▪▪▪ 자금 요구치

프로젝트 자금요구사항
(Project Funding Requirements)

프로젝트명(Project Title) : _____

□ 분기별 프로젝트 자금 요구치 (Quarterly Funding Requirement)

(단위: 백만원)

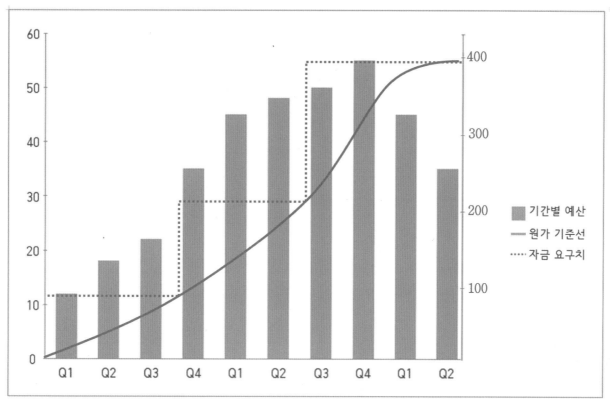

구분	Q1	Q2	Q3	Q4	Q1	Q2	Q3	Q4	Q1	Q2
기간 자금 요구		52			128			185		
누적 자금 요구		90			210			390		

품질 관리계획
(Quality Management Plan)

프로젝트명(Project Title) : _____

□ 품질 목표 (Target)

- ○ 대외 : 준공 후 3개월 고객 만족도 9.5점 이상 획득 (회사평균 9.3)
- ○ 대내 : 사내 품질관리지수 9.8점 이상 획득 (회사평균 8.9)

□ 조직 및 역할 (Roles & Responsibilities)

- ○ 프로젝트 품질담당자(3) : 재료 품질, 시공 품질 등 ISO 업무 프로세스 이행 등
- ○ 본사 품질담당자(7) : 단계별 시공 품질점검 시행, 현장 품질관련 이슈 긴급 조치 등

□ 주요 품질관련 이슈 (Issue for Quality)

- ○ 주요 품질관련 이슈

구 분	공 정	이슈 내용	비 고
1	토공사	· 몰탈 비율 유지를 통한 흙막이 강도 확보 ·	
2	철근콘크리트공사	· 레미콘 상시 품질점검 통한 시공품질 확보 · 원칙적인 콘크리트 타설 속도 및 방법 유지	
3	철골공사	· 용접 및 도장면의 집중 품질점검 시행	
4	외장공사	· 공장 제작을 통한 균일품질 획득	
5	...	...	

- ○ 주요 품질이슈 통제계획

① 관리계획 작성		② 관리계획 세미나		③ 관리계획 보완		관리 착수
D-45	→	D-30	→	D-15	→	D

- ① D-45, 공정별 주요 이슈 담당지원 세부 관리계획 작성
- ② D-30, 현장 내 기술관련 직원과 본사직원 통합 세미나 실시하여 방안 최적화
- ③ D-15, 세미나 결과 반영하여 관리계획 보완

□ 주요 품질 점검 일정 (Schedule for Quality Audit)

구 분	일 정	점검명 및 주관	주관	비 고
1	'12.04.30	외장공사 공장 품질 점검	발주처	
2	'12.05.30	골조공사 진행 사항 점검	본사	
3	'12.07.15	골조공사 완료 사항 점검	발주처	
4	'13.04.15	인테리어 공사 완료 점검	발주처	
5	'13.09.30	사용자 만족도 점검	발주처	

□ 프로세스 개선 (Process Audit)

○ 품질관리 프로세스

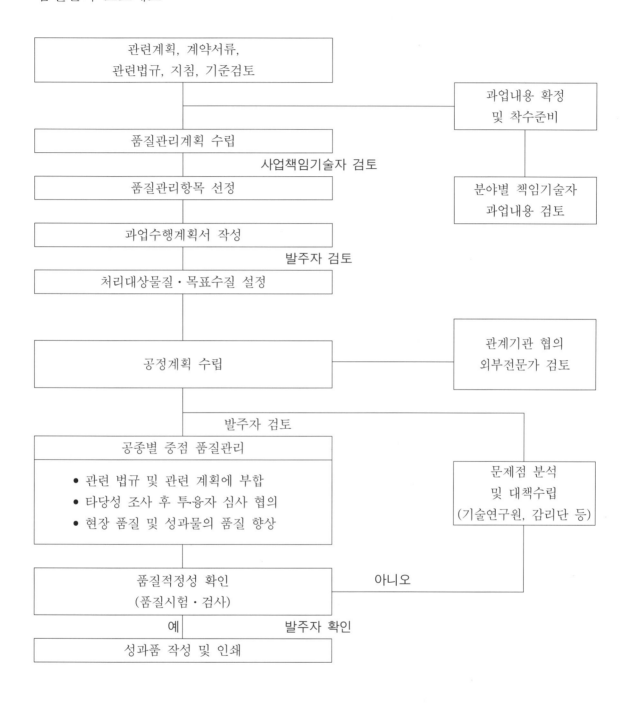

○ 프로젝트 진행 주기에 따른 프로세스 감시 실시
- 착공 단계 (공정률 5%) : 각종 매뉴얼 및 절차서 보유 여부 점검
- 진행 단계 (공정률 50%) : 매뉴얼 및 절차서 준수 여부 점검
- 종료 단계 (공정률 90%) : 진행 단계 미비점 보완 사항 및 교훈 종합

○ 프로세스 개선
- 프로젝트 내부 프로세스 통제: 담당자 기안 → 현장소장 승인 → 프로젝트 프로세스 개정
- 전사 프로세스 통제: 현장소장 기안 → 전사 품질통제 부서 검토 → 전사 프로세스 개정

품질 관리계획
(Quality Management Plan)

프로젝트명(Project Title) : _____

□ 품질 목표

○ 서비스 측정 항목, 초기 측정치를 조사 하여, 측정된 값을 기준으로 목표 수준과 최소 허용 수준을 산정하여, 품질 목표 준수 여부를 확인

○ 발주 기관의 업무 특성을 고려하여, 적시성, 품질, 인력, 생산성, 만족도, 보안 평가를 통해 품질에 대한 측정

평가 항목	측정 방법	측정 기준	목표치
서비스요구(SR)납기준수율	SR 납기일 준수율	준수 처리 비율(%)	80% 이상
변경작업적기처리율(RFP적기처리율)	RFP 적기 처리율	적기 처리 비율(%)	70% 이상
소프트웨어 장애 해결요청 해결시간	장애 해결 시간	장애 해결 시간	2시간 이내
소프트웨어 장애 해결요청 응답시간	장애 응답 시간	장애 응답 시간	1시간 이내
서비스장애 적기 해결율	장애 적기 해결율	적기 해결율(%)	70% 이상
장애처리 납기 준수율	장애 납기 준수율	납기 준수율(%)	70% 이상
긴급서비스요구(SR)처리율	SR 처리율	SR 처리율(%)	75% 이상
서비스요구(SR)접수리드타임	SR 접수리드타임	SR 접수리드타임(분)	5분 이내
서비스요구(SR)평균처리시간	SR 평균처리시간	SR 평균처리시간(분)	30분 이내
Release 수행시간준수율	수행시간 준수율	수행시간 준수율(%)	70% 이상
변경 적용시 오류 건수	오류 건수	오류 건수(건)	3건 이하
소프트웨어Request일정준수율	일정 준수율	일정 준수율(%)	80% 이상
서비스요구(SR)오류율	요구 오류율	요구 오류율(%)	10% 이하
이관대상 소프트웨어 오류율	이관대상 오류율	이관대상 오류율(%)	5% 이하
서비스요구(SR)요구사항반영도	요구 사항 반영	요구 사항 반영(건)	5건 이내
개발/개선으로인한 소프트웨어 장애율	개발/개선 장애율	개발/개선 장애율(%)	90% 이상
월간 프로그램 오류 장애건수	오류 장애건수	오류 장애건수(건)	5건 이내
변경작업 성공율	변경작업 성공률	변경작업 성공률(%)	70% 이상
서비스요구(SR)일정변경건수	일정 변경 건수	일정 변경 건수(건)	4건 이내
핵심인력 유지율	인력 유지율	인력 유지율(%)	60% 유지
FP당 투입비용	투입 비용	투입 비용(원)	3천만원 이내
월간서비스요구(SR)처리건수	SR 처리 건수	SR 처리 건수(건)	10건 이내
고객만족도(CSI)	만족도 점수	만족도 점수(점)	80점 이상
서비스 만족도	만족도 점수	만족도 점수(점)	90점 이상
유지보수 처리 만족도	만족도 점수	만족도 점수(점)	70점 이상
서비스 품질 평가	품질 평가	품질 평가(점)	80점 이상

□ 품질 점검 목록

품질 점검 목록	품질 측정 방법	품질 측정 기준
서비스 요구 처리	서비스 요구 처리 만족도	만족도 비율(%)
장애 처리	장애 처리 시간	장애 처리시간 내 처리 비율(%)
보안 관리	보안 패치 처리 건수	회수에 따른 점수 기준
고객 만족도	고객 만족도 조사	만족도 평균(%)

□ 품질 평가

월간 품질 평가표			
품질 평가 항목	측정 점수	가중치	점수
서비스 요구 처리	60	20	14
장애 처리	82	15	16
보안 관리	95	25	27
고객 만족도	70	40	21
합계	307	100%	78

- 서비스 평가 점수가 78점으로, 월간 품질 평가에서는 평가 기준 등급에서 3등급에 해당함으로, 추후 이 평가는 인력의 보상 기준으로 활용

□ 품질 관리 조직 및 역할

- 프로젝트 품질 담당자 : 프로젝트의 요구 사항에 대한 품질 준수 여부 체크
- 시스템 아키텍트 : 프로젝트에 설치된 H/W에 대한 품질 준수 여부 체크
- 솔루션 아키텍트 : 프로젝트에 설치된 S/W에 대한 품질 준수 여부 체크
- 보안 전문가 : 프로젝트에 적용된 보안 Tool에 대한 품질 준수 여부 체크

□ 품질 프로세스 이슈

- 품질 프로세스 이슈

품질	이슈 내용 & 이슈 해결
검증(Verification)	하드웨어 점검을 하여, Disk 구성 정보와 프로그램이 올바른지 검증 하였으나, LUN 구성 정보가 다르게 설정 되어 있음.
확인(Validation)	프로그램 프로세스를 점검하여 확인 하였으나, 프로그램 구현 부분이 고객의 요구사항과 다르게 설정되어, 재개발 요청
인증(Certification)	전문가에게 소프트웨어 품질을 공식적으로 확인하고, ISO 표준에 미비한 부분에 대해서 이슈가 발생하여, 수정 조치함.
소프트웨어 시험(Test)	프로그램 테스트를 수행하고, 오류가 발생된 부분은 프로그램을 수정하여 변경 조치 완료함.
오류 수정(Debugging)	프로젝트 내의 프로그램의 오류를 발견하여, 솔루션 아키텍트의 도움을 통해 변경 조치 완료함.

□ 주요 품질 점검 일정 (Schedule for Quality Audit)

구 분	일 정	점검명 및 주관	주관	측정지표
1	20XX.XX.XX	H/W 점검 및 제품 품질 점검	발주처	적시성
2	20XX.XX.XX	S/W 점검 및 제품 품질 점검	본사	품질
3	20XX.XX.XX	소프트웨어 코딩 품질 점검	발주처	품질
4	20XX.XX.XX	소프트웨어 테스트 점검	발주처	품질
5	20XX.XX.XX	사용자 만족도 점검	발주처	만족도

□ 프로세스 개선

○ 품질관리 프로세스

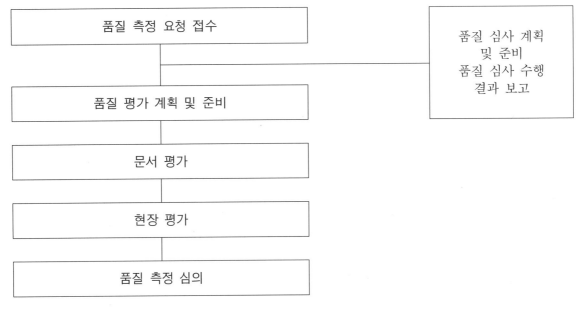

○ 프로젝트 진행 주기에 따른 프로젝트 품질 평가
   - 착공 단계 (공정률 30%) : 프로젝트 관리 계획에 대한 품질 목표 준수여부 점검
   - 진행 단계 (공정률 60%) : 품질 지표에 따른 프로젝트 수행 여부 점검
   - 종료 단계 (공정률 90%) : 진행 단계 미비점 보완 사항 및 교훈 종합

○ 프로세스 개선
   - 품질 측정 요청 접수를 통해, 품질 평가 계획 및 준비를 한다.
   - 문서 및 현장 평가를 통해 품질 측정 심의를 완료하여, 프로세스를 개선한다.

품질 지표
(Quality Metrics)

3.30

프로젝트명(Project Title) : _____

☐ 프로젝트 품질 지표

공 종	품 목	품질 지표	시험 방법	시험 빈도
토 공	되메우기	다짐	KS F 2312	재질 변화시
		평판재하	KS F 2302	필요시
철 근 콘크리트	골 재	체가름	KS F 2502	1000㎥ 마다
	배합 설계	콘크리트 배합설계	콘크리트 표준 시방서	배합 변화시
	레디믹스트 콘크리트	슬럼프	KS F 4009	150㎥ 마다
	철 근	인장 강도	KS D 3504	100 Ton 마다
...	...	...	...	...

☐ 품질 지표 측정

○ 본부 통합 품질 시험실에서 측정 주관 (필요시 프로젝트 단위 파견 지원 실시)
   - 사내 포털 이용하여 품질 지표 측정 등록
○ 품질 시험실에서 수행 불가한 특수 자재 시험은 별도 기관에 의뢰
   - 자재 선정 30일전 신청

품질 지표
(Quality Metrics)

프로젝트명(Project Title) : _____

□ 프로젝트 품질 지표

적시성	서비스요구(SR) 납기준수율
	변경작업 적기 처리율(RFP 적기처리율)
	소프트웨어 장애 해결요청에 대한 해결시간
	소프트웨어 장애 해결요청에 대한 응답시간
	서비스장애 적기 해결율
	장애처리 납기 준수율
	긴급서비스요구(SR) 처리율
	서비스요구(SR) 접수 리드타임
	서비스요구(SR) 평균 처리시간
	Release 수행시간 준수율
	변경 적용시 오류 건수
	소프트웨어 Request 일정준수율
품 질	서비스요구(SR) 오류율
	이관대상 소프트웨어 오류율
	서비스요구(SR) 요구사항 반영도
	개발/개선으로 인한 소프트웨어 장애율
	월간 프로그램 오류 장애건수
	변경작업 성공율
	서비스요구(SR) 일정변경 건수
인 력	핵심인력 유지율
생산성	FP당 투입비용
	월간 서비스요구(SR) 처리건수
만족도	고객 만족도(CSI)
	서비스 만족도
	유지보수 처리 만족도
	서비스 품질 평가

□ 품질 지표 측정

적시성	구현된 시스템이 정해진 일정에 수행 되는지 여부 확인
품 질	구현된 프로그램에 대해 서비스 품질이 만족 되는지 여부 확인
인 력	프로젝트의 인력에 대한 수준과 관리의 준수 여부 확인
생산성	프로젝트 진행시 생산성의 적절성 여부 확인
만족도	프로젝트 서비스 및 고객의 만족도가 프로젝트 관리 계획과 일치 되는지 여부 확인
보 안	프로젝트의 서비스 및 인력에 대한 보안 관리의 준수 여부 확인

품질점검 목록
(Quality Checklist)

3.31

프로젝트명(Project Title) : _____

측 정 항 목	측 정 결 과					
	A	B	C	D	E	F
1) 과업수행 관련 인원의 능력, 경험에 비교한 업무분장의 적정성						
2) 자격이 필요한 공정에 대한 자격기준의 적정성						
3) 자격부여 인원의 자격부여 타당성 및 배치의 적정성						
4) 해당 특성에 따른 관리자, 협력사 보유능력의 적정성						
5) 관련 업무절차, 업무방법에 대한 문서화 및 내용의 적정성						
6) 해당 특성에 따른 사용 장비의 종류, 규격/용량의 적정성						
7) 사용 장비의 용도에 따른 정확도, 정밀도의 적정성						
8) 사용 장비 유지관리 상태의 적정성						
9) 용역의 단계별 측정기준, 시기, 방법의 적정성						
10) 성과품 측정수행의 적합성 및 결과의 정확성						
11) 발생된 문제점에 대한 조치의 적정성						
12) 사용되는 기술의 적정성						
13) 공정관리에 사용되는 자료, 데이터의 적정성						
14) 공정변경 등에 대한 문서화 및 내용의 적정성						
15) 사용자재의 고객요구에 대한 적합성 (종류, 등급, 규격 등)						
16) 업무수행을 위한 청정상태 등의 적정성						
17) 수행된 업무에 대한 시기, 시간의 적정성						
18) 주요 관리특성에 적용한 통계적 기법 적정성						
19) 프로세스의 안전, 보건, 의료기 관련 법규에 대한 적합성						
20) 관련 고객지시사항의 기록 및 처리결과의 적정성						

측정의견		점 수					
		총 점 :					
	범	A : 매우 효과적임 (5점)					
		B : 효과성 있음 (3점)					
		C : 효과성제고 필요 (1점)					
		D : 부분적 미흡, 효율적임 (−1점)					
	례	E : 효율성에 부분적 미흡 (−3점)					
		F : 부적합/전반적 미흡 (−5점)					

품질점검 목록
(Quality Checklist)

프로젝트명(Project Title) : _____

☐ 품질 점검 계획

- ○ 일시 : 공정률 30% 진행 시점인 20XX년 XX월 XX일 측정(Q1 분기에 품질 측정)
- ○ 범위 : 소프트웨어 운영 / 변경 수용 능력 / 적용 능력 범위의 품질 측정
- ○ 프로그램 : 고객 관리 운영 프로그램

☐ 품질 점검 체크 리스트

구분	품질 표준	품질 점검 내용	결과
운영 특성	정확성	사용자의 요구 기능 사항 충족 여부	이상무
	신뢰성	요구된 기능을 오류 없이 수행 여부	이상무
	효율성	자원 소요 수준의 효율성 여부	이상무
	무결성	자료의 변경을 제어하는 정도	이상무
	사용 용이성	사용자 인터페이스 매뉴얼 보유 여부	이상무
변경 수용 능력	유지 보수성	변경 필요성 만족 여부	이상무
	유연성	소프트웨어 변경 수정 가능 여부	이상무
	시험 역량	프로그램을 시험할 수 있는 정도	이상무
적응 능력	이식성	다양한 환경에서도 쉽게 수정 될 수 있는 정도	이상무
	재사용성	다른 목적으로 사용할 수 있는가에 대한 정도	이상무
	상호 운용성	타 소프트웨어와 정보를 교환 할 수 있는 정도	이상무

3.32	# 프로세스 개선계획 # (Process Improvement Plan)

프로젝트명(Project Title) : _____

□ 프로세스 경계 (Process Boundaries)

○ 목적
- 프로젝트 내부의 전략목표 달성을 위한 문제점 도출 (원가절감 목표:120억)
- 특히 당사 수행 실적이 없는 프로젝트로 비용 및 공정 리스크(Risk)가 높음

○ 개시 및 종료일
- 프로젝트 전 기간에 걸쳐 실시 (최초 : 프로젝트 착수 후 3개월 내외 실시, 이후 : 분기별 1회 실시)

○ 투입물/산출물
- 투입물 : 분야별 예상 Risk 목록
- 산출물 : 우선순위 상위 Risk에 대한 해결 방안

○ 이해 관계자
- Process Owner(현장소장) 외 분야별 책임자

□ 프로세스 구성 (Process Configuration)

전략목표 설정 ⇨ 분야별 Risk 도출 ⇨ 개선항목 선정 ⇨ 해결방안 수립

□ 프로세스 지표 (Process Metrics)

구 분	지 표	내 용
원 가	계획 대비 원가절감액	총 120억 원 원가 절감 (10% 절감)
공 정	마일스톤(Milestone) 준수	골조공사 착수 등 5대 마일스톤(예정일) 준수
품 질	국가고객만족도 평가	국가고객만족도 평가 순위 3위권 내

□ 개선된 성과 목표 (Targets for Improved Performance)

○ 프로젝트기간동안 분기단위의 주기적 프로세스(Process) 진행을 통해 전략목표 달성

○ 롤링(Rolling) 결과는 반기 단위 경영진 보고 실시

프로세스 개선계획
(Process Improvement Plan)

프로젝트명(Project Title) : _____

☐ 프로세스 경계 (Process boundaries)

○ 목적
- 소프트웨어 개발 및 유지보수의 품질 개선

○ 프로세스 개선 절차

1 단계	• 프로젝트 프로세스 개선을 위한 이해 관계자의 승인 및 지원 확보 • 개신 계획, 정책과 방향, 자원 확보
2 단계	• 프로젝트 프로세스 개선을 위한 개선 조직 구성 • 개선 영역 및 조직 구성
3 단계	• 프로젝트 프로세스 개선을 위한 측정 수행 • 프로젝트 관련 자료 수집 및 분석
4 단계	• 프로젝트 프로세스 개선 수행 • 프로젝트 개선을 위한 모니터링 및 통제

○ 투입물/산출물
- 투입물 : 분야별 예상 Risk 목록
- 산출물 : 우선순위 상위 Risk에 대한 해결 방안

○ 평가 기준

평가 대상 조직 단위	• 이해관계자 또는 사업부(법인)
평가 범위	• 조직의 성숙도 수준 평가 • 2개 이상의 프로젝트를 선택하여 평가
인증 기준	• 프로세스 수준 내의 모든 프로세스들의 만족 • 프로세스의 만족 목표를 80% 이상으로 만족

☐ 프로세스 구성 (Process configuration)

개선 요청 접수	개선 계획	문서 평가 (산출물 중심)	현장 평가 (설문 조사 중심)	프로세스 개선 심의
• 개선 요청 상담 • 개선 요청 접수	• 요구 사항 분석 • 계획서 작성 • 평가 팀 준비 • 문서 평가 준비	• 문서 평가 착수 • 문서 평가 수행 • 문서 평가 결과	• 현장 평가 착수 • 현장 평가 수행 • 현장 평가 결과	• 개선 착수 • 개선 수행 • 결과 공지 및 관리

□ 프로세스 지표 (Process metrics)

구 분	지 표	내 용
패키지	적용 개선	최소한 부분의 개선한 경우를 의미(5% 이내)
패키지	부분 적용 개선	일부 서브 시스템 패키지 개선 및 부분 개선
SI 솔루션	이용 개선	SI 솔루션을 이용한 소프트웨어 개선
패키지	부분 이용 개선	부분 서브 시스템 패키지 개선 및 부분 개선

□ 개선된 성과 목표 (Targets for improved performance)

○ 프로세스의 체계적인 관리로 인해, 프로젝트의 관리 및 산출물 생산성 및 품질 향상 기대

○ 프로세스 개선을 통해, 최적화 된 소프트웨어 개발 및 배포

<table>
<tr><td></td><td colspan="2">3.33</td><td colspan="3">인적자원계획
(Human resource plan)</td></tr>
</table>

3.33			인적자원계획 (Human resource plan)		

프로젝트명(Project Title) : _____

☐ 역할과 책임 사항 (Roles and Responsibilities)

	현장 소장	공무 팀장	공무 팀원	공사 팀장	공사 팀원
도면검수	R	C	I	R	A
자재검수	R	C	I	R	A
시공점검	R	C	I	R	A
기성승인	R	R	A	C	A

※ R(책임)-Responsible, A(담당)-Accountable, C(고려)-Consult, I(통보)-Inform

☐ 프로젝트 조직도 (Project Organization Chart)

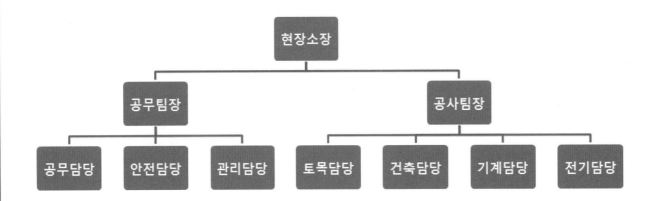

☐ 직원관리 계획 (Staffing Management Plan)

○ 직원확보 방안
  - 본사인력 전환 : 종료 예정 프로젝트 인원에 대한 수급 (유관부서 지속적 협의 필요)
  - 계약직 채용 : 보조 인력에 대한 현장에서의 직접적인 인력 채용

○ 자원 역일표
  - 월 6일 휴무 (추가 근무에 대한 별도 수당 지급)
  - 연 15일 개인 연차 사용 (미사용 분에 한해 연차수당 지급)

○ 교육
  - 신규 직원 OJT교육
    • 공통교육 : 프로젝트 현황 및 인사 노무 규정 (관리팀장), 직원면담 (현장소장)
    • 직무교육 : 담당팀장 주관 계획 수립 후 전입 3개월 내 실시

- 직무교육 : 연1회 이상 직급별 직무교육 의무 참석 (2박 3일)
- 일반교육 : 성폭력 예방, 윤리 교육 (연2회)

○ 보상 계획
- 원가절감 최우수 직원 포상 (프로젝트 종료 시점, 사장표창, 상금 200만원)
- 수직원 포상 (분기 말, 현장소장 표창, 상금 50만원)
- 전체 포상 ; 프로젝트 KPI 50% 추가 달성시 포상 (프로젝트 종료 시점, 추가 이윤의 10%)

○ 인력 투입 계획
- 초기 10명에서 Peak시 25명까지 충원 예정
- 프로젝트 전 기간 투입 누계 400 명

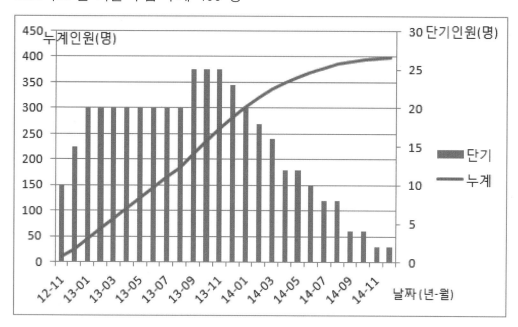

< 기간별 인력투입 계획 히스토그램(Histogram) >

○ 직원 해제 계획
- 1단계(Phase 1) 공사 완료 이후 ('14년 1월) 단계적으로 프로젝트 인원 축소
- 타 프로젝트 투입 시점과 연계한 체계적인 인력관리 시행 (본사 인사부서와 협업)

인적자원계획
(Human Resource Plan)

프로젝트명(Project Title) : _____

□ 역할과 책임 사항 (Roles and responsibilities)

o 소프트웨어 개발에 대한 등급별 역할을 컨설턴트 등급으로 결정

컨설턴트 등급	역할 사항	책임 사항
수석 컨설턴트	중대형 프로젝트의 총책임	책임
책임 컨설턴트	단위 프로젝트의 책임	담당
전임 컨설턴트	단독 컨설팅 수행, 프로젝트 팀원	고려
컨설턴트	프로젝트 팀원	고려
보조 컨설턴트	컨설턴트 보조	통보

o 프로젝트 매니저 (Project Manager)
  - 역할 (Role) : 프로젝트 수행의 대표자로 목표 달성을 위한 프로젝트 운영 총괄
  - 책임 (Responsibility) : 프로젝트 전반의 최종 의사결정
  - 권한 (Authority) : 프로젝트 계약직 채용, 프로젝트 업체 조달 관리
  - 역량 (Competency) : 프로젝트 수행경험 2건 이상 보유

o 수석 컨설턴트
  - 역할 (Role) : 중대형 프로젝트의 총 책임
  - 책임 (Responsibility) : 중대형 프로젝트에 대한 의사결정
  - 권한 (Authority) : 프로젝트 인력 관리, 프로젝트 설계
  - 역량 (Competency) : 해당분야 경력 10년 이상(기술사/박사급)

o 책임 컨설턴트
  - 역할 (Role) : 단위 프로젝트의 책임
  - 책임 (Responsibility) : 단위 프로젝트에 대한 의사 결정
  - 권한 (Authority) : 프로젝트 개발 인력 관리, 단위 프로젝트 설계
  - 역량 (Competency) : 해당분양 경력 6년 이상(기술사/박사급)

o 전임 컨설턴트
  - 역할 (Role) : 단독 컨설팅 수행, 프로젝트 팀원
  - 책임 (Responsibility) : 프로젝트 S/W 개발 품질 의사 결정
  - 권한 (Authority) : 개발 인력에 대한 관리, 기술 지원
  - 역량 (Competency) : 해당분양 경력 2년 이상(기술사/박사급)

o 컨설턴트
  - 역할 (Role) : 프로젝트 팀원
  - 책임 (Responsibility) : 프로젝트 프로그램 개발 의사 결정
  - 권한 (Authority) : 기술 지원
  - 역량 (Competency) : 기술사/박사급 이상

○ 보조 컨설턴트
  - 역할 (Role) : 프로젝트 팀원
  - 책임 (Responsibility) : 프로젝트 프로그램 개발 지원
  - 권한 (Authority) : 컨설턴트 보조 기술 지원
  - 역량 (Competency) : 학사급 이상으로 해당 분야 경력 1년 이상

□ 프로젝트 조직도 (Project organization chart)

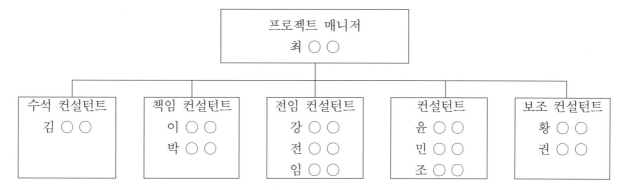

□ 인력 관리 계획 (Staffing management plan)

○ 팀원 획득

구분	컨설턴트 단가(원)	투입 공수(M/M)	한 달 일수	금액(원)
수석 컨설턴트	550,000	8		70,200,000
책임 컨설턴트	450,000	16		125,300,220
전임 컨설턴트	300,000	27	25.4	190,200,000
컨설턴트	250,000	24		85,350,000
보조 컨설턴트	100,000	3		30,000,000

○ 자원 역일표

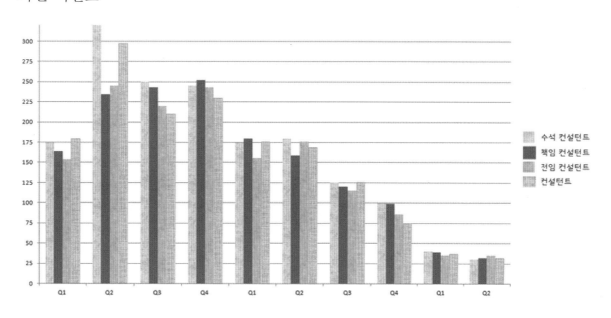

○ 방출 기준

인력 방출 단계	방출 대상	해체 시기	방출 교육	방출 방법
착수 단계	컨설턴트	단계 종료시	경력 개발 교육	프로젝트 인력 투입
기획 단계	전임컨설턴트	단계 종료시	경력 개발 교육	외부 이슈 프로젝트 투입
실행 단계	책임컨설턴트	단계 종료시	경력 개발 교육	타사 프로세스 개선 인력 투입
감시 및 통제단계	수석컨설턴트	단계 종료시	경력 개발 교육	컨설팅 인력 투입
종료 단계	수석컨설턴트	단계 종료시	경력 개발 교육	컨설팅 인력 투입

○ 직원 확보 방법

직원 확보 형태	공급 형태	직업 확보 방안	직원 인력 등급
사전 인력 지원 협의	내부	프로젝트 착수 전에 기술력이 뛰어난 인재들의 지원을 받을 수 있도록 사전에 협의	고급 인력
공개 채용	외부	인터넷 및 인력제공 업체를 통해 공개 채용	초 중급 인력
직무 순환	내부	특정 업무의 기능에 공백이 발생하더라도 대체할 수 인력을 사전 확보 투입	고급 인력
아웃소싱	외부	전문적인 기술력의 확보를 위해, 전문 분야는 아웃소싱을 통해, 전문 기술 인력 확보 투입	전문 인력

○ 직원 교육 방법

교육 형태	교육 단계	주기	교육 내용
보안 교육	착수 단계	매주 1회	고객사 보안 규정 준수를 위한 직원 교육 강화
디버깅 툴 교육	기획 단계	매주 2회	프로그램 오류 감소를 줄이기 위한 직원 교육
리스크 교육	실행 단계	격주 1회	프로젝트 리스크 예방을 위한 사전 교육
품질 관리 교육	감시 및 통제 단계	월간 1회	제품 품질 향상을 위한 관리 교육
기술 향상 교육	종료 단계	매주 2회	직원 스킬 향상을 위한 직원 교육

○ 표창 및 보상
- 프로젝트 실적에 10% 이상의 실적을 향상 시킨 직원에게는 인센티브를 분기별로 지급함.

○ 준수 규정
- 소프트웨어 프로그램의 데이터 유출을 방지하기 위해, 보안상 저장매체에 대한 사용을 금지하며, 업무에 관련된 이슈에 대해 외부 노출을 금지함.

3.34 책임 배정 매트릭스 (Responsibility Assignment Matrix)

프로젝트명(Project Title) : _____

□ 책임배정 매트릭스 (RAM, Responsibility Assignment Matrix)

구 분	현장 소장(PM)	공무 팀장	공무 팀원	공사 팀장	공사 팀원
도면검수	R	C	I	R	A
자재검수	R	C	I	R	A
시공점검	R	C	I	R	A
기성승인	R	R	A	C	A

※ R (책임)-Responsible, A (담당)-Accountable, C (고려)-Consult, I (통보)-Inform

○ 현장소장 (Project Manager)
  - 역할 (Role) : 프로젝트 수행의 대표자로 목표 달성을 위한 프로젝트 운영 총괄
  - 책임 (Responsibility) : 프로젝트 전반의 최종 의사결정
  - 권한 (Authority) : 10억 원 이하의 원가(Cost) 변경 승인, 프로젝트 팀원 인사평가 (연 1회)
  - 역량 (Competency) : 1,000억 원 이상 프로젝트 수행경험 2건 이상 보유 / 시공 기술사, 공학 박사 학위 중 1건 이상 소지

○ 공무팀장
  - 역할 (Role) : 프로젝트 원가(Cost)· 인적 자원(H/R) 관리 총괄
  - 책임 (Responsibility) : 최초 이익률 이상의 손익 실현을 위한 자금 관리
  - 권한 (Authority) : 협력사 계약 및 기성 승인, 프로젝트 인력 투입 및 철수 승인
  - 역량 (Competency) : 1,000억 원 이상 프로젝트 공무팀 경력 6년 이상 보유

○ 공사팀장
  - 역할 (Role) : 프로젝트 시간(Time) 및 품질(Quality) 관리 총괄
  - 책임 (Responsibility) : 공기 내 계획된 품질 이상의 건축물 시공
  - 권한 (Authority) : 시공도서 및 품질에 대한 승인, 설계변경 승인 (공법 및 물량 검토)
  - 역량 (Competency) : 1,000억 원 이상 프로젝트 공사 팀 경력 6년 이상 보유

책임 배정 매트릭스
(Responsibility Assignment Matrix)

프로젝트명(Project Title) : _____

□ 책임배정 매트릭스 (RAM, Responsibility Assignment Matrix)

컨설턴트 등급	역할 사항	책임 사항
수석 컨설턴트	중대형 프로젝트의 총책임	책임
책임 컨설턴트	단위 프로젝트의 책임	담당
전임 컨설턴트	단독 컨설팅 수행, 프로젝트 팀원	고려
컨설턴트	프로젝트 팀원	고려
보조 컨설턴트	컨설턴트 보조	통보

WBS1	WBS2	코드 식별	설계팀	분석팀	디자인팀	기술지원팀
공정구현	기획	#STK-20XX	☑ R			☑ R
시스템 요구 사항	분석	#ALY-20XX		☑ A		
	설계	#ALY-20XX		☑ A	☑ C	
	S/W 설계	#ALY-20XX			☑ C	
	H/W 설계	#ALY-20XX			☑ C	
프로그램 코딩 및 시험	코딩	#COD-20XX	☑ A			
	단위테스트	#COD-20XX			☑ C	
	통합테스트	#COD-20XX	☑ R			
시스템 통합	H/W 설치	#INT-20XX		☑ C	☑ I	☑ A
	S/W 설치	#INT-20XX		☑ C	☑ I	☑ A
	프로그램 설치	#INT-20XX			☑ I	☑ R
모의테스트	모의훈련	#TES-20XX		☑ R		
	모의테스트 장애훈련	#TES-20XX		☑ R		

 - 수행책임(R), 소명책임(A), 의견개진(C), 정보파악(I)

의사소통 관리계획
(Communications Management Plan)

프로젝트명(Project Title) : _____

☐ 이해관계자의 요구사항 [Stakeholder Communication Requirement]

○ 이해관계자 조직도

구 분	조 직	대표자	역 할	비 고
1	발주처	A	프로젝트 비용 조달	
2	감리단	B	발주처 대신하여 현장 관리	
3	현장소장	C	현장 시공 총괄	
4	공사팀	D	공정 및 품질관리 총괄	
5	공무팀	E	원가 관리 총괄	
6	본사 지원팀	F	요청시 기술업무 지원	

○ 외부 요구사항

- 공식 언어 : 한국어
- 모든 문서 PMIS (Project Management Information System) 상에 등록
- 문서 제출시 발주처 문서 분류 체계코드 사용 및 Template 적용

○ 내부 요구사항

- Outlook® 일정관리 기능을 통한 업무 부하 측정 및 조정

☐ 이해관계자별 주요 의사소통 방법 [Information to be communicated]

구 분 ID	정 보 Message	수 신 Audience	방 법 Method	주 기 Frequency	발 신 Sender
ME-1	내부 주간회의	현장 전 직원, 협력사 관리자	대면 회의	주 1회 (수, 15:00)	현장 소장
ME-2	발주처 격주 회의	발주처 담당자, 감리단 전원, 현장 소장, 공정별 책임자	대면 회의	주 1회 (목, 10:00)	발주처 단장
RE-1	시공 검측서	공정별 책임자	이메일	수시	감리단 담당자

○ 회의

1) 내부 주간 회의
- 주관 / 참석 : 현장 소장 / 현장 전 직원 및 협력사 관리자
- 일시 / 장소 : 매주 수요일 15:00 / 현장 사무실 1층 대회의실
- 목적 : 주간 공정 현황 및 주요 이슈 처리
- 방법
  • 주간 실적 및 다음 주 계획 문서 작성 (각 협력사 관리자)
  • 주간 계획서 취합 및 주요 이슈 목록 작성 (공무 담당자)
  • 발표 및 질의응답 (공정별 책임자)

2) 발주처 격주 회의
- 주관 / 참석 : 발주처 단장 / 발주처 담당자, 감리단, 현장소장, 공정별 책임자
- 일시 / 장소 : 매주 목요일 10:00 / 현장 사무실 1층 대회의실
- 목적 : 공정 진행 현황 보고
- 방법 : 공정 진행 현황 브리핑 및 질의응답 (현장소장)

○ 리포팅(Reporting)

1) 시공 검측
- 방법
  • 검측 1일전, 검측 서류 작성 및 검측 신청(공사 담당자)
  • 당일 검측 시행 및 결과 통보 (감리단)
- 서면 신청 및 승인 (감리단과 건설사에서 1부씩 보관)

2) 자재 승인
- 방법
  • 해당 자재 품질 보증서를 바탕으로 서류 작성 후 승인 신청 (공사 담당자)
  • 7일 내 자재 승인 여부 통보 (감리단)
- 서면 신청 및 승인 (감리단과 건설사에서 1부씩 보관)

의사소통 관리계획
(Communications Management Plan)

프로젝트명(Project Title) : _____

□ 이해관계자의 요구사항 (Stakeholder communication requirement)

○ 이해관계자 조직도

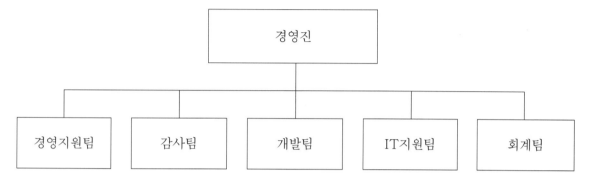

○ 이해관계자 요구 사항

이해 관계자	요구 사항
경영진	H/W Storage 입고시에 따른 전원 교체 작업으로 발생한 일정 지연(10일)을 최대 5일 이내로 단축 요구함.
경영지원팀	프로젝트에 소요되는 경비에 대해서, 경비 절감할 수 있도록 예산의 5% 줄이는 방안으로 프로젝트 진행을 요청함.
감사팀	프로젝트에 사용되는 시스템에 보안 이슈가 없도록 보안 프로그램 설치 요청함.
개발팀	프로그램 개발시 디버깅 작업이 원활 할 수 있도록 S/W 추가 구매를 요청함.
IT지원팀	IT 업무의 지원이 원활 할 수 있도록, 지원 요청 예약을 사전에 통보 요청함.
회계팀	경비 지출에 따른 Expense 리포트에 대해서, 마감일 전까지 정확히 제출을 요청함.

○ 외부 요구사항
  - 일반 개발 비용 산정 사항 확인 / 검토
  - 정보 특성 및 보안 정책 검토에 따른 주요 사항 확인
  - H/W Storage 조달 업체에 대한 일정 지연을 최대한 5일 이내로 단축 요청

○ 내부 요구사항
  - 부적합한 직무 분리에 따른 문제 및 통제 관리 확인 / 검토
  - 디버깅 작업의 원활화로 인한 S/W 추가 구매 요청 확인 / 검토

□ **이해관계자별 주요 의사소통 방법 (Information to be communicated)**

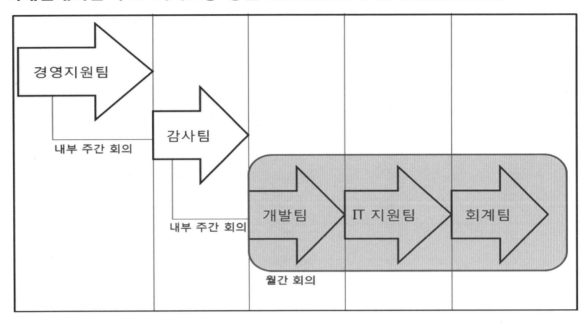

○ 회의 형태

회의 형태	정보	방법	주기	회의 주최	참석 대상자
내부 주간 회의	주간 회의록	대면 회의	매주 금요일 (오후 2시)	프로젝트 매니저	경영지원팀, 감사팀
월간 회의	월간 회의록	대면 회의	매월 넷째 주 수요일 (오후 2시)	프로젝트 매니저	개발팀, IT지원팀 회계팀
이슈 회의	이슈 회의록	이메일	상시	프로젝트 매니저	경영지원팀, 감사팀 개발팀, IT지원팀 회계팀

□ **리포트 종류**

종류	목적	책임자	배포 주기	대상자
성과 보고서	프로젝트 성과 보고	개발팀 담당자	매주 월요일	고객
주간 보고서	주간 이슈 및 작업 진행 상황 보고	경영지원팀 담당자 감사팀 담당자	매주 목요일	경영지원팀, 감사팀
월간 보고서	월간 이슈 및 작업 진행 상황 보고	개발팀 담당자 IT 지원팀 담당자 회계팀 담당자	매월 4주 화요일	개발팀, IT지원팀 회계팀
이슈 보고서	이슈 사항 보고	개발팀 담당자	이슈 발생시	고객, 개발팀
장애 보고서	장애 사항 보고	IT 지원팀 담당자	장애시	고객, IT 지원팀

3.36 리스크 관리계획 (Risk Management Plan)

프로젝트명(Project Title) : _____

□ 방법론 (Methodology)

○ 접근 방식
- 일정(공기), 원가, 품질 측면에서 각 목표 달성 위한 리스크(Risk) 도출 및 관리
  • 분기 단위 정기 리스크 도출 실시하되 필요시 주기 조정 가능
- 정성적 리스크 와 정량적 리스크 구분하여 별도 상세 관리
  • 정성적 리스크 분석을 원칙으로 하되, 주요 리스크에 대해서는 정량적 분석 병행
  • 별도 Risk management software와 연계하여 진행 공정과 연계 관리
- Full time 투입인력 외에 전문가 집단 구성하여 필요시 지원

○ 도구
- PMIS (Project Management Information System)을 통한 실시간 모니터링

□ 리스크별 역할과 책임 (Roles and Responsibilities)

○ 조직별 역할과 책임

조직	책임자	역 할 및 책 임
현장	A	• 공기, 원가, 품질 측면의 리스크 발굴 • 리스크 분류 : 프로젝트 처리 가능, 본사 처리 가능 등 • 프로젝트에서 자체 처리 불가한 리스크 관리 의뢰
본사	B	• 리스크 관리 현황 모니터링 • 프로젝트 자체 수행 불가한 리스크 대응방안 수립 및 지원
연구소	C	• 현장 자체 수행 불가한 리스크 중 기술적인 사항에 대한 지원 • 주기적인 프로젝트 조사를 통하여 지원 요소 발굴

○ 리스크 유형별 정리

종류	책임자	역 할 및 책 임
공정	A	• Critical path 집중관리를 통한 공기 지연 예방 • 공정 실적을 기반으로 Simulation 결과 모니터링 • 계획대비 ± 5% 편차 발생시 Revision 시행 (지연 시 Catch-up plan 수립 주관)
원가	B	• 도급, 외주 원가 관리 실시 (목표 이익률 유지 목적) • 매월 말 기준 원가 현황 분석 • 이익률 증감 시 원인 파악 및 대책 수립
품질	C	• 최적 품질 실현을 위한 시공 단계별 품질 관리 실시 • 동일 NCR 발생 억제를 위한 DB 업데이트

□ 예산 책정 (Budgeting)

○ 리스크 관리 비용

조직	인원	단가	기간	비용	계
본사	4	2백만 원	36개월	288백만 원	576백만 원
연구소	3	4백만 원	24개월	288백만 원	

□ 시기 (Timing)

○ 정기 리스크 도출 프로세스
- 매 분기 말 월간회의 시 리스크 등록부 (Risk register) 갱신
  - 참석 : 현장 소장 및 분야별 직책 보임자

○ 긴급 리스크 도출 프로세스
- 필요시 PM 판단하여 긴급 리스크 도출 회의 실시
- 참석 : PM, 현장소장 및 분야별 직책 보임자, 본사 지원부서 담당자

□ 리스크 범주 (Risk categories)

분류	1단계	2단계	3단계	4단계
	종류	예측	요인	기술
코드	• 공기 −T • 원가 −C • 품질 −Q	• 예측가능: F • 예측불가: U	• 내부요인: I • 외부요인: O	• 기술적: T • 비기술적: E

○ 코드생성 예) 공기관련 예측 가능한 내부 기술 리스크: TFIT

○ 공기(Time) 측면
- 계약 공기 35개월, 목표공기(Stretch target) 33개월 달성을 위한 리스크 관리
- CPM(Critical path method)을 통한 Risk monitoring 실시
  - Primavera® 6.0 이상 버전을 사용하여, 주기적인 보고(Report) 실시

○ 원가(Cost) 측면
- 계약 이익률 13%, 목표 이익률(Stretch target) 15% 달성을 위한 리스크 관리
  - 착공 전 Pre conference meeting 통하여 분야별 VE 실시
  - 적극적인 설계 변경 요소 발굴로 원가 및 공기 양측의 효율성 추구
- 공정−원가 연계를 통한 원가 관리 시행

○ 품질(Quality) 측면
- 품질관리 프로세스 및 주요 하자 DB 이용한 리스크 관리
  - 대 발주처 NCR (Non Conformance Report) 건수 관리
  - 유사 프로젝트의 중점관리 항목 선정하여 주기적인 관리
- ISO9001 에 의한 단계별 monitoring 실시

□ 리스크 확률 및 영향 정의 (Definitions of Risk Probability and Impact)

- ○ 확률(Probability)에 관한 척도(Scale)

확률	0.1	0.3	0.5	0.7	0.9
내용	low	minor	moderate	significant	high

- ○ 영향(Impact)에 관한 척도(Scale)

영향	0.1	0.3	0.5	0.7	0.9
공기	증가 미약	5%미만 증가	5~10% 증가	10~20%증가	20%이상 증가
원가	증가 미약	10%미만 증가	10~20% 증가	20~40%증가	40%이상 증가
…	…	…	…	…	…

□ 확률-영향 매트릭스 (Probability and Impact Matrix)

확률	0.9	0.09	0.27	0.45	0.63	0.81
	0.7	0.07	0.21	0.35	0.49	0.63
	0.5	0.05	0.15	0.25	0.35	0.45
	0.3	0.03	0.09	0.15	0.21	0.27
	0.1	0.01	0.03	0.05	0.07	0.09
High Risk		0.1	0.3	0.5	0.7	0.9
Low Risk		영향				

□ 보고 형식 (Reporting format)

- ○ 리스크 등록부 (Risk Register 별도 양식 참조)
- ○ 리스크 대응 계획서 : 리스크별 현황, 예상 문제점, 대응 방안, Log 등
- ○ 리스크 분석 보고서 : 정량적 리스크에 대한 발생가능성 (시뮬레이션 결과) 등

□ 추적 (Tracking)

- ○ High Risk : 격주 단위 리스크 진행 현황 관리 (격주 회의 시 실시)
- ○ Low Risk : 월간 단위 리스크 진행 현황 관리 (월간 회의 시 실시)

□ 변경된 이해관계자의 허용 범위 (Revised stakeholder's tolerances)

- ○ 월간단위 리스크 현황 업데이트 실시
- ○ 승인된 리스크 대응 계획에 대한 지속적인 모니터링 실시
- ○ 5% 이상 오차 발생 시 별도 보완(revision) 계획 작성

리스크 관리 계획
(Risk Management Plan)

프로젝트명(Project Title) : _____

☐ 방법론 (Methodology)

리스크 대상	리스크 상세 내용	접근 방식	도구
보안 리스크	비 인가된 사용자의 시스템 접속 및 사용하는 경우	보안 위반 분석	로그 분석 툴
가용성 리스크	프로그램의 오류나 시스템의 장애로 인해 사용이 불가능한 경우	사용률 분석	시스템 점검 툴
성능 리스크	프로그램, 시스템 사용에 있어, 직원이나 조직이 제대로 사용하지 못하는 경우	성능 분석	실시간 모니터링
정책 리스크	회사의 정책 변화나 법률 변경으로 데이터를 관리하거나 처리하지 못하는 경우	정책 분석	PMIS

☐ 리스크별 역할과 책임 (Roles and responsibilities)

종류	책임자	역 할 및 책 임
보안	보안 담당자	비 인가된 사용자의 시스템 접속 차단 책임
가용성	가용성 담당자	프로그램 오류 수정 및 시스템 장애 대응 책임
성능	성능 담당자	프로그램 이용에 대한 성능 점검 책임
정책	정책 담당자	정책 변화나 법률 변경에 대한 관리 책임

☐ 예산 책정 (Budgeting)

분류	인원(명)	단가(원)	M/M	인건비(원)	주기
리스크 TF팀	6	300,000	6M/M	1,800,000	1개월
리스크 Review회의	10	15,000	–	150,000	1일
성능 이슈 검토 회의	8	35,000	–	280,000	1일
보안/가용성/성능/정책 리스크 관리	14	97,800	14M/M	1,369,000	1개월

☐ 시기 (Timing)

구분	주기	회의형태	참석 대상자	갱신 정보
리스크도출 현황파악	매주	주간회의	프로젝트 매니저, 보안/가용성/성능/정책 담당자, IT지원팀, 리스크 TF팀	리스크 등록부 갱신 주간 회의록
리스크 정책 검토	매주	주간회의	프로젝트 매니저, 보안/가용성/성능/정책 담당자, IT지원팀, 리스크 TF팀	리스크 등록부 갱신 주간 회의록
리스크 계획 수립	매주	주간회의	프로젝트 매니저, 보안/가용성/성능/정책 담당자, IT지원팀, 리스크 TF팀	리스크 등록부 갱신 주간 회의록
리스크 계획 검토	매월	월간회의	프로젝트 매니저, 보안/가용성/성능/정책 담당자, IT지원팀, 리스크 TF팀	리스크 등록부 갱신 월간 회의록

□ 리스크 범주 [Risk categories]

분석	설계	구현	시험
안정성	형식성	기능성	기능성
완전성	적합성	복잡성	복잡성
명료성	관리성	인터페이스	단위 테스트
유효성	친근성	성능	코팅 설계
실행성	–	시험	–
확장성	–	제약성	–

단위테스트	프로세스 관리	통합 테스트	관리 방법
기능성	기획성	환경성	모니터링
복잡성	프로젝트 조직성	제품	인력 관리
단위 테스트	관리 경험	–	품질 보증
코딩 설계	프로젝트 인터페이스	–	품질 관리

□ 리스크 확률 및 영향 정의 [Definitions of risk probability and impact]

○ 확률(Probability)에 관한 척도(Scale)

확률 등급	확률 수준	의미
0	최하	리스크 발생 가능성이 없음
0.1	매우 낮음	사건 발생 확률 1~20%
0.3	낮음	사건 발생 확률 21~40%
0.5	중간	사건 발생 확률 41~60%
0.7	높음	사건 발생 확률 61~80%
0.9	매우 높음	사건 발생 확률 81~90%
1.0	최상	만일 발생 확률이 100%라면, 그것은 리스크가 아니라 가정이다.

○ 영향(Impact)에 관한 척도(Scale)

영향 등급	영향 수준	의미
0	최하	리스크가 발생할지라도 영향은 없다. 실제 리스크가 아니다
1.5	매우 낮음	프로젝트 영향이 미미함. 프로젝트 외부에서 누군가에게 주목 받지 않음
3.5	낮음	프로젝트 상의 영향은 적지만 고객이나 스폰서에게 통보해야 하며, 고객에게 약간의 불만족이 생김
5.5	중간	프로젝트 상의 영향이 심각하지 않으며, 고객에게 불만족이 생김
7.5	높음	프로젝트 상의 영향이 중대하며, 고객에게 중요한 불만족 사항 생성, 프로젝트가 리스크에 봉착
9.5	매우 높음	영향이 재앙을 가져오며, 프로젝트를 중단 시킬 수 있다.

□ 확률-영향 매트릭스 (Probability and impact matrix)

0.9	매우 높음	1.5	4.0	5.0	7.0	9.0
0.7	높음	1.0	2.5	4.0	5.5	7.0
0.5	중간	1.0	1.5	3.0	4.0	5.0
0.3	낮음	0.5	1.0	1.5	2.5	3.0
0.1	매우 낮음	0	0.5	0.5	1.0	1.9
확률 등급		매우 낮음	낮음	중간	높음	매우 높음
	영향 등급	1.5	3.5	5.5	7.5	9.5

□ 보고 형식 (Reporting format)

- 리스크 등록부 : 리스크 등록부 별도 양식을 참조
- 리스크 대응 계획서 : 리스크별 현황, 예상 문제점, 대응 방안, Log 등
- 리스크 분석 보고서 : 정성적 리스크 및 정량적 리스크에 대한 발생 가능성 보고서

□ 추적 (Tracking)

- High Risk : 매주 단위 리스크 진행 상황 관리 (매주 회의 시 실시)
- Low Risk : 월간 단위 리스크 진행 상황 관리 (월간 회의 시 실시)

□ 변경된 이해관계자의 허용 범위 (Revised stakeholder's tolerances)

- 월간 단위 Risk 현황 업데이트 실시
- 승인된 Risk 대응 계획에 대한 지속적인 모니터링 실시
- 5% 이상 오차 발생 시 별도 보완(Revision) 계획 작성

3.37

리스크 등록부
[Risk Register]

프로젝트명(Project Title) : _____

코드 ID	분류 Category	리스크 명 Risk	가능성 Prob.	영향도 Impact	점수 Score	대응방안 Response	담당 Owner	시기 Time
QUOT-1	설계	설계도서와 동급 이상의 국내 지부 자체 확보 제한	3	3	9	국내 협력사 함작 개발 진행 (MOU 방식)	김○○	3.E
QUIT-1	시공	RC구조에서 비정형 부위 시공 정확도	4	2	9	3차원 국면부 접합점 BIM 구현	이○○	2.E
TUOE-1	시공	표준대비 3개월 부족한 공사 기간	3	2	9	발주처 공기연장 요청(설계변경 포함)	박○○	5.E
TUOE-2	설계	BIM(Building Information Modeling) 경험 부족으로 의사소통 제한	5	4	9	이해관계자 대상 BIM 교육실시	문○○	1.E
…	…	…	…	…	…	…	…	…

리스크 등록부
[Risk Register]

프로젝트명(Project Title) : _____

코드 ID	분류 Category	리스크 명 Risk	가능성 Prob.	영향도 Impact	점수 Score	대응방안 Response	담당 Owner	시기 Time
CUIO-1	코딩	주요 기능 코딩 미숙으로 인해 발생 되는 오류에 대한 리스크	5	6	30	고급컨설턴트 코딩 작업 요청 및 개선	민○○	6.E
QUOT-1	분석	통합 유닛의 디버그 수정 시 소프트웨어 충돌로 인한 반복 코드 생성에 대한 리스크	7	4	28	전문 외주 업체 전문가 초빙을 통해 원인 분석 및 오류 코드 수정	최○○	10.E
QTFE-1	설계	시스템 장애로 인해, 소프트웨어 프로그램 비정상 종료로 인한 시스템 종료 리스크	4	5	20	장애에 연관된 H/W 부품 교체를 통한 안정화	한○○	15.E
CUOE-2	디자인	프로그램 디자인시 발견된 오류/버그에 대한 리스크	7	9	63	디자인 오류에 대한 개발자 교육 훈련 강화	신○○	11.E

3.38 조달 관리계획 (Procurement Management Plan)

프로젝트명(Project Title) : _____

□ 계약 유형 (Types of contracts)

○ 단가 계약방식

구 분	공 종 명	계약기간	계약 금액	담당자
1	가설공사	'12.01.03~'14.06.30	현장 가설펜스 3만원/m	A
2	측 량	'12.05.01~'13.02.28	위치 측량 8만원/지점	B
3	변위 측정	'12.02.01~'13.02.28	변위 측정 50만원/월	C
…	…	…	…	…

○ 총액 계약방식

구 분	공 종 명	계약기간	계약 금액 (천원)	담당자
1	토공사	'12.01.03~'12.05.30	35,000,000	D
2	골조공사	'12.02.01~'13.06.30	180,000,000	B
3	조적공사	'13.02.01~'13.11.30	5,000,000	E
…	…	…	…	…

□ 프로젝트 단독수행 가능 작업 (Unilateral actions)

○ 1억 원 이하의 용역성 소액 발주

○ 5천만 원 이하의 하도급 계약 변경

□ 표준화된 조달 문서 (Standardized procurement documents)

○ 구매 요청서, 송장, 자재관리 템플릿(Template)

□ 공급업체 관리 (Managing multiple supplies)

○ 구매 관리 계획서 제출 : 입찰자는 계약 후 14일 이내 상세 구매 관리 계획서 제출

○ 구매 관리 계획서 승인 : 시공사는 검토 후 7일 이내 승인여부 통보

○ 구매 관리 통제 : 주간 단위 통합 구매 포털을 이용해 계획 대비 진행사항 확인

○ 유사 프로젝트 교훈 사항 반영할 수 있도록 본사 기획부서 승인 : 협력사 발주 계획 사전 수립 → 본사 기획부서 승인 → 단계별 발주

o 부도로 인한 프로젝트 일정 지연 방지 위한 분할 발주 실시

o 월간단위 전체 공급업체 회의 통하여 간섭 및 협조사항 확인

□ 제약 사항 (Constraints)

o 국내 물류업계 파업, 건설 노조 파업 등의 위험 요소 잔재

o 유럽 시장 경기침체로 인한 유럽산 수입 자재 일정 변수 다양

□ 선도시간 관리 (Handling the require lead time)

o WBS 별 도면, 자재 조달, 시공 간 연계 일정관리 실시
  - Master Schedule 에서는 Work package 기준으로 관리
  - Detail Schedule 에서는 Activity 기준으로 관리

□ 선별된 적격 판매자의 식별 (Identifying pre-qualified seller)

o 적격 판매자 식별 프로세스
  - 판매자(회사)의 기여한 공로에 따라 우수협력사로 선정된 경우 별도 수의 계약 가능
  - 구매 계약 부서에 공정별 우수 협력사 목록 요청 후 계약 작업 진행

o 일반 판매자 식별 프로세스
  - 현장 설명회 : 입찰일 D-14 시점에 오프라인으로 필요사항 설명 및 질의응답
  - 입찰 · 계약 : 통합 구매 포털을 통해 온라인으로 진행

□ 계약 관리 및 판매자 조달 평가 지표 (Metrics for evaluate sellers)

o 주요 공정 (Critical Path) 협력사 : 원가(40%), 기술제안서(40%), 당사 프로젝트 수행 실적 (20%)

o 기타 공정 협력사 : 원가(80%), 당사 프로젝트 수행 실적 (20%)

조달 관리계획
(Procurement Management Plan)

프로젝트명(Project Title) : _____

□ 계약 유형 (Types of contracts)

○ 고정가(FP) 계약

프로젝트명	차세대 인프라 개선 시스템 개발
계약명	소프트웨어 개발
계약금액	17,180,000 원 (부가세 별도)
개발기간	20XX년 XX월 XX일 ~ 20XX년 XX월 XX일
개발인원	과기부 표준 기술등급에 의한 고급 기술자 2명
계약대금 청구	해당금액 매월 말일 청구
계약이행 보증금	계약금액의 (10)%
지체 상금율	지체일수 1일당 계약금액의 (0.15)%
하자 보증 기간	검수 후 (12)개월
하자 보증금	계약금액의 (10)%
대급 지급 조건	지급회수 : 총 3회 지급시기 : 갑 의 원청으로부터 대금 수령 후 2일 이내 지급방식 : 원청지급방식과 동일 지 급 액 : 중도금 7,723,000원(잔업비 100,000원 포함) 중도금 7,723,000원(잔업비 100,000원 포함) 잔 금 7,723,000원(잔업비 100,000원 포함)

□ 프로젝트 단독수행 가능 작업 (Unilateral actions)

○ 소프트웨어산업진흥법 제19조에 사업 규모가 10억원 이상인 사업에서 단일 소프트웨어 가액이 천만원 이상인 경우는 해당 소프트웨어를 분리 발주

○ 총 사업 규모가 10억원 미만, 5천만원 미만으로 소프트웨어 분리 발주 대상이 아닌 경우에는 GS 인증 등 품질 인증을 받는 패키지 소프트웨어로 분리 발주

□ 표준화된 조달 문서 (Standardized procurement documents)

○ 구매 요청서, 송장, 자재관리 템플릿(Templates)

□ 공급업체 관리 (Managing multiple supplies)

구매 조건	도입 되는 제품의 원활한 상호 연동과 최적한 구성 여부 관리 확인
납품 및 설치	제품의 안정적인 납품 및 설치를 계약 체결 후 14일 이내 (사업 계획서 제출) 확인
제품 검수	사업 완료 보고서를 서면으로 14일 이내 통지 및 검수 확인
교육 및 운영 지원	운영 및 장애 조치 등에 필요한 기술 이전을 담당자에게 충실히 이행 확인
유지 보수 및 기술지원	무상 유지 보수기간 3년 되는 달의 말일까지로 하고, 유지 보수 기술 지원 확인
보안	제반 보안 사항을 충실이 이행 및 계약 체결 후 14일 이내에 보안서약서 제출 확인
기타 사항	업무 추진상 필요한 사항의 지원 확인

□ 제약 사항 (Constraints)

○ 소프트웨어 EOSL에 따른, 기존 데이터 마이그레이션 시에 2선 지원이 불가하여,
프로그램 변경에 따른 데이터 복구 리스크 잔재

○ 태풍으로 인한 시스템 부품의 수입이 어려워, 부품 교체시에 일정 지연이 예상됨

□ 선도시간 관리 (Handling the require lead time)

○ WBS 및 OBS에 정의된 공정, 설계, 분석, 테스트 간의 연계를 통한 일정관리 실시
- Master Schedule 에서는 Work package 기준으로 관리
- Detail Schedule 에서는 Activity 기준으로 관리

□ 선별된 적격 판매자의 식별 (Identifying pre-qualified seller)

○ 적격 판매자 식별 프로세스
- 회사의 기여한 공로에 따라 우수협력사로 선정된 경우 별도 수의 계약 가능
- 구매 계약 부서에 공정별 우수 협력사 List 요청 후 계약 작업 진행

○ 일반 판매자 식별 프로세스
- 현장 설명회 : 입찰일 D-14 시점에 오프라인으로 필요사항 설명 및 질의응답
- 입찰·계약 : 통합 구매 포털을 통해 온라인으로 진행

□ 계약 관리 및 판매자 조달 평가 지표 (Metrics for evaluate sellers)

심사항목	평 점	평 점		비고
		추정가격 5억원 이상	추정가격 5억원 미만	
<기술인력 보유상황> 국가기술자격법에 의한 기술·기능분야 (전자분야, 통신 분야, 정보처리분야 에 한함)의 자격증 소지자 보유상황	A. 1인 이상의 기술사 또는 기능장	1	_	
	B. 1인 이상의 기사 또는 산업기사	0.75		
	C. 1인 이상의 기능사	0.5		
	D. 미보유	0.25		

조달 작업기술서 (Procurement Statements of Work)

프로젝트명(Project Title) : _____

□ 협력사 공사수행 능력 (Capability of providing)

○ 협력사 개요

회사명	A 건설	설립연도	1989
대표	OOO	자본금	1000억 원
전년도 매출액	500억	전년도 영업이익	50억

○ 주요 프로젝트 수행 경험

구분	기간	공사명	규모	구조	시공사
1	2005.11~ 2008.12	○○ 아파트 건립 공사	B2~15F (10개동) 1200세대	RC	L 사
2	2003.03~ 2006.08	○○ 지구 상업시설 공사	B6 ~15F	SRC	A 사
...	...	...	...	...	...

□ 계약 사항 (Procurement information)

○ 계약기간 : '13. 3. 1. ~ ' 15. 11. 30.

○ 공사범위
   - A-1 Block 101~104동 (4개동) 철근 콘크리트 공사
   - 상세 범위 도면 참조 (평면도, 동별 단면도, 구조 상세도면)
   - 하자보증 기간 : 준공 후 2년

○ 공사금액 : 내역별 단가 계약 방식 (최종 물량기준 준공 시 정산)

○ 대금지급 : 매월 1회 실시 물량에 근거한 기성 산정 방식 (25일 기준)

○ 선행 공정 : 터파기 공사 '12. 3. 6. 완료 예정

○ 후행 공정
   - 창호 공사 ' 13. 5. 1. 착수 예정
   - 미장 조작 공사 ' 13. 4. 1. 착수 예정
   - 타워 크레인 철거 ' 13. 3. 31. 예정

○ 기타
   - A-2 Block 105~110동 (6개동) 철근 콘크리트 공사는 현재 B 사에서 시행 중

□ 기타 요구사항 (Other requirements)

○ 원가 관리
- 매달 25일 기성 신청원 검토 후 15일 이내에 지급
- 기성 청구원 서류 : 내역서, 수량산출서, 사진 대지, 근로자 임금 지급 확인서

○ 품질 관리
- 낙찰 후 2주 내 골조 공사 품질 관리 계획서 제출 (5일 내 승인)
- 동절기 및 혹서기 공사 품질 관리 계획 별도 수립

○ 공정 관리
- CPM 공정관리 실시
- PMIS 내 작업일보 등록 (공사 진도 및 실적 포함)
- 공기지연 5% 이상 발생시 5일 이내 만회 대책(Catch up plan) 제출 (5일 내 승인)
- 주6일 Calendar 적용, 최근 3개년 기상 정보에 근거한 가동률 적용

○ 안전 관리
- 거푸집 공사, 고소 공사 등 안전사고 고위험 작업군에 대한 별도 계획 수립
- 신호수 별도 선임하여 운영

공급자 선정기준
[Source Selection Criteria]

3.40

프로젝트명(Project Title) : _____

평가 항목	내 용	평가 방법
요구에 대한 이해	과업내용(Contract SOW)에 대한 이해도 ; 시공구입사항서 상의 특기사항 반영여부	A: 95%이상, B: 93~95%, C: 90~93% D: 90% 미만
전체 원가	1 / (조달에 필요한 원가) ; 실행예산과의 일치율	A: 95%이상, B: 85~95%, C: 75~85% D: 75% 미만
기술적 역량	조달에 필요한 기술적 역량 보유 ; 3인 이상 관련 전문가들의 판단	A: 매우 우수, B: 우수, C: 보통 D: 미흡
리스크	1 / (조달 위험도) ; 3인 이상 관련 전문가들의 판단	A: 매우 우수, B: 우수, C: 보통 D: 미흡
관리 접근방식	자체 관리 프로세스 보유 ; 3인 이상 관련 전문가들의 판단	A: 매우 우수, B: 우수, C: 보통 D: 미흡
기술적 접근방식	기술적 방법론, 기법, 해결책, 서비스 ; 3인 이상 관련 전문가들의 판단	A: 매우 우수, B: 우수, C: 보통 D: 미흡
재정적 역량	재정 보유 상태 및 확보 역량 ; 회사별 신용도에 따른 상대평가	A: 매우 우수, B: 우수, C: 보통 D: 미흡
생산 능력	잠재적 요구사항을 충족할 역량 ; 유사 프로젝트 수행 능력에 따른 상대평가	A: 매우 우수, B: 우수, C: 보통 D: 미흡
사업 규모 및 종류	특정 사업범주 충족도 ; 동종업계 수행능력 평가 순위	A: 상위3%, B: 상위5%, C: 상위7% D: 7% 미만
지적 재산권	판매할 제품에 대한 지적재산권 소유여부 ; 특허 및 신기술 지정에 따른 상대평가	A: 매우 우수, B: 우수, C: 보통 D: 미흡

공급자 선정 기준
(Source Selection Criteria)

프로젝트명(Project Title) : _____

□ 판매자/공급자 평가/선정 기준 (Selection Criteria)

평가 항목	평가 내용	평가 점수					
사업 이해도	사업의 특성 및 목표에 대해 주변 환경 분석과 업무내용의 연관관계의 이해를 바탕으로 일관성 있는 방향과 전략을 제시하고 있는가를 평가한다. 단, 당해 사업의 기획용역(ISP 등)을 수행한 자가 참여한 때에는 평기등급보다 한 단계 하위 등급의 점수를 부여한다. 추진 전략 개발업무 수행 시 리스크요소를 고려하여 얼마나 창의적이며 타당한 대안을 제시하였는가를 평가	10	8	6	4	2	0
적용 기술	사업에서 적용하고자 하는 기술이 향후 확장성을 고려하여 현실적으로 실현 가능하게 제시되어 있는지를 전략 및 방법론 평가	10	8	6	4	2	0
개발 방법론	사업에 적정한 방법론의 제안 타당성을 평가하고, 실제 적용 사례와 경험을 바탕으로 효율적인 단계별 활동 내용을 구성하여 산출물의 적정성을 유지하고, 기술과 경험을 적절히 활용하고 있는가를 평가	10	8	6	4	2	0
시스템 요구	도입대상 장비의 요구 규격을 충족시키는 장비를 제안하며 제시된 장비가 현 시스템과 인터페이스 및 사항 확장 가능성이 있는지를 평가하고, 도입 장비의 설치 및 공급 계획, 유지보수에 대해 방안이 구체적으로 기술되어 있는가를 평가	10	8	6	4	2	0
제약 사항	제약사항 충족도는 기능 및 품질 등 요구사항을 구현 시 관련 제약사항을 충족시키며 구현 방안 및 테스트 방안을 구체적으로 기술하였는가를 평가	10	8	6	4	2	0
성능 요구	구현하고자 하는 기능을 통해 요구 성능이 충족되도록 방법론 및 분석 도구를 통하여 구체적인 내용으로 분석되고 구현 및 테스트 방안이 구체적으로 기술되어 있는가를 평가하고, 제안한 방안 및 기술을 통해 요구 성능을 충족시킬 수 있는지를 평가	25	20	15	10	8	5
품질 요구	제공되는 분석 도구 및 구현 방안, 테스트 방안이 구체적으로 기술되어 있는가를 평가	25	20	15	10	8	5

4

프로젝트 실행

4. 프로젝트 실행

프로젝트 실행은 계획에 정의된 목표를 달성하기 위해 프로젝트 관리자가 계획을 이행하기 위해 수행하는 다양한 활동들을 포함하며, 그 활동에는 실행 지시뿐만 아니라 이해관계자들 사이의 상호작용, 그리고 기술적인 문제들까지 조정하고 통합하는 프로세스들을 포함한다. 프로젝트 실행은 프로젝트 계획을 실행에 옮기는 것으로, 정확하게 표현하면 프로젝트 실행을 관리하는 것이다. 일반적으로 개발자들은 프로젝트 실행이라는 개념에 대해서, 그들이 설계하고 분석하여 시험하는 일련의 작업을 연상하지만, 프로젝트 관리자나 프로젝트 관리팀의 입장에서는 개발자들의 작성 수행을 지시하고 관리하는 것이다. 프로젝트 관리에 투입되는 시간과 자원이라는 측면에서는 프로젝트 실행이 가장 많은 부분을 차지할 것이다. 그러나 프로젝트관리 프로세스로 표현하자면 프로젝트 실행의 종류는 다양하지 않으며, 동일한 프로세스들이 반복되는 경우가 많다. 일반적인 실행 프로세스에 포함되는 작업에는 프로젝트 추진 및 현황 파악, 작업성과 정보 수집 및 제공, 프로젝트 실행관리로 크게 구분할 수 있다. 구체적인 행위로는 프로젝트 진도 측정, 품질 개선 및 지속적 향상, 프로젝트 실적 및 현황정보 수집 및 배포, 프로젝트 팀원 확보 및 팀개발, 조달 업체 선정 및 공급자 관리, 리스크 관리 및 대응 실행 등이 있다.

프로젝트 실행의 핵심 중 하나는 프로젝트에 인력을 투입하여 성과를 얻는 일이다. 이를 위해 사전에 계획된 조직 구조와 인적자원계획에 의거하여 팀원을 충원하고 이들의 역할을 정하여 프로젝트 업무에 시의 적절하게 투입시켜야 한다. 일단 투입된 자원들에 대해서는 개인의 역량과 팀의 역량을 높이기 위한 교육 훈련이나 팀 육성 활동을 지속적으로 이행한다. 이는 궁극적으로 프로젝트 성과를 높이기 위한 활동들로 문제해결이나 동기부여와 같은 다양한 팀 관리 활동들이 함께 병행되어야 한다. 또 다른 프로젝트 실행에는 정보 수집 및 배포가 있다. 프로젝트 정보에는 실적이나 성과와 관련된 정보뿐만 아니라 기술이나 행정적인 모든 정보들을 포함한다. 프로젝트 정보를 수집하고 배포하는 이유는 프로젝트 통제를 위한 분석 또는 조정, 변경이나 시정 조치를 위한 근거를 마련하기 위함이다. 대표적으로 프로젝트 진척과 성과, 산출물 또는 인도물 정보, 그리고 프로젝트 현황 및 리스크 등과 관련된 정보들이 실행 동안 수집되고 보고서로 작성되어야 한다. 이를 위해서는 프로젝트 의사소통계획에 따라 정기적인 회의나 보고서를 통해 정보를 수집하고 보고하며, 일반적으로는 조직에 구축된 프로젝트관리 정보시스템을 이용한다. 이렇게 정보를 수집하고 배포하는 것은 이해관계자들의 요구와 기대를 만족시키는 것이며, 지속적으로 이해관계자 파악과 함께 그들의 요구와 기대를 파악하여 적시에 적절한 정보가 제공되도록 하여야 한다. 품질 보증 또한 프로젝트 실행의 일환이다. 프로젝트 중간 결과물에 대한 품질 확인이나 검사 측면이 아닌 지속적인 개선을 위한 품질 보증 활동은 예방 차원에서 프로세스들을 개선하기 위한 노력을 지속하는 일이다. 이는 품질 감사나 프로세스 분석을 통하여 문제를 도출하거나 개선 사항을 식별하여 지속적인 개선을 시도한다. 특히 품질 검사를 통한 목표 달성 여부에 따라 개선의 노력을 강화하기도 한다. 그 밖의 프로젝트 실행에는 조달 시행이 있으며, 이는 판매자로부터 제안서를 접수하고 공급업체를 선정하여 계약을 체결하는 일련의 활동들을 포함한다. 프로젝트 조달은 프로젝트의 모든 요구되는 사항을 한 번에 조달하는 것이 아니라, 적절한 발주 및 입고 시점에 맞추어 조달을 시행하게 하는 노력이므로 프로젝트 실행 동안 지속적으로 조달 프로세스가 발생하게 된다.

이와 같은 자원, 진척, 성과, 품질, 조달과 관련된 실행 프로세스들은 프로젝트 관리자 및 프로젝트 관리팀에 의해 통합되고 관리되어 궁극적으로는 프로젝트 목표 달성을 위해 계획이 이행되도록 하는 제반 행위들을 포함한다. 이를 위해 인력과 자금을 투입하고 계획된 프로젝트 활동을 지시하며 리스크 대응을 포함한 프로젝트 결과와 현황을 파악하여 프로젝트 변경이나 시정 조치를 통한 조정이나 통제가 요구되는지를 파악하게 한다.

〈실행 프로세스를 위한 체크리스트〉

- 프로젝트 수행에 필요한 다양한 작업을 식별하고 분석 하였는가
- 직무별 업무 범위, 책임, 권한, 직무간의 관계를 상세히 정의 하였는가
- 개인별 역할, 책임, 권한을 부여 하였는가
- 직무에 요구되는 자격 요건을 정의 하였는가
- 직무 요건에 적합한 사람을 확보 하였는가
- 역량 개발을 위해 요구되는 교육 훈련을 수행 하였는가
- 팀원들의 동기부여와 문제해결 노력을 지속하고 있는가
- 예산, 시설, 인력 등의 상세 자원 계획과 함께 배정 하였는가
- 개인별 성과 목표 설정과 합의가 이루어 졌는가
- 일상적인 업무 수행을 지속적으로 지시하고 조정하고 있는가
- 산출물에 대한 고객 인수를 획득 하였는가
- 중간 검토 및 감사가 수행 되었는가
- 프로젝트 승인 문서가 배포 및 게시 되었는가
- 지속적인 품질 및 프로세스 개선을 위한 분석이 이루어지고 있는가
- 프로젝트 정보 시스템이 정상적으로 작동되고 있는가
- 주기적인 진척 및 성과 정보를 수집하고 분석하고 있는가
- 계획된 회의와 보고서들은 적시에 이행되고 배포되고 있는가
- 프로젝트 관련 정보가 적절히 기록되고 공유되고 있는가
- 프로젝트 계획은 최신 상태로 업데이트되어 있는가
- 프로젝트 리스크 대응은 적시에 이행되고 있는가
- 조치 항목들이 적시에 이행되고 있는가
- 조달을 위한 업체 선정과 계약이 적시에 이행되고 있는가

MEMO

변경 요청
(Change Request)

프로젝트명(Project Title) : _____

☐ 변경사항

범 주	변 경 내 역	변 경 사 유	파급효과
일 정	터파기 　– 당초 계획 　　: 2012.07.01.~07.20 　– 변경 계획 　　: 2012.08.01.~08.20	현지 주민들의 진입로 봉쇄로 공사 차량 및 자재반입 불가	**일정** 터파기 공정 및 육상부 후속 공정 30일 지연 **원가** 장비/인력 대기로 인한 추가 비용발생 9억원
범 위	추가 공정 발생 　: 마을 진입로 포장공사	현지 주민들의 요구사항인 진입로 포장 요구를 수용	**일정** 추가공정 15일 발생 **원가** 추가 비용발생 2억원

☐ 향후조치

○ 원가
- 대기기간 및 추가 공정 발생으로 계획대비 약 11억원의 추가 공사원가 집행이 불가피 함. 현재까지 계획된 비용은 프로젝트 심의위원회의 결의를 거쳐서 집행 예정이며, 후속 공정에서 원가를 절감하여 계획된 공사원가 이내에서 프로젝트를 완료 할 예정임.

○ 일정
- 육상부 공정이 계획대비 45일이 증가하였으나, 주 경로는 해상부 공정이므로 전체적인 준공기한에는 영향이 없음. 그렇지만 육상부 공정이 지연될 경우에는 추가 민원제기의 우려가 있으므로 계획된 기간 이내에 육상부 공정을 완료할 예정임.

☐ 기타사항

○ 대민 접촉 강화
- 민원 담당자를 지정하여 주민 대표 등과의 지속적인 만남을 유지하여 추가 민원이 발생하지 않도록 지속적인 노력이 필요함.

○ 프로젝트 관리감독 강화
- 민원제기의 주요 원인이 되는 지역 시설물 파괴 및 환경오염이 발생하지 않도록, 향후 공정 진행시 철저한 사전 교육 및 현장 관리감독을 실시할 예정임.

프로젝트명(Project Title) : _____

변경 요청
[Change Request]

☐ **변경 요청서**

변경 요청 코드	작성자	승인 요구일	20XX년 XX월 XX일
#SW-TK20XX	WAS 업무 담당자	변경 요청자	IT 사업부 팀장
		변경 요청일	20XX년 XX월 XX일

	항목	내용
변경 내용	변경 요청 사항	로팅 프로시저 오류 발생으로, 시스템이 Down 되는 장애 발생함. 프로그램의 오류 수정을 요청함.
	변경 사유	IT 업무인 Was Program 구동시에, 정상적으로 실행되지 않고, 무한 루프가 발생하여 시스템 장애 발생
	해결을 위한 접근 방법의 제안	디버그 프로그램을 이용하여, 단위 기능 테스트 및 장애 원인 과악(프로그램 오류 검증을 통한 프로그램 최적화)
영향	프로젝트 계획 분야	제안된 변경에 대한 영향
	범위 영향	구축 단계에서 발생한 사항이므로 범위에 영향이 없음.
	리스크 영향	디버그 수정 작업시, 실제 운용 시스템으로 사용으로 Down Time이 예상됨.
	일정 영향	단위 업무 테스트 시에 발생된 장애로 인해, 7일의 일정 지연이 예상됨.
	자원 노력 영향	디버그 업무 수행을 위해, 컨설턴트 1명 추가 투입이 필요함.
	예산 영향	컨설턴트 1명 투입에 따른 비용(3,000,000원) 지출이 필요함.

4.2			변경 로그 (Change Log)					

프로젝트명(Project Title) : _____

일련번호	분류	변경사항	제출자	제출일자	상태	확정여부	비　고
CL-001	일정	태풍으로 인한 작업지연 발생	홍길동	20xx.xx.xx	완료	승인	CRF-001참조
CL-002	일정	장비고장으로 인한 작업지연 발생	홍길동	20xx.xx.xx	진행중	보류	CRF-002참조
CL-003	일정	민원으로 작업지연 발생	홍길동	20xx.xx.xx	완료	반려	CRF-003참조
CL-004	범위	케이블 보호구간 증가	홍길동	20xx.xx.xx	완료	승인	CRF-004참조

변경 로그
[Change Log]

프로젝트명(Project Title) : _____

변경 코드	영향도	변경 내역	비즈니스 등급	중요도	우선 순위	승인 / 거부	일정
#SW-TK20XX	☐ 범위 영향						
	☑ 리스크 영향	디버깅시 수정 실제 운용 시스템 사용으로 인해, Down Time 시간 업무 협의 완료					
	☑ 일정 영향		1 등급	매우 중요	긴급	승인 (20XX.XX.XX)	20XX.XX.XX ~ 20XX.XX.XX
	☑ 자원 노력 영향	단위 업무 테스트 고급 컨설턴트 투입으로 일정 지연 단축(소요 3일)					
	☑ 예산 영향						

| 4.3 | 품질 감사
(Quality Audit) | | |

프로젝트명(Project Title) : _____

☐ 감사내역

범 주	감 사 내 용	적합	부적합
작업절차	– 작업절차서는 현장에 적합하게 작성 되었는가 ?	√	
	– 작업절차는 사전에 충분히 숙지 되었는가 ?	√	
	– 작업은 절차서에 따라서 진행 되었는가 ?	√	
문서관리	– 작성된 프로젝트 문서는 관련 부서 및 당사자에게 배포 되었는가 ?		√
	– 작성된 프로젝트 문서는 잘 관리되고 있는가 ?	√	
변경관리	– 변경사항은 절차서에 따라서 진행 및 관리 되었는가 ?		
	– 변경관리 문서는 잘 관리되고 있는가 ?	√	
예방조치	– 작업 전 안전교육은 이루어지고 있는가 ?	√	
	– 작업 전 점검표는 작성되고 있는가 ?	√	
	– 작업 전 Toolbox Meeting은 이루어지고 있는가 ?	√	
시정조치	– 작업 중 발생된 문제점은 즉시 조치되어 지는가 ?	√	
	– 시정사항은 전파교육을 통하여 공유하고 있는가 ?		√
	– 시정사항은 절차서에 반영되고 있는가 ?		√

☐ 우수사례 공유

1. 작업전 품질관리 담당자에게 프로젝트 문서를 제공하고, 프로젝트 착수 회의에서부터 품질담당자를 참석하게 한다.
2. 품질담당자는 회사의 품질정책 및 품질관리 절차에 따라서 프로젝트가 진행되는지를 착수단계부터 점검하고 시정조치보다는 예방조치를 통하여 품질비용을 감축한다.

☐ 개선사항

1. WBS 제2레벨의 책임자까지만 프로젝트 문서를 배포하였으나, 실무 담당자도 작업 전 프로젝트 문서를 숙지할 수 있도록 PTMS 시스템을 활용하여 공유할 것
2. 작업 중 발생한 시정사항에 대한 현장조치 후 보고 및 공유를 하지 않는 경우가 간혹 발생하므로, 안전과 품질을 최우선적으로 고려하도록 관련 직원의 재교육이 필요함

○ 첨부물
  – 부적합 보고서 1부

품질 감사
(Quality Audit)

프로젝트명(Project Title) : _____

□ 감사 내역

범 주	감 사 내 용	적합	부적합
작업절차	업무 절차서에 명시된 프로세스 절차대로 작업이 진행되고 있는가?		
	업무 절차서 계획표는 작성 되고 있는가?		
	업무 절차서 문서는 잘 공유 되고 있는가?		
기능관리	소프트웨어에 대한 업무 기능성 구현은 정확한가?		
	소프트웨어 인터페이스에 대한 업무 일관성 구현은 잘 이루어 졌는가?		
변경관리	디버그 변경에 대한 변경 요청은 잘 처리되고 있는가?		
	작업 중 발생된 오류에 대한 조치는 신속한가?		
성능조치	조달된 장비에 대한 성능 이슈는 없는가?		
	프로그램 개발시, 컴파일은 신속하게 이루어 지는가?		
	프로그램 최적화는 잘 이루어지고 있는가?		
예방조치	작업 전 안전교육은 이루어지고 있는가 ?		
	작업 전 점검표는 작성되고 있는가 ?		
	작업 전 Toolbox Meeting은 이루어지고 있는가 ?		
시정조치	작업 중 발생된 문제점은 즉시 조치되어 지는가 ?		
	시정사항은 전파교육을 통하여 공유하고 있는가 ?		
	시정사항은 절차서에 반영되고 있는가 ?		

이슈 로그
(Issue Log)

프로젝트명(Project Title) : _____

일련번호	이슈항목	영향범위	긴급성	담당자	조치사항	완료기한	비 고
IL-001	보호관 납품 지연	일정지연	중	홍길동	납품업체 면담 및 지연사유 확인, 7일내 납품토록 하여 일정 준수	20xx.xx. xx	추가 납품지연이 발생하지 않도록 지속적인 모니터링
IL-002	공유수면 점사용허가 지연	일정지연	중	홍길동	관청에 프로젝트의 공공성을 설명해서 조속한 허가 요청	20xx.xx. xx	착공 전까지 사용허가를 득하도록 전담직원 배치
IL-003	예비품 추가 확보	일정지연	하	홍길동	빠른 시일 내에 예비품 확보를 위해 메이커사에 항공운송을 요청	20xx.xx. xx	예비품 부족으로 장비가동 중단시 긴급성이 높아짐
IL-004	민원제기	원가상승	상	홍길동	작업지 근해 주민들의 보상요구에 대한 조기 합의 및 영향 최소화	20xx.xx. xx	지역주민 대표와의 지속적인 관계 유지

이슈 로그
[Issue Log]

프로젝트명(Project Title) : _____

일련번호	이슈항목	영향범위		긴급성	담당자	조치사항	완료기한	비 고
#SW-TK20XX	코팅 프로시저 오류 발생으로, 시스템이 Down 되는 장애에 발생함. 프로그램의 오류 수정을 요청함.	□ 범위 영향 □ 리스크 영향 ☑ 일정 영향	□ 자원 노력 영향 ☑ 예산 영향	중	민○○	디버그시 수정 설계 운용 시스템 사용으로 인해, Down Time 시간 업무 협의 및 오류 수정 완료	20xx.xx.xx	프로그램 오류로 인한 시스템 Down이 없도록 실시간 모니터링 설치
#SW-TK20XX	인터페이스 일관성 오류로 발생	☑ 범위 영향 □ 리스크 영향 □ 일정 영향	☑ 자원 노력 영향 ☑ 예산 영향	중	최○○	설계 수정을 통한 일정 준수	20xx.xx.xx	고급 컨설턴트 투입으로 인해 설계 수정되는 오류의 오차범위를 줄임.
#SW-TK20XX	HW 결함 발생으로 Disk Fail 발생,	□ 범위 영향 □ 리스크 영향 □ 일정 영향	☑ 자원 노력 영향 ☑ 예산 영향	하	박○○	Part 교체 하여 조치 완료 (단순 Disk 장애)	20xx.xx.xx	전진 파트 배치로 인해서 장애에 신속한 복구
#SW-TK20XX	프로그램 데이터 이관시에, 데이터 정합성 오류 발생.	☑ 범위 영향 □ 리스크 영향 □ 일정 영향	☑ 자원 노력 영향 ☑ 예산 영향	상	김○○	데이터 정합성을 맞출 수 있도록, S/W 복제 솔루션 구입함.	20xx.xx.xx	데이터 정합성을 위해, E사의 데이터 복제솔루션 구입

4.5 팀 성과 평가 (Team Performance Assessments)

팀명 : _____

☐ 프로젝트 수행능력

A: 우수, B:보통, C: 미흡, D: 부적합

구　분	세　부　사　항	등급
작업범위	계약 조건 만족	A
공사일정	준공기한 10일전 납기로 일정준수	A
시행원가	계획대비 5% 원가절감 달성	A
품질관리	고객 요구 수준은 만족시켰으나, 품질 점검 목록의 역할 및 책임이 불명확함	B
안전관리	각 단계별 안전점검표 작성으로 무사고 달성	A
고객만족	고객 설문조사 결과 불만사항 무	A

☐ 팀 문화/조직력

구　분	세　부　사　항	등급
의사소통	작업 전, 공종별 미팅 및 의견공유로 효율적인 작업진행이 이루어졌음	A
보고체계	현장대리인을 중심으로 신속하고 체계적인 24시간 보고체계 구축	A
현안관리	담당자의 적극적인 의견개진 및 적절한 후속조치가 이루어졌음 예) 예비품 추가 발주, 근무시간 탄력제 운용 등	A
직무기술	직무에 필요한 역할 및 책임을 구체적으로 명시한 문서가 미비함	C
역량개선	신규자의 업무 습득 기회 부여 및 신규 공법 도입으로 기술력 향상	A
기록관리	작업진행 상황에 대한 체계적인 기록관리 부족 예) 작성된 문서의 문서번호 부여, 사진 정리 등	B

☐ 우수사례 공유

장비고장 등 예기치 못한 비상상황 발생시 정확하고 신속한 상황보고 및 우발사태 대응계획 절차에 따른 업무처리로 일정 및 원가손실을 최소화하고 준공기한을 준수함

☐ 개선사항

WBS의 work package에 대한 역할과 책임이 개인별로 구체적으로 명시되어야 함.

팀 성과 평가
(Team Performance Assessments)

팀명 : _____

☐ 프로젝트 수행능력

구 분	세 부 사 항	등 급
범위관리	프로젝트 관리 계획에 명시된 범위 준수	7.5
일정관리	프로그램 최종 데이터 이관전 10일전 납기로 일정준수	5.5
원가관리	계획대비 10% 원가절감 달성	7.5
품질관리	고객 요구 수준은 만족시켰으나, 품질 점검 목록의 역할 및 책임이 불명확함	9.5
보안관리	각 단계별 안전점검표 작성으로 무사고 달성	9.5
고객만족	고객 설문조사 결과 불만사항 무	9.5

0	1.5	3.5	5.5	7.5	9.5	10
최하	매우 낮음	낮음	중간	높음	매우 높음	최상

☐ 개인 기량 개선

구 분	세 부 사 항	등 급
의사소통	부서 팀원들과의 커뮤케이션 능력 수준 향상	5.5
직무기술	소프트웨어 프로그램 개발 수준 향상	7.5
역량개선	업무에 필요한 역량 개선을 위한 교육 수준 향상	5.5
교육	대외적인 어학 교육 참여 프로그램 향상	7.5

0	1.5	3.5	5.5	7.5	9.5	10
최하	매우 낮음	낮음	중간	높음	매우 높음	최상

☐ 팀원 역량 개선

구 분	세 부 사 항	등 급
의사소통	이미지 관리 및 커뮤니케이션 스킬 교육 프로그램 실시	9.5
직무기술	신규 프로그램 기법을 도입에 따른 기술 향상	7.5
역량개선	업무 습득 기회 부여 및 신기술 도입에 따른 공인 교육 기관 교육	5.5
교육	업무에 필요한 역할을 수행할 수 있도록, 직무 교육	3.5

0	1.5	3.5	5.5	7.5	9.5	10
최하	매우 낮음	낮음	중간	높음	매우 높음	최상

5

프로젝트
감시 및 통제

5. 프로젝트 감시 및 통제

프로젝트 감시는 프로젝트 전체 생애주기 동안 진척과 성과를 추적하고 검토하는 과정이며, 프로젝트 통제는 감시된 내용을 프로젝트가 계획한대로 진행되는지 분석하여 이를 만회하거나 더 나은 성과를 달성하기 위한 변경이나 조치를 결정하는 것이다. 즉, 통제 프로세스를 위해서는 지속적인 기준선의 유지와 기술 사양, 원가 항목, 요구 사항 등과 같은 측정체계가 구축되어야 하며, 이를 기준으로 진척과 성과를 측정하고 계획과 실적을 비교 및 분석하여 프로젝트가 목표를 달성하기 위한 궤도위에 있는지 여부를 판단한다. 만일 프로젝트가 계획에 비해 진척이나 성과가 만족스러운 수준이 되지 않을 경우에는 이를 만회하기 위한 시정 조치를 결정하거나 계획에 대한 변경을 결정할 수 있다. 물론 만족스런 성과를 얻은 상황일지라도 더 나은 성과나 공격적인 목표달성을 위해서도 그러한 결정을 내릴 수 있다. 프로젝트에 대한 시정 조치나 계획 변경의 결정 과정 또한 통제가 요구된다. 이러한 통제 활동은 프로젝트 계획에 명시된 형상관리나 변경관리 프로세스에 따라 변경 요청과 승인이 이루어져야 한다.

프로젝트 성과 측정과 분석은 프로젝트 통제의 주요 프로세스이며, 프로젝트 현황과 추세를 분석하여 문제점을 조기에 도출하고 문제 확산을 극소화시킬 뿐만 아니라 프로젝트 일정이나 원가 등의 성과를 개선시킬 수 있다. 이들 성과를 분석하기 위해서는 범위, 일정, 원가의 핵심 정보들이 요구되며, 이 핵심 부분들을 범위 통제, 일정 통제, 원가 통제와 같은 개별 프로세스를 통하여 통제 활동이 이루어 질 수 있다. 범위 통제는 중간 결과물이나 인도물에 대한 승인으로 생애주기 단계의 종료와 연관되며, 최종적으로는 이들이 모여 프로젝트 종료를 검토하게 된다. 그 밖에 통제가 요구되는 내용으로는 품질 통제, 리스크 통제, 조달 행정, 성과 보고가 있다. 품질 통제는 범위 통제와 함께 프로젝트 중간 결과물에 대해 승인을 얻기 위한 활동이며, 리스크 통제는 리스크 대응에 대한 실행 결과와 신규 리스크 분석 등을 지속하는 활동이고, 조달 행정은 공급자의 성과를 측정하고 분석하는 활동이다. 이들을 포함한 프로젝트 현황 정보, 진척 정보, 그리고 예측 정보들이 성과보고서를 구성하는 내용으로, 이들 정보는 프로젝트 계획에 대하여 진행된 현황 및 편차를 분석하고 그 차이가 발생하면 그 원인을 파악하여 적시에 시정조치를 용이하게 만들어준다. 이러한 활동은 결국 목표 범위를 기간과 예산 내에 완료하도록 하기 위한 목적으로 수행된다.

프로젝트에서 변경은 범위 정의의 오류, 외부 환경 변화, 리스크 대응, 부가적 가치가 존재할 경우 등의 다양한 원인으로부터 발생된다. 통제 프로세스에 포함되는 통합적인 차원의 변경 통제는 계획의 변경을 통제하는 관리 활동들로, 변경 통제의 주요 대상은 프로젝트 기준선이 된다. 이는 성과 측정을 위한 지속적인 기준선 유지와 함께 변경 사항을 다른 영역과 조정하고 통합하여 적절하게 안배하는 노력을 포함한다. 변경 통제를 위해서는 적절한 권한과 절차를 규정하여 프로젝트가 승인 없이 변경되는 경우가 발생하지 않도록 하고, 동시에 변경에 대한 효과를 극대화시키도록 하는 것이 중요하다. 변경 요청자는 변경이 왜 요구되는지, 변경이 어떤 영향을 미치는지에 대해 검토하여 변경요청서를 작성하며, 프로젝트 팀의 검토를 거쳐 승인권자나 변경통제위원회의 승인을 통해 확정할 수 있다. 변경이 확정된 사항에 대해서도 변경 내역의 신속한 배포뿐만 아니라 변경 사항이 이해되고 반영되었는지에 대한 지속적인 추적도 중요한 관리 프로세스이다.

프로젝트 범위와 같은 한 영역의 변경은 일정이나 원가와 같은 다른 영역에 영향을 초래한다. 프로젝트 관리자는 성과 분석에 의한 성과 차이를 줄이기 위한 시정 조치와 변경 요청, 그리고 이를 승인받기 위한 변경관리 과정에서 단순한 일면의 성과나 조치를 판단하기 보다는 다른 영역과 다양한 측면을 함께 고려하여 조정하고 통합하여 최상의 해법을 도출하는 역할을 하여야 한다.

〈감시 및 통제 프로세스를 위한 체크리스트〉

- 요구사항/변경/결함 사항이 프로젝트 팀원이나 이해관계자에 의해 정리 되었는가
- 변경요청이 문서화 되었는가
- 변경요청이 우선순위화 되었는가
- 변경을 다루기 위한 접근방법이 정의 되었는가
- 만일 변경이 실행되지 않았다면, 우회계획(workaround)이 정의 되었는가
- 변경요청에 대한 가치 평가를 결정하기 위해 검토가 되었는가
- 변경요청이 변경통제위원회에 의해 평가되고 승인 되었는가
- 변경 평가 결과가 변경 요청자에게 통지 되었는가
- 변경이 프로젝트 작업 계획에 통합 되었는가
- 변경과 관련된 작업이 모든 영향을 받는 부문과 함께 검토 되었는가
- 모든 수정이 형상 통제하에 이루어 졌는가
- 변경요청기록이 완료된 상태를 반영하여 업데이트 되었는가
- 이해관계자들에게 최종 상태에 대한 정보가 제공 되었는가
- 프로젝트 계획이 승인되었고 작업이 계획에 따라 시작 되었는가
- 프로젝트의 구성원들이 계획된 수준으로 편성 되었는가
- 진척이 계획에 따라 진행되는지를 명확히 하기 위해 매주 일정/자원/리스크/인도물 등 주요 요소들이 감시되고 있는가
- 변경관리 활동이 프로세스 변경에 이용 되었는가
- 조치 항목이 종료를 위해 추적 관리 되었는가
- 프로젝트의 잠재적 리스크들이 감시되고 보고 되었는가
- 해결되지 않은 항목들이 경영층에게 제기 되었는가
- 형상관리에 따라서 보관되도록 각 항목들이 적절한 조직에 의해 검토 되었는가
- 형상 통제 하에서 계획된 모든 항목들이 구성 통제에 따라 보관 되었는가
- 다양한 기준선의 상태가 적절한 사람들에게 전달 되었는가
- 프로젝트 기준선에 대한 현재 성과와의 편차가 분석되고 조치 되었는가
- 리스크 및 이슈에 대한 추적과 분석이 이행되고 있는가
- 프로젝트검토 협의사항이 개발 되었는가
- 프로젝트 검토 항목들이 준비 되었는가
- 조치 항목들이 적절하게 추적 관리 되었는가
- 프로젝트 검토를 위한 정보의 수집, 준비, 발표에 대한 책임이 할당 되었는가
- 프로젝트 검토를 위한 정보들이 사전에 준비 되었는가
- 프로젝트 검토가 수행 되었는가
- 검토된 작업 산출물이 정의 되었는가

리스크 감사
(Risk Audit)

프로젝트명(Project Title) : _____

☐ 리스크 프로세스

범 주	감 사 내 용	적합	부적합
관리계획	관리활동은 현장에 맞게 작성되었는가 ?	√	
	관리수준은 프로젝트 조직에 적합한가 ?	√	
	역할 및 책임은 구체적으로 명시되어 있는가 ?	√	
식별 및 분석	리스크 식별은 프로젝트 이해관계자가 참석해서 작성되었는가 ?		√
	리스크 등록부는 주기적으로 업데이트되고 있는가 ?		√
	리스크의 확률과 영향에 따라 평가 및 분류되어져 있는가 ?	√	
대응계획	리스크 대응 책임자는 선정되어 있는가 ?	√	
	우발사태 대응계획 (Contingency Plan)은 수립되어 있는가 ?	√	
	리스크 전가계획(보험가입 등)은 마련되어 있는가 ?	√	
감시 및 통제	식별된 리스크는 추적되어지고 있는가 ?	√	
	리스크 식별, 분석 및 대응계획은 지속적으로 개정되어지고 있는가 ?	√	
	성과측정 및 차이분석은 지속적으로 이루어지고 있는가 ?	√	

☐ 리스크 이벤트

o 접속작업 중 안전장구 착용·매설장비 유실로 인명 손상
   - 원 인 : 착용감이 불편하여 안전장구 미착용
   - 영향력 : 작업 중 접속장비에 의한 인적 손실 발생
   - 대응책 : 현장 관리자가 지속적으로 안전장구 착용 여부 모니터링

o 케이블 선적 후 Cable bight 고박 유지 실패로 케이블 손상
   - 원 인 : 상/중/하 3단계로 이루어지는 고박을 상/하 2단계만 실시
   - 영향력 : 케이블 손상 및 재접속
   - 대응책 : 현장 관리자 및 담당자가 지속적으로 케이블 상태 확인

o 매설장비 진수시 수면 점검 미실시로 시간 손실 발생
   - 원 인 : 매설장비 작업절차서에 언급된 수면 점검을 무시하고 작업 진행
   - 영향력 : 매설장비 재회수 및 점검으로 6~12시간 손실 발생
   - 대응책 : 당직 책임자는 매설장비 점검표에 명시된 수면 점검 실시

□ 발생 리스크

○ 매설장비 유실
  - 원　인 : 기상악화로 일시적인 선박위치 상실
  - 영향력 : 매설장비 회수 및 재작업 준비로 약 2일간 지연발생
  - 대응책 : 케이블 작업 중단 및 비상계획에 의한 매설장비 회수절차 진행
  - 개선책 : 기상상태의 지속적인 모니터링 및 기상악화로 선박제어가 곤란해지기 전에 선박의 위치를 이동

○ 급전장비 손상
  - 원　인 : 장비 노후화로 전자회로 기판 부식
  - 영향력 : 작업중지 및 예비품 교체로 약 4시간 지연발생
  - 대응책 : 선박에서 충분한 예비품 확보 및 교체
  - 개선책 : 일반적으로 장비의 시운전만 이루어지나, 프로젝트 시작 전에는 내부 회로 점검

○ 선박 피항
  - 원　인 : 작업지에 태풍 접근으로 인한 선박 및 인명 손상 예상
  - 영향력 : 작업 중지 및 작업재개 준비로 약 2일간 일정 지연
  - 대응책 : 기상대응 계획에 따라서 태풍이 15시간이내 사정권에 있을 때 선박 피항
  - 개선책 : 프로젝트 실행 전 고객에게 기상 대응 절차 및 태풍으로 인한 손상에 대한 충분한 설명을 통하여 무리한 작업 강행 및 승선 인원들의 피로도 증가를 피할 것

□ 우수사례 공유

○ 착수 단계에서부터 역할과 책임을 정의하고 WBS별로 리스크 대응 책임자를 선정하여, 프로젝트가 진행되는 동안 지속적으로 리스크가 관리 및 추적되도록 한다.

○ 착수 단계에서 리스크를 정의할 때는 마케팅 및 회계 담당자가 함께 참석하여 시장 상황, 정부 정책 및 기업 환경을 고려한 리스크 관리계획을 작성한다.

□ 개선사항

○ 리스크 식별단계에서 PM 및 선임 엔지니어들만이 참석하여 리스크 등록부를 작성하였으나, 가능한 모든 이해관계자가 참석하여 리스크 등록부를 작성하여야 한다.

○ 작업 중 리스크 등록부의 주기적인 업데이트가 이루어지지 않았으나, 반복주기 및 참여자를 규정하고 실시하여야 한다.

리스크 감사
(Risk Audit)

프로젝트명 (Project Title)				
검 사 자 (Auditor)	○ ○ ○		검사일자 (Date)	20xx.xx.xx

감사내역(Audit Description)

범 주	감 사 내 용	결 과
관리계획	관리활동은 프로젝트 목적과 상황에 맞게 도출되고 계획되었는가 ? 관리수준은 프로젝트 조직의 성숙도에 적합한가 ? 역할 및 책임은 명확하게 구분되고 관리 가능한 상태인가 ?	적합 ☑ 부적합☐
식별 및 분석	리스크 식별은 프로젝트 이해관계자가 참석해서 작성되었는가 ? 리스크 등록부는 주기적으로 업데이트되고 있는가 ? 리스크의 확률과 영향에 따라 우선순위와 가중치가 부여되어 있는가 ?	적합 ☑ 부적합☐
대응계획	리스크별로 리스크 대응 책임자가 선정되어 있는가 ? 리스크 사안에 맞게 대응계획이 수립되어 있는가 ? 우발사태 대응계획 (Contingency Plan)은 수립되어 있는가 ?	적합 ☐ 부적합☑
감시 및 통제	식별된 리스크는 추적되어지고 있는가 ? 리스크 식별, 분석 및 대응계획은 지속적으로 개정되어지고 있는가 ? 성과측정 및 차이분석에 따른 후속조치가 적절하게 수행되는가 ?	적합 ☑ 부적합☐

우수사례 공유(Best Practices)

1. 유사 프로젝트 리스크관리 전문가를 프로젝트 착수단계에 초빙하여 리스크관리계획을 수립하고 리스크 유형별 관리 담당자를 지정하여 프로젝트 종료 시까지 지속적으로 관리하되, 월말/단계말 상태 업데이트를 실시하고 범위/일정/비용의 기준선 경계를 넘을 경우 해당 시점에서 담당자가 이해관계자 합동회의를 소집하고 대책방안을 논의하는 프로세스를 가동한다
2. 초기 리스크의 식별은 프로젝트 착수 이전에 프로젝트관리자와 핵심 인력이 사전 투입되어 진행하고 프로젝트계획 수립 시 해당 리스크 관련 대응방안을 반영하여 리스크 발생 가능성을 최소화한다

개선사항

1. 우수사례에 비추어 본 프로젝트는 리스크관리계획을 수립되어 있으나 프로젝트관리자 개인적으로 관리하고 공식적으로는 일부의 내용만 공개되어 이해관계자간의 의사소통에 지장을 주고 있어 이의 개선이 필요함
2. 프로젝트 착수 후 리스크 식별을 시작함에 따라 프로젝트 계획 수립 시 프로젝트 리스크를 정확하게 인식하지 못한 상황에서 진행되는 관계로 계획 변경이 빈번하고 대응전략도 적절하지 않은 경우가 발견되었다

☐ 첨부물

o 시정조치 요구서 1부. 끝.

프로젝트명(Project Title) : _____

□ 품질관리

○ 프로젝트 관리

미흡 : 1, 보통 : 2, 우수 : 3

점 검 사 항	평가	사 유
프로젝트 품질관리계획서는 작성되었는가?	3	
프로젝트 작업범위는 계획되고 추적가능했는가?	3	
프로젝터 일정은 수립되고 관리되었는가?	3	
프로젝터 예산은 편성되고 통제되었는가?	3	
프로젝트 작업절차서는 작성되었는가?	3	
프로젝트 변경관리 절차서는 수립되었는가?	1	경영층 보고체계 미흡
예방 및 시정조치는 적절히 이루어졌는가?	1	PM의 PMO보고절차 미흡
절차 및 규정을 준수하였는가?	3	
지원부서와 협력은 잘 이루어지고 있는가?	3	

○ 성과평가

점 검 사 항	평가	사 유
기술적 요구사항들을 만족시켰는가?	3	
프로젝트 일정은 계획대로 이루어졌는가?	1	태풍으로 인한 작업지연
프로젝트 예산은 초과되지 않았는가?	2	

○ 프로세스 평가

점 검 사 항	평가	사 유
작업절차서에 따라서 작업이 진행되었는가 ?	3	
작업 전 작업절차서에 대한 충분한 설명이 있었는가 ?	3	
장비운용자들은 전문지식을 갖추고 있었는가 ?	3	

○ 제품 평가

점 검 사 항	평가	사 유
제품은 고객 요구사항을 충족하는가 ?	3	
프로젝트 진행중 제품변경은 이해관계자의 승인을 받았는가 ?	3	
제품은 수리 및 재작업 없이 인도되어졌는가?	1	태풍으로 인한 케이블 절단

□ 품질 이벤트

○ 접속개소 및 접속손실

점 검 사 항	기준	평가	사 유
접속개소는 계획을 만족했는가 ?	3	1	기상 악화로 2개소 추가
접속개소는 RPL에 반영되었는가 ?	표기	3	
접속손실은 기준치를 충족했는가 ?	<0.2dB	3	

○ 전기적 특성

점 검 사 항	기준	평가	사 유
케이블의 전기 누전현상은 발생하지 않았는가 ?	발생여부	3	
케이블의 직류 저항치는 기준을 만족했는가 ?	4700Ω@100V	3	
케이블 절연 저항치는 기준을 만족했는가 ?	>200MΩ	3	

□ 우수사례 공유

○ 케이블 포설 및 매설작업 중 지속적인 모니터링을 통하여 품질에 이상 발생할 경우 즉각적인 보고 및 작업 중단으로 추가 일정 및 원가 손실 방지

□ 개선사항

○ 프로젝트 실행 중 변경사항 및 시정조치에 대한 사내보고, 특히 경영층 보고체계가 미흡

○ 시정조치사항이 발생할 경우 PM과 PMO간의 후속 조치 논의에 대한 업무 프로세스가 불명확

품질 통제 측정치
(Quality Control Measurements)

프로젝트 명(Project Title) : _____

검사자(Inspector) :   검사일자(Inspection Date) :

□ 1. 요구사항분석 단계

구분	품질평가 기준	품질합격 기준
프로세스 품질기준	요구사항을 도출하기 위하여 관련자를 참여 시키고 있는가?	3
	불확실, 불일치, 실현 불가능한 요구사항이 검토(평가) 과정에서 식별되고 해결되는가?	5
	요구분석 결과는 관련자와 합동검토를 거치는가?	3
	요구사항에 대한 평가 및 변경관리가 이루어지고 문서화되는가?	3
산출물 품질기준	요구분석 단계에서 작성하기로 명시한 산출물들이 모두 작성되었는가?	5
	요구사항이 시스템의 기능, 보완, 사용자 인터페이스, 설계 타당성, 시험, 운영 및 유지보수 등의 요구사항이 적절하게 기술되었는가?	3
	요구사항이 다른 시스템(S/W, H/W)과 관련되어 있을 경우 이들 사이의 인터페이스가 요구사항 명세에 적절하게 기술되는가?	3
	요구사항이 일관성이 있으며 명백하고 적절하게 기술되었는가?	3
Measurement	고객요구명세 반영률	100%

1 : 매우 미흡, 2 : 미흡, 3 : 보통, 4 : 만족, 5 : 매우 만족

□ 2. 설계 단계

구분	품질평가 기준	품질합격 기준
프로세스 품질기준	설계단계에서 수행하기로 명시한 프로세스들이 모두 수행되었는가?	5
	설계는 요구사항에 근거하여 이루어지는가? (설계와 요구사항의 일관성 검토)	4
	설계 검증 및 확인 프로세스가 수행되고 있는가?	5
	소프트웨어 설계 결과를 관련자와 합동검토하고 그 결과를 문서화 하는가?	3
산출물 품질기준	설계단계에서 작성하기로 명시한 산출물들이 모두 작성되었는가?	5
	설계는 안전, 보안 및 다른 중요한 요구사항을 정확하게 구현하고 있는가?	3
	설계는 향후 확장성을 고려하여(인터페이스, 재사용, 오류처리, 시험, 운영 및 유지보수 등) 구현되고 있는가?	4
	설계의 변경 및 조정사항이 관리(문서화)되고 있는가?	3
Measurement	요구사항 반영률	100%

□ 3. 구현 단계

구분	품질평가 기준	품질합격 기준
프로세스 품질기준	구현 단계에서 수행하기로 명시한 프로세스들이 모두 수행되었는가?	5
	소프트웨어 설계에 의한 구현이 수행되고 있는가?	5
	소프트웨어 단위가 설계 요구사항을 만족하는지를 검증하고 있는가?	5
산출물 품질기준	구현 단계에서 작성하기로 명시한 산출물들이 모두 작성되었는가?	5
	소프트웨어는 코딩 표준을 준수하여 구현되었는가?	5
Measurement	설계 반영률	100%

□ 4. 테스트 단계

구분	품질평가 기준	품질합격 기준
프로세스 품질기준	테스트 단계에서 수행하기로 명시한 프로세스들이 모두 수행되었는가?	5
	중요 단위 소프트웨어는 개발자 이외의 관련자에 의해 공동으로 시험되는가?	4
	소프트웨어 시험은 요구사항을 충분히 만족할 때까지 반복적으로 수행되는가?	4
	시스템 항목에 변경이 생겼을 때 재시험하기 위한 전략이 수립되어 있는가?	4
산출물 품질기준	테스트 단계에서 작성하기로 명시한 산출물들이 모두 작성되었는가?	5
	소프트웨어 시험은 시험 계획에 따라 수행되고 그 결과는 기록되는가?	5
	시험 계획은 점검되어야 할 소프트웨어 요구사항, 확인 기준 등이 적절히 구성되어 있는가?	4
Measurement	요구사항 테스트 비율	100%

□ 5. 이행 단계

구분	품질평가 기준	품질합격 기준
프로세스 품질기준	이행 단계에서 수행하기로 명시한 프로세스들이 모두 수행되었는가?	5
	사용자에 대한 교육은 계획에 따라 시행되고 그 결과는 기록되는가?	4
산출물 품질기준	이행 단계에서 작성하기로 명시한 산출물들이 모두 작성되었는가?	5
	매뉴얼과 구현 소프트웨어가 일치하는가?	5

프로젝트 성과 보고서
(Project Performance Reports)

프로젝트명(Project Title) : _____

□ 프로젝트 실적

○ 공정률

작업분류체계(WBS)	계 획	당 기	누 계	가 중 치	합 계
작업준비	100%	–	100%	4.6%	4.6%
케이블 제작 및 운송	100%	–	100%	10.0%	10.0%
해양조사	100%	–	100%	8.6%	8.6%
루트청소	100%	–	100%	4.6%	4.6%
육상공사	100%	–	100%	3.1%	3.1%
해상공사	50%	23.9%	50.4%	55.9%	28.2%
부대공사	0%	–	0%	10.9%	0.0%
작업종료	0%	–	0%	2.4%	0.0%
합 계					59.0%

○ 실적공정표

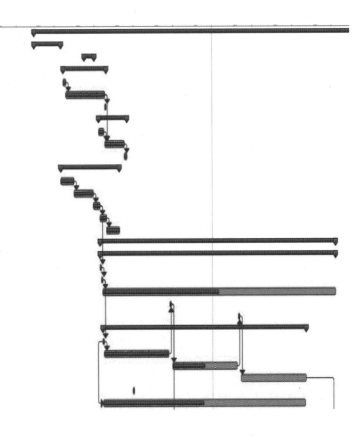

○ 주요관리 현황
  - 리스크 관리

범 주	지 표	기 준	현 황	비 고
범 위	WBS	WBS범위 5%이내	범위내 관리	신규 리스크 없음
원 가	프로젝트 예산	프로젝트 예산 5%이내	예산 범위내 지출	지속적인 모니터링
일 정	마일스톤 및 준공기한	마일스톤 및 준공기한	10일 늦어짐	비상계획 실시로 일정단축 노력 중
품 질	기술사양 및 인수조건	계약서	기술사양 준수	신규 리스크 없음

  - 이슈 관리

범 주	주 요 이 슈	관 리 현 황	비 고
범 위	공유수면 점사용 허가	작업구역의 2배 면적에 대한 허가를 득하고, 항해 선박에 알림	어선활동의 지속적인 모니터링
원 가	민 원 제 기	인근해 주민의 민원제기 최소화를 위해서 주민대표와 면담 및 관리	기 합의한 주민대표와 지속적인 관계유지 및 업무협의
일 정	보 호 관 납 품 지 연	계획대비 7일이 지연되었으나, 전체 일정에는 영향이 없음	미납품된 자재에 대한 관리
품 질	해 당 사 항 없 음		

  - 변경 관리

항 목	영향범위	비고
민원제기	■ 범위 - 마을 진입로 포장공사 조건으로 합의 ■ 원가 - 현장대기 900,000,000원 발생 - 진입로 포장공사 200,000,000원 발생 ■ 일정 : 전체 공정에는 영향 없음 ■ 품질 : 해당사항 무	민원으로 인해 지연된 육상 공사는 Critical Path가 아니므로, 전체 일정에는 영향이 없음
태풍영향	■ 범위 - 선박 피항으로 추가 접속점 발생 ■ 원가 - 현장대기 300,000,000원 발생 - 추가 접속공정 50,000,000원 발생 ■ 일정 : 7일간 지연 발생 ■ 품질 : 기술사양 만족	

○ 분석지표
  - 차이 분석

범 주	당 기	누 계	사 유
원 가	3,500,000원	10,389,125원	비용 상승 없이 공사비 집행
일 정	-3,500,000원	-35,000,000원	프로젝트 초기 민원 발생으로 지속적인 일정지연
품 질	만 족	만 족	

- 일정 및 비용분석

작업 이름	PV	EV	AC	SV	CV	SPI.	CPI.
□ 케이블 설치공사 예정공정표	₩115,927,500	₩80,927,500	₩70,538,375	₩35,000,000	₩10,389,125	0.70	1.15
⊞ 작업준비	₩5,303,255	₩3,702,134	₩3,226,870	-₩1,601,121	₩475,264	0.70	1.15
⊞ 케이블 제작 및 운송	₩11,634,016	₩8,121,557	₩7,078,947	-₩3,512,459	1,042,611	0.70	1.15
□ 해양조사	₩9,943,603	₩6,941,502	₩6,050,382	-₩3,002,101	₩891,120	0.70	1.15
작업준비	₩3,314,534	₩2,313,834	₩2,016,794	-₩1,000,700	₩297,040	0.70	1.15
조사실시	₩3,314,534	₩2,313,834	₩2,016,794	-₩1,000,700	₩297,040	0.70	1.15
작업종료	₩3,314,534	₩2,313,834	₩2,016,794	-₩1,000,700	₩297,040	0.70	1.15
□ 루트청소	₩5,303,255	₩3,702,134	₩3,226,870	-₩1,601,121	₩475,264	0.70	1.15
작업준비	₩1,767,752	₩1,234,045	₩1,075,623	-₩533,707	₩158,421	0.70	1.15
조사실시	₩1,767,752	₩1,234,045	₩1,075,623	-₩533,707	₩158,421	0.70	1.15
작업종료	₩1,767,752	₩1,234,045	₩1,075,623	-₩533,707	₩158,421	0.70	1.15
□ 육상공사	₩3,564,782	₩2,488,528	₩2,169,062	-₩1,076,253	₩319,467	0.70	1.15
육상부 절개 및 굴착공사	₩712,956	₩497,706	₩433,812	-₩215,251	₩63,893	0.70	1.15
BM제작 및 설치	₩712,956	₩497,706	₩433,812	-₩215,251	₩63,893	0.70	1.15
케이블 인입관 설치	₩712,956	₩497,706	₩433,812	-₩215,251	₩63,893	0.70	1.15
되메우기	₩712,956	₩497,706	₩433,812	-₩215,251	₩63,893	0.70	1.15
중계소 인입공사	₩712,956	₩497,706	₩433,812	-₩215,251	₩63,893	0.70	1.15
□ 해상공사	₩64,759,374	₩45,207,688	₩39,404,119	-₩19,551,68E	₩5,803,569	0.70	1.15
□ 천해부 공사	₩18,355,892	₩12,814,013	₩11,169,005	-₩5,541,879	₩1,645,008	0.70	1.15
작업전 부이설치	₩3,671,178	₩2,562,803	₩2,233,801	-₩1,108,376	₩329,002	0.70	1.15
케이블 랜딩 1	₩3,671,178	₩2,562,803	₩2,233,801	-₩1,108,376	₩329,002	0.70	1.15
천해부 매설	₩3,671,178	₩2,562,803	₩2,233,801	-₩1,108,376	₩329,002	0.70	1.15
케이블 랜딩 2	₩3,671,178	₩2,562,803	₩2,233,801	-₩1,108,376	₩329,002	0.70	1.15
케이블 랜딩 3	₩3,671,178	₩2,562,803	₩2,233,801	-₩1,108,376	₩329,002	0.70	1.15
□ 케이블 포설 및 매설	₩46,403,482	₩32,393,676	₩28,235,115	-₩14,009,807	₩4,158,561	0.70	1.15
랜딩후 작업준비	₩7,733,914	₩5,398,946	₩4,705,852	-₩2,334,968	₩693,093	0.70	1.15
SEG. A	₩7,733,914	₩5,398,946	₩4,705,852	-₩2,334,968	₩693,093	0.70	1.15
SEG. B	₩7,733,914	₩5,398,946	₩4,705,852	-₩2,334,968	₩693,093	0.70	1.15
SEG. C	₩7,733,914	₩5,398,946	₩4,705,852	-₩2,334,968	₩693,093	0.70	1.15
케이블 접속	₩7,733,914	₩5,398,946	₩4,705,852	-₩2,334,968	₩693,093	0.70	1.15
케이블 시험	₩7,733,914	₩5,398,946	₩4,705,852	-₩2,334,968	₩693,093	0.70	1.15
⊞ 부대공사	₩12,595,231	₩8,792,569	₩7,663,817	-₩3,802,662	₩1,128,752	0.70	1.15
⊞ 작업종료	₩2,823,983	₩1,971,387	₩1,718,308	-₩852,597	₩253,078	0.70	1.15

- 누계지표

단위: 원

항 목	4월	5월	6월	7월	8월
PV	15,000,000	20,377,500	32,927,500	45,927,500	115,927,500
EV	15,000,000	15,000,000	26,652,500	45,927,500	80,927,500
AC	12,000,000	16,570,875	27,238,375	39,038,375	70,538,375
SPI	1	0.74	0.81	1	0.70
CPI	1.25	0.91	0.98	1.18	1.15

□ **향후계획**

o 예정공정표

작업분류체계(WBS)	계 획	누 계	가 중 치	합 계
작업준비	100%	100%	4.6%	4.6%
케이블 제작 및 운송	100%	100%	10.0%	10.0%
해양조사	100%	100%	8.6%	8.6%
루트청소	100%	100%	4.6%	4.6%
육상공사	100%	100%	3.1%	3.1%
해상공사	90%	50.3%	55.9%	50.3%
부대공사	0%	0%	10.9%	0.0%
작업종료	0%	0%	2.4%	0.0%
합 계				81.1%

○ 예상지표

주요 누계지표							단위: 천원
항 목	4월	5월	6월	7월	8월	9월	10월
PV	15,000	20,378	32,928	45,928	115,928	142,928	174,878
EV	15,000	15,000	26,653	45,928	80,928	142,928	174,878
AC	12,000	16,571	27,238	39,038	70,538	126,338	155,093
SV	−	5,378	6,275	−	−35,000	−	−
CV	3,000	1,571	586	6,889	10,389	16,589	19,784
SPI	1.00	0.74	0.81	1.00	0.70	1.00	1.00
CPI	1.25	0.91	0.98	1.18	1.15	1.13	1.13
EAC	139,902	193,192	178,722	148,646	152,427	154,580	155,093
TCPI	0.98	1.01	1.00	0.95	0.90	0.66	−

○ 주요 관리사항
- 예상 리스크

주민대표와의 합의에도 불구하고 일부 주민의 민원제기 가능성 상존하고, 이로 인한 일정지연 및 원가상승

- 예상 이슈

사설항로표지 설치시 조업권 방해를 이유로 민원제기

프로젝트 성과 보고서
[Project Performance Reports]

프로젝트 명(Project Title) : _____

작업분류체계 항목 (WBS Element)	계획 및 실적 (Values)			차이 (Variance)		성과 지수 (Performance Index)	
	계획가치 (Planned Value)	획득가치 (Earned Value)	실제원가 (Actual Cost)	일정 (Schedule)	원가 (Cost)	일정 (Schedule)	원가 (Cost)
1. 프로젝트 계획 수립	3,600	3,200	3,400	−400	−200	0.89	0.94
2. 요구사항 도출 및 분석	4,000	2,800	2,650	−1,200	150	0.70	1.06
3. 설계	3,000	2,700	3,150	−300	−450	0.90	0.86
4. 구현 (단위테스트 포함)	5,200	5,300	6,300	100	−1,000	1.02	0.84
5. 통합테스트	1,800	1,500	1,200	−300	300	0.83	1.25
6. 시스템테스트	1,000	850	800	−150	50	0.85	1.06
7. 인수테스트	800	700	650	−100	50	0.88	1.08
8. 시스템 오픈 및 안정화	3,500	2,800	3,100	−700	−300	0.80	0.90
계	22,900	19,850	21,250	−3,050	−1,400	0.87	0.93

차이 분석
(Variance Analysis)

프로젝트명(Project Title) : _____

□ 범위

계 획	실 적	편 차	사 유
해상공사 11km	좌 동	0%	해당사항 없음

□ 일정

계 획	실 적	편 차	사 유
80%	90%	+ 10%	계획수립시 포함되었던 기상대기 기간을 사용하지 않았음

□ 원가

계 획	실 적	편 차	사 유
80%	85%	+ 5%	예상치 못한 민원발생으로 보상금 지불

□ 조치사항

- 범위
  : 현재까지 고객의 추가 요구사항은 없었으나, 향후 요구 가능성은 높음.
   범위 변경을 가져오는 요구사항에 대해서는 감독지시서를 수령하여, 프로젝트 종료 전 고객사와 정산협의를 할 것
- 일정
  : 현재 일정은 계획을 초과하여 달성하였으나, 프로젝트 종료시점까지 안심할 수 없는 상황이므로 지속적으로 공정을 모니터링하여 일정지연 발생을 미연에 방지할 것
- 원가
  : 초과 지출된 비용은 일정 지연을 방지하기 위한 불가피한 선택으로 예비비에서 지출됨.
   추가 조치는 필요하지 않으며, 계획된 일정대로 작업을 진행하면서 원가절감 노력이 요구됨

차이 분석
[Variance Analysis]

프로젝트 명(Project Title) : _____

작업분류체계 항목 (WBS Element)	계획 및 실적 (Values)			차이 (Variance)		차이 분석 (Variance Analysis)		
	계획가치 (Planned Value)	획득가치 (Earned Value)	실제원가 (Actual Cost)	일정 (Schedule)	원가 (Cost)	일정 (Schedule)	원가 (Cost)	품질 (Quality)
1. 프로젝트 계획 수립	3,600	3,200	3,400	-400	-200	프로젝트 수립 활동이 계획 대비 일정이 지연되고 있어 만회 방안 필요	계획 대비 예산이 초과 투입되고 있어 개선방안 필요	
2. 요구사항 도출 및 분석	4,000	2,800	2,650	-1,200	150	요구사항 도출 분석활동이 계획 대비 일정이 상당히 지연되고 있어 특단의 대책 마련		
3. 설계	3,000	2,700	3,150	-300	-450	설계 활동이 계획 대비 일정 10% 지연이 발생되어 만회방안 수립 필요	설계 활동이 계획 대비 15% 이상 비용이 초과 집행되어 만회 방안 수립 필요	
4. 구현 (단위테스트 포함)	5,200	5,300	6,300	100	-1,000		구현 활동이 계획 대비 20% 가까이 비용이 초과 집행되어 만회 방안 수립 필요	
5. 통합테스트	1,800	1,500	1,200	-300	300			
6. 시스템테스트	1,000	850	800	-150	50			
7. 인수테스트	800	700	650	-100	50			
8. 시스템 오픈 및 안정화	3,500	2,800	3,100	-700	-300	전체 활동이 계획 대비 10% 이상 일정 지연이 발생되어 지체 상금 지불 불가피	전체 활동이 계획 대비 10% 이상 비용이 초과 집행되어 예비비 사용	
계	22,900	19,850	21,250	-3,050	-1,400			

5.5 획득가치 현황 보고서 (Earned Value Status Report)

프로젝트명(Project Title) : _____

☐ 계획대비 실적

항 목	당 기	이전 누계	총계
계획가치(PV)	70,000,000원	45,927,500원	115,927,500원
실적가치(EV)	35,000,000원	45,927,500원	80,927,500원
실제원가(AC)	31,500,000원	39,038,375원	70,538,375원

☐ 주요지표

항 목	당 기	이전 누계	총계
일정차이(EV−PV)	− 35,000,000원	0원	− 35,000,000원
원가차이(EV−AC)	3,500,000원	6,889,125원	10,389,125원
일정성과지수(EV/PV)	0.50	1.00	0.70
원가성과지수(EV/AC)	1.11	1.18	1.15

☐ 최종 예상치

항 목	당 기	이전 누계	총계
완료시점 산정치(EAC)	157,389,750원	148,645,875원	152,427,477원
잔여원가 산정치(TCPI)	0.98	0.95	0.90

☐ 획득가치 및 S-Curve

	항 목	4월	5월	6월	7월	8월
월간	계획가치(PV)	15,000,000원	5,377,500원	12,550,000원	13,000,000원	70,000,000원
	실적가치(EV)	15,000,000원	−	11,652,500원	19,275,000원	35,000,000원
	실제원가(AC)	12,000,000원	4,570,875원	10,667,500원	11,800,000원	31,500,000원
누계	계획가치(PV)	15,000,000원	20,377,500원	32,927,500원	45,927,500원	115,927,500원
	실적가치(EV)	15,000,000원	15,000,000원	26,652,500원	45,927,500원	80,927,500원
	실제원가(AC)	12,000,000원	16,570,875원	27,238,375원	39,038,375원	70,538,375원

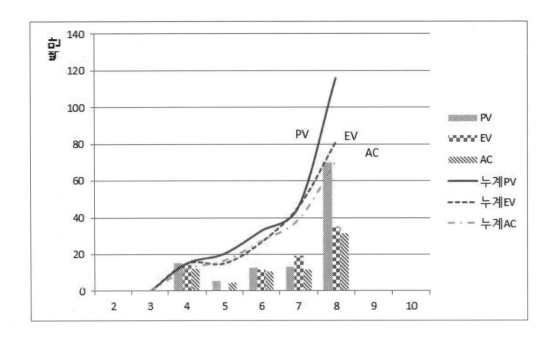

□ 향후조치

○ 전제 공정이 다소 지연될 개연성이 있음. 계획된 일정대로 프로젝트를 마치기 위하여
육상 및 해상공사를 동시에 진행하고, 해상공사의 일일 작업량을 증가시켜서 일정 및
원가 절감 추진

획득가치 현황 보고서
(Earned Value Status Report)

프로젝트 명(Project Title) : _____

구 분	현 단계 실적 (Present Phrase Performance)	전체 누적 실적 (Total Accumulated Performance)	전단계 누적 실적 (Post Phrase Accumulated Performance)
계획가치(Planned Value)	1,500	9,300	7,800
획득가치(Earned Value)	2,000	8,900	6,900
실제원가(Actual Cost)	2,200	9,500	7,300
일정차이(Schedule Variance)	500	−400	−900
원가차이(Cost Variance)	−200	−600	−500
일정성과지수 (Schedule Performance Index)	0.75	1.04	1.13
원가성과지수 (Cost Performance Index)	1.1	1.07	1.06

■ 일정차이의 주요 원인 :
  핵심 개발인력 투입 지연으로 해당 업무 개발공정 지연 발생

■ 인도물, 마일스톤 또는 주 공정에 대한 영향 :
  개발소스 납기가 지연될 우려는 있으나 분석/설계 산출물의 현행화는 최종 완료 전까지 수행하는 것으로
  상호 합의함

■ 원가차이의 주요 원인 :
  운영장비 단종에 따른 사양 상향 조정 및 해당 장비 가격 상승으로 인해 10% 이상의 원가 차이 발생
  예산, 우발사태 펀드 또는 예비에 대한 영향 :
  해당사항 없음

■ 완료시점산정치(Estimate At Completion) : 완료시점예산(Budget At Completion)15,000로 가정시
  EAC = AC + ETC = AC + (BAC - EV) = 2,200 + (15,000 - 2,000) = 15, 200
  − 예산 대비 200만큼 초과 예상되므로 이에 대한 예비비 반영 등 대응방안 강구 필요

완료성과지수 (To complete performance Index)	1.02

TCPI = (BAC - EV) / (BAC -AV) = (15,000 - 2,000) / (15,000 - 2,200) = 13,000 / 12,800
= 1.02로 목표 달성이 어려울 수 있는 바 경비 절감을 포함하여 인력투입 효율화 등 이에 상응하는
  노력과 참여가간의 협조가 요망됨

<table>
<tr><td>5.6</td><td colspan="2" align="center"># 제품 인수 기준
(Product Acceptance)</td></tr>
</table>

프로젝트명(Project Title) : _____

☐ 시공내역

구　분	내　용
공　정　명	– 해양조사 – 루트청소 – 해상 공사 – 육상 공사
계약수량	– 해상 11.0km – 해상 11.0km – 해상 11.0km구간 2m 포설 및 매설 – 육상 0.5km구간 2m 포설 및 매설
준　공　량	– 해상 11.0km – 해상 11.0km – 해상 11.0km구간 2m 포설 및 매설 – 육상 0.5km구간 2m 포설 및 매설
검증방법	– 일일보고서 – 시험성적서 – 수중 검측
과　부　족	해당 사항 없음

☐ 감리사

감리기간	진　도　율	의　　견
2012.XX.XX. ~ 012.XX.XX	100%	설계내역과 일치함

☐ 발주처 PM

검사기간	합격여부	의　　견
2012. 7. 31.	합　격	적정함

○ 첨부물
- 준공계 1부

제품 인수 기준 [Product Acceptance]

프로젝트 명(Project Title) : _____

No	CSFs	Source Data	Indicator	Target	Units	달성율/여부
1	응용 프로그램	온라인 테스트 완성도	인수테스트 실시 백분율	100	%	
			중요도 1 거래 성공율	100	%	
			중요도 2 거래 성공율	100	%	
			중요도 N 거래 성공율	100	%	
			중요도 1 거래 실패건수	XX 미만	COUNT	
			중요도 2 거래 실패건수	XX 미만	COUNT	
			중요도 N 거래 실패건수	XX 미만	COUNT	
		마감 및 자료 정합성	마감 및 통제 정합성	100	%	
			대외기관 보고 성공율	100	%	
			배치 성공율	100	%	
		에러발생추이 (업무별 시나리오에 의한 케이스별 검증)	Input Error	0	%	
			Logic or Output Error	0	%	
			Data(Migration) Error	0	%	
		미해결 문제건수	미해결 문제건수	0	건	
2	Interface	테스트 완성도	설정항목 적용도	100	%	
			기본 기능 성공율	100	%	
		이행 검증	연계 성능	100	%	
3	이행 데이터	데이터 이행 시간	Extract from ex-서브시스템#1 DB	2	hr	
			Extract from ex-서브시스템#2 DB	2	hr	
			Extract from ex-서브시스템#3 DB	2	hr	
			Extract from ex-서브시스템#4 DB	5	hr	
			Extract from ex-서브시스템#5 DB	2	hr	

No	CSFs	Source Data	Indicator	Target	Units	달성율/여부
4	성능	데이터 이행 품질	Transformation, Cleansing	5	hr	
			DB Load	3	hr	
			Check Data Loaded	5	hr	
			Total Data Migration Time	20	hr	
			Load 중 에러 건수	0	case	
			데이터 Load 후 테이블에서의 불일치 건수	0	case	
			통제 및 Cross Check 데이터 불일치 건수	0	case	
		일반 환경	주요 거래 응답 속도	0.5	%	
			사용자 응답 속도(기준 5초) 만족도	90	%	
			부하 통의 응답 속도	30	sec	
		장애 복구	OS, WAS 장애 복구	Y	Y/N	
			DB 장애 복구	Y	Y/N	
			L4 장애 복구	Y	Y/N	
			SAN 장애 복구	Y	Y/N	
5	사용자 준비	각 PC에 시스템 연결 설정	Power User 교육	All PC	Y/N	
		교육		Y	Y/N	
			교육 만족도 및 시스템 이해도 설문	90	%	
			사용자 교육 시행 여부	Y	Y/N	
			교육 만족도 및 시스템 이해도 설문	90	%	
			운영자 교육 시행 여부	Y	Y/N	
			교육 만족도 및 시스템 이해도 설문	90	%	
6	자원용량	CPU	WAS1 CPU	90	%	
			WAS2 CPU	90	%	
			DB1 CPU	90	%	
			DB2 CPU	90	%	
		Memory	WAS1 Memory	90	%	
			WAS2 Memory	90	%	
			DB1 Memory	90	%	
			DB2 Memory	90	%	

No	CSFs	Source Data	Indicator	Target	Units	달성율/여부
		Network	WAS1 Bandwidth Usage	???	%	
			WAS2 Bandwidth Usage	???	%	
			DB1 Bandwidth Usage	???	%	
			DB2 Bandwidth Usage	???	%	
			Head Office Bandwidth Usage	???	%	
		H/W	H/W 구성 및 확인 – WAS서버	Y	Y/N	
			H/W 구성 및 확인 – DB서버	Y	Y/N	
			H/W 구성 및 확인 – L4	Y	Y/N	
7	시스템 구성	S/W	S/W 구성 및 확인 – WAS서버	Y	Y/N	
			S/W 구성 및 확인 – Main서버	Y	Y/N	
			S/W 구성 및 확인 – DB서버	Y	Y/N	
			S/W 구성 및 확인 – L4	Y	Y/N	
8	운영절차	운영절차서	온라인 운영지침서 작성 및 확인	Y	Y/N	
			사용자 지침서 작성 및 확인	Y	Y/N	
			일일 운영 지침서 작성 및 확인	Y	Y/N	
9	시험운영	일일운영테스트	일일 마감 후 Cross Check 후 예러	0	Y/N	
10	시범운영	일일운영테스트	일일 마감 후 Cross Check 후 예러	0	Y/N	
		Cut-over Structure	Cut-over 기간 비상근무체제 확립	Y	Y/N	
11	컷오버 준비	시나리오	Cut-over 시나리오 작성 및 검증 (리허설)	Y	Y/N	
		비상계획 (Contingency Plan)	데이터 이행 시나리오 작성 및 검증	Y	Y/N	
			비상계획 수립 및 검증	Y	Y/N	
12	프로그램 적용 관리	가동용 프로그램 적용		Y	Y/N	
13	기타	개발자 Cut-over 성공 신뢰수준설문		90	%	

진척 보고서
(Progress Report)

프로젝트명(Project Title) : _____   기준일자 : _____

□ 프로젝트 개요

- ㅇ 프로젝트 위 치 : ㅇㅇ도 ㅇㅇ시 ㅇㅇㅇ현장
- ㅇ 발 주 처 : (주) ㅇㅇㅇ
- ㅇ 시 공 사 : (주) ㅇㅇㅇ
- ㅇ 감 리 사 : (주) ㅇㅇㅇ
- ㅇ 착 공 일 자 : 20xx.xx.xx
- ㅇ 준 공 예 정 일 자 : 20xx.xx.xx

□ 프로젝트 실적

- ㅇ 공정률

공정별	계 획	실 적	가 중 치	합 계
해양조사	100%	100%	8.5%	8.5%
루트청소	100%	100%	4.6%	4.6%
해상공사	50%	60%	83.8%	50.3%
육상공사	60%	50%	3.1%	1.6%
합 계				65.0%

- ㅇ 일정 및 원가 (단위 : 원)

구 분	계획가치(PV)		실적가치(EV)		일정성과지수 (SPI)	원가성과지수 (CPI)
	월별	누계	월별	누계		
4월	15,000,000	15,000,000	15,000,000	15,000,000	1	1.25
5월	5,377,500	20,377,500		15,000,000	0.74	0.91
6월	12,550,000	32,927,500	11,652,500	26,652,500	0.81	0.98
7월	13,000,000	45,927,500	19,275,000	45,927,500	1	1.18
8월	70,000,000	115,927,500	35,000,000	80,927,500	0.70	1.15
합 계	115,927,500		80,927,500			

○ 실적 그래프

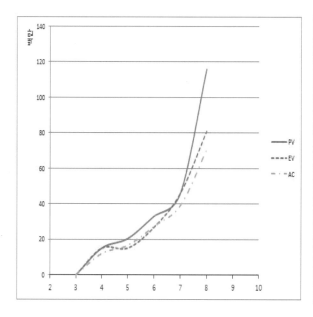
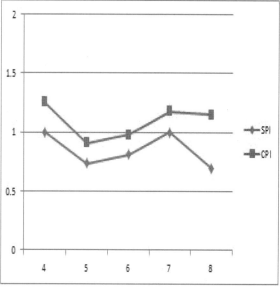

□ 예정사항

계획진도	82.9%	예상진도	91.3%
계획가치(PV)	144,973,448원	예상 획득가치(EV)	159,663,158원
예상 리스크	여름철 태풍 발생	대처방안	- 공기 단축 - 기상예보 모니터링
비 고	- 현재 일정 및 원가는 관리수준 이내에 있으나, 여름철 잦은 태풍 발생이 우려되므로 공기를 최대한 단축하면서 작업진행 예정 - 기상정보를 면밀히 관찰하여 작업지연을 최소화 할 수 있도록 대응책 수립		

진척 보고서
(Progress Report)

프로젝트 명(Project Title) : _____

□ [주간보고 사례] - Weekly Report

진척률 (Progress Rate)	계획(%)/실적 (Plan(%)/Performance)		누계 계획(%)/실적 (Accumulated Plan(%)/Performance)		공정진척률 (Process Progress Rate)
	5.46	4.86	76.12	73.38	96.39

시스템 (System)	누계 공정진척률 (Accumulated Process Progress Rate)	금주 진척률(%) (This Week Progress Rate)		누계 진척률(%) (Accumulated Progress Rate)	
		계획 (Plan)	실적 (Performance)	계획 (Plan)	실적 (Performance)
서브시스템 #1 (Subsystem #1)	97.07	6.54	10.01	75.54	73.32
서브시스템 #2 (Subsystem #2)	98.97	1.75	2.61	78.25	77.45
서브시스템 #3 (Subsystem #3)	94.90	1.75	1.10	78.25	74.26
서브시스템 #4 (Subsystem #4)	92.89	4.8	11.86	66.66	61.92
서브시스템 #5 (Subsystem #5)	99.55	0.72	0.36	79.29	78.93
서브시스템 #6 (Subsystem #6)	94.44	3.17	3.18	78.75	74.37

□ [월간보고 사례] - Monthly Report

진척률 (Progress Rate)	계획(%)/실적 (Plan(%)/Performance)		누계 계획(%)/실적 (Accumulated Plan(%)/Performance)		공정진척률 (Process Progress Rate)
	14.17	15.83	94.40	93.79	99.36

시스템 (System)	누계 공정진척률 (Accumulated Process Progress Rate)	금월 진척률(%) (This Month Progress Rate)		누계 진척률(%) (Accumulated Progress Rate)	
		계획 (Plan)	실적 (Performance)	계획 (Plan)	실적 (Performance)
서브시스템 #1 (Subsystem #1)	98.22	4.33	6.29	77.71	76.33
서브시스템 #2 (Subsystem #2)	98.49	15.83	14.56	98.25	96.77
서브시스템 #3 (Subsystem #3)	99.79	13.14	14.27	95.83	95.63
서브시스템 #4 (Subsystem #4)	99.92	20.34	23.01	95.97	95.89
서브시스템 #5 (Subsystem #5)	99.61	15.66	15.27	99.29	98.90
서브시스템 #6 (Subsystem #6)	99.87	15.75	21.56	99.38	99.25

□ [Dash 보드 형태 사례] - Dashboard Type Case

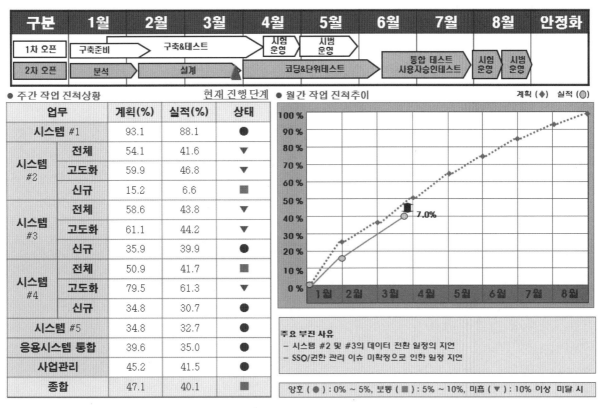

6

프로젝트 종료

6. 프로젝트 종료

프로젝트 종료는 프로젝트 목표를 달성하였을 때 수행하기도 하지만, 프로젝트가 여러 이유로 중단되거나 취소되었을 경우에도 수행된다. 종료 프로세스란, 프로젝트를 공식적으로 종료하기 위하여 관련 작업을 종료하고 그 결과를 평가하며, 행정적인 종료와 조달계약에 대한 종료 절차를 수행하는 것으로 크게 구분할 수 있다. 이들 종료 프로세스는, 프로젝트 생애주기의 마지막 단계에서 종료 활동을 수행할 경우는 물론, 각 생애주기 단계의 끝에서 수행하는 종료 활동도 모두 포함하며, 각 단계의 종료에서 수행된 결과물들이 모여 결국 최종 프로젝트 종료 절차를 수행하게 된다. 이 때 프로젝트의 각종 경험 및 지식을 기록하고 축적하는 작업도 함께 수행된다.

프로젝트 종료를 위해서는 사전에 종료 계획이 수립되어야 하며, 이는 고객이나 스폰서와 함께 검토되어야 하고, 동시에 체크리스트로 작성되는 것이 바람직하다. 주요 점검 사항은 수행 조직 측면에서의 종료회의, 인력 재배치 계획, 개인고과 평가 등이 있고, 재무적인 측면에서의 원가 및 예산 감사, 청구서 접수, 최종 회계 보고서 등이 있으며, 조달 측면에서는 조달평가 보고서, 공급자 통지, 최종 대금지불 등이 있다. 기타 프로젝트 현장 측면에서의 시설 정리나 장비 및 자재 처분도 이에 포함될 수 있다.

계약적 종료를 위해서는 계약 관련 기록을 최종 프로젝트 기록에 첨부하여야 하며, 계약의 공식 수용 및 종료를 위해서는 조달 책임자가 판매자에게 계약이 종료되었음을 통지하여야 한다. 이 때 수락 조건이나 종료 조건은 계약서에 명시된 내용을 따른다. 이를 수행하는 가장 대표적인 방법이 조달 감사이며, 이는 조달 계획에서부터 계약 종료에 이르는 전 조달 과정을 감사한다. 조달 감사의 목적은 조달 업무 성과에 대한 평가 및 개선에 목적을 두며, 사후 프로젝트에서 조달 여부 결정 또는 조달 승인 결정에 참고하기 위함이다.

프로젝트 종료를 위해서는 성과 측정 문서와 프로젝트 결과 문서가 요구된다. 성과 측정 문서는 행정적인 종료를 위한 절차에서 프로젝트 성과를 분석하고 재검토하기 위한 것으로 성과 측정 기준을 명시한 계획 문서와 함께 검토된다. 프로젝트 결과 문서는 행정적인 종료를 위한 절차에서 프로젝트 결과물을 설명하기 위해 요구되는 것으로, 계획서, 시방서, 기술 문서나 도면, 기타 전자 파일 등을 모두 포함한다. 행정적 종료를 위해서는 프로젝트 문서와 기록을 최신화하여 색인과 함께 보관하며, 결과물에 대한 공식적 인수를 위해 인수 내용을 문서화하고 이를 공식 배포한다. 이 때, 프로젝트 단계별 산출물에 대해 고객의 인수 사실을 확인 받는다.

프로젝트의 최종 결과를 설명하고 공식적으로 종료를 승인받기 위해서는 프로젝트 종료보고서를 작성하고 배포하는 경우가 많다. 이는 달성 결과의 인증, 계획과 실적의 차이 분석, 고객 및 이해관계자에게 최종 결과 보고, 교훈 및 경험의 활용에 목적이 있다. 특히 교훈 사항은 프로젝트 진행 동안 주기적으로 기록되어야 하며, 개선된 사항, 문제점, 식별 또는 발생된 리스크, 각종 조치 방법 및 배경, 대응 또는 조치 방법에 대한 배경 및 결과 등이 포함되어야 한다.

〈종료 프로세스를 위한 체크리스트〉

- 최종 인수회의가 수행 되었는가
- 최종 인수회의를 수행하고 인수 승인을 받았는가
- 고객과의 최종 계약 사항을 검토 하였는가
- 공급업체와의 계약 종결 및 업무를 종료 하였는가
- 사후 프로젝트 검토가 협의사항에 따라 실행 되었는가
- 모든 참가자들이 동의한 주요 입력 사항들이 제공 되었는가
- 회의 내용들이 기록 되었는가
- 각 항목들이 순위화된 목록으로 작성 되었는가
- 개선을 위한 아이디어들이 포착 되었는가
- 리스크관리 데이터베이스가 최신화 되었는가
- 각 항목들이 조직의 교훈 작성에 맞도록 그 형식에 통합 되었는가
- 프로세스 변경 요구가 프로젝트 팀에 의해 권장되는 변경으로 다루기 위해 문서로 작성 되었는가
- 사후 프로젝트 검토 세션의 결과를 보고서로 작성 하였는가
- 보고서가 모든 검토 참가자들에게 배포 되었는가
- 피드백이 제공되고 적절한 변경이 이루어 졌는가
- 결과들이 조직의 프로세스 자산 라이브러리에 결집 되었는가
- 적절한 기록들이 프로젝트 기록 데이터베이스에 저장 되었는가

 MEMO

<table>
<tr><td>6.1</td><td><h1>조달 감사
(Procurement Audit)</h1></td></tr>
</table>

프로젝트명(Project Title) : _____

☐ 조달계획 수립 (Plan Procurements)

○ 우수사례 공유

- 당사의 계약부서에서 A사와 계약을 체결하면서 계약서에 다음과 같이 의사소통 채널을 지정함으로써, 내부적으로도 업무 범위를 명확히 하였으며 A사도 업무 진행 중 불필요한 연락을 최소화하여 효율적인 업무를 진행할 수 있도록 유도하였음.

  예) 계약 및 청구사항   경영팀 ○ ○ ○   연락처 000-000-0000
  　　 기술 및 품질사항   기술팀 ○ ○ ○   연락처 000-000-0000

○ 개선사항

- A사와 계약을 진행하면서 자체적인 QA/QC 업무를 진행하고 확인 자료를 제출할 것을 계약서에 명시하지 않음으로써, A사에서는 최소의 인력만 투입하였고 또한 제출된 완성품이 품질 기준을 만족하는지 자체 점검을 소홀히 하여 납품하였고, 이는 당사의 QA/QC 인력의 업무 가중을 야기하였음. 향후에는 협력사에서 납품할 때 자체 품질검사 결과를 반드시 첨부하도록 하고, 당사의 QA/QC 팀에서는 이를 검증하도록 업무가 이루어져야 함.

☐ 조달 수행 (Conduct Procurements)

○ 우수사례 공유

- 견적서를 접수 받기 전 잠정 공급사들을 대상으로 현장설명회를 개최하여 견적산출 기초자료 및 기술적 요구사항에 대한 자료 배포 및 설명을 하여, 잠정 공급사들이 동일한 조건에서 공정하게 경쟁할 수 있도록 유도하였음. 이렇게 함으로써 잠정 공급사들의 견적내용이 동일한 업무범위에 대해서 이루어지고, 공정한 공급자 선정의 기초가 되었음.

○ 개선사항

- B 프로젝트의 공종별 예상 원가를 산정하면서 과거 실적 또는 일정표의 활동별 자원소요량을 기준으로 원가를 산정하는 대신, 입찰 예상금액을 기준으로 공종별 점유비율로 단순 분배하여 원가를 산정하였음. 이렇게 산정된 원가와 공급사의 견적금액이 큰 차이를 보임으로써 자체 산정된 원가는 사실상 활용가치가 없는 자료였음. 향후에는 원가 산정시 유사 산정, 모수 산정 또는 상향식 산정 중 1가지 이상을 채택하여 예정 원가를 산정해서 외주 또는 자체 진행여부의 기준으로 삼아야 함.

□ 조달 관리 (Administer Procurements)

○ 우수사례 공유

    - C사와 계약 체결 후 C사 담당자를 별도 지정하여, 계약서에 명시된 계약 범위, 일정 및 기술적 성과를 주기적으로 모니터링 함으로써 납기 지연 또는 실패를 사전에 방지하고, 또한 중간 성과보고 시점에는 현장을 방문하여 보고서와 제품의 품질 및 기술적 만족도를 함께 확인함으로써 공급사 리스크를 완화시키면서 프로젝트를 진행하였음

○ 개선사항

    - C사는 이번 프로젝트를 통해서 처음 당사와 거래를 하게 되었으며, 이전의 실적이나 평가 기준이 미흡한 상태였음. 따라서 이번 프로젝트를 통해서 C사의 수행능력 및 수행성과에 대한 등급판정이 향후 프로젝트 참여 여부에 중요한 자료로 활용될 예정이었으나, 담당자의 업무 미숙으로 자료 작성 및 관리가 제대로 이루어지지 않아서 프로젝트 관리시스템(PMIS)에 기록이 남아있지 않았음. 향후에는 프로젝트 진행 중 계약사의 성과 평가가 PMIS에 입력되지 않을 경우에는 자동 알림이 이루어지도록 하고, 또한 계약사와의 업무가 종료되지 못하도록 시스템을 보완하는 것이 필요함.

□ 조달 종료 (Close Procurements)

○ 우수사례 공유

    - 공급사의 최종 성과물 납품관련 PM과 QA/QC팀은 사전 협의 및 긴밀한 연락체계 구축하고, 공급사와의 연락은 PM으로 단일화하였음. 이에 따라서 공급사는 PM에게만 예상 납품일시를 통보하면 되었고, PM은 QA/QC팀에 연락을 취해서 현장 검수에 참여하도록 업무를 조율하였다. 이로써 최종 납품 및 검증에 따른 별도의 일정 지연없이 프로젝트가 진행되었음.

○ 개선사항

    - D사가 공급한 케이블 보호관 100조 중 샘플링 검사에서 발견되지 않은 5조에서 하자가 뒤늦게 발견되어 신제품으로 교환하였으나, 수입검사 보고서 및 부적합품 보고서를 별도 작성하지 않았음. PM은 이와 같은 클레임 상황이 발생 시 부적합품 보고서를 작성하여 PMIS에 등재하고 QA/QC팀에 이 사실을 알려야 함. 클레임의 종결 시점 및 내용 또한 부적합품 보고서에 추가 기재하고, 관련 자료를 PMIS에 등재하고 후속 프로젝트 등에서 활용할 수 있게 하여야 함.

조달 감사
(Procurement Audit)

프로젝트 명(Project Title) : _____

프로젝트 감사자(Project Auditor) :   감사일(Audit Date) :

[조달실적(공급실적) 감사]

☐ 조달 실적 감사 결과 (Audit result for procurement performance)

○ 감사내역

 - 조달대상 범위측면에서는 만족을 하고 있으나 추가 요구사항에 대한 수용지침이 부재한 것으로 확인되었고, 품질측면에서는 요구 사양에 미달하거나 상이한 것으로 확인되었으며, 일정측면에서도 계획 대비 평균 10일 이상 지연되고 있음. 다만 원가 측면에서는 긴급 발주장비를 제외한 대부분의 인력과 장비가 적정원가로 조달된 것으로 확인되었음

○ 개선사항

 - 개발범위 중 제외사항을 명시하여 발주자와 공급자간의 갈등 요인을 최소화할 필요가 있고, 품질 관련해서는 품질보증활동 주체 조직 및 담당자를 명확화 및 변경관리를 강화하여야 할 것으로 판단되며, 일정측면에서는 주공정 관련 업무 지연에 대한 관리를 강화하여 납기 준수 가능성을 제고해야 하며 원가측면에서는 투입인력의 등급관리 및 인원관리를 강화하여 원가절감요소를 창출하는 노력이 요구됨.

[조달관리절차 감사]

☐ 조달 계획수립 (Plan Procurements)

○ 감사내역

 - 조달 계약형태가 고정금액으로 되어 있고 리스크 대상 품목에 대해서도 Java 3년차 개발인력 5명의 개발단계 투입이 대형 프로젝트 발생에 따라 적기 투입이 어려울 수 있다는 점을 강조하여 대응방안을 사전에 강구할 수 있는 시간을 가질 수 있을 것으로 예상됨. 다만 서버 기종의 단종 가능성에 대해 대책이 누락되어 있었으며 A 솔루션에 대해서는 조달, 개발에 대한 의사결정을 내리지 않아 결정 지연에 따른 납기 및 품질목표 준수가 어려울 수 있다는 문제점이 발견되었음

○ 개선사항

 - 조달 대상 서버의 단종 가능성에 대비한 대체 벤더 및 기종을 사전에 조사하여 대안을 마련해야 하며 A 솔루션은 조달계획 확정 이전까지 조달을 통해 확보할 것인지, 개발을 할 것인지를 발주사와 개발사, 필요 시 관련 벤더 임원과의 협의를 통해 의사 결정해야 할 것으로 사료됨

□ 조달 수행 (Conduct Procurements)

- ○ 감사내역
  - 조달계획에 따라 대체적으로 무리 없이 진행되고 있음을 확인하였으나 벤더 선택 기준 중 1,000억원 이상의 프로젝트 경험을 가진 벤더가 사실상 1개사로 한정되어 있어 객관적인 업체 선정이 어려울 수 있는 리스크가 상존하며 네트워크 장비 중 라우터에 대한 사양이 본 프로젝트의 전체 시스템 규모 대비 과다하게 상향 설정이 되어 있는 것으로 확인되었음.

- ○ 개선사항
  - 벤더 선택 기준 중 프로젝트 수행경험 중 프로젝트 규모를 최소 2 ~ 3개 업체가 참여가 가능하도록 조정하되, 부득이 기준을 변경하기 어려운 경우 근거 및 사유를 첨부하여 사후 문제 발생 여지를 최소화할 필요가 있으며, 네트워크 장비 중 라우터의 사양은 관련 전문가의 의견을 수렴하여 적정 사양으로 변경할 것을 권고함.

□ 조달 관리 (Administer Procurements)

- ○ 감사내역
  - 선정된 조달 업체와의 의사소통체계는 별 문제가 없으나 조달 장비에 대한 실적보고서가 부실하게 작성되어 있고, 특히 사양 변경에 대한 사유 및 근거자료가 확인할 수 없는 것으로 확인되었음. 장비 조달 일정이 일부 변경되었으나 조달계획서는 수정되지 않은 것으로 확인되었음.

- ○ 개선사항
  - 조달 장비에 대한 실적보고를 현재 주간/월간단위로 수행하고 있는 바 결제라인을 담당 과장에서 팀장으로 상향 조정하여 사전 모니터링을 강화하고 문제 발생 시 시정조치 명령을 즉각 하달하여 조치가 될 수 있도록 하고 담당자 및 담당 팀장이 조치결과를 확인하도록 함. 또한 변경체계에 대해서는 변경 담당자를 별도로 지정하여 통합적인 변경관리가 되도록 하고 최종 변경은 프로젝트 책임자가 확인하도록 함. 필요 시 정기 조달감사를 실시하여 문제를 사전에 차단되도록 함.

□ 조달 종료 (Close Procurements)

- ○ 감사내역
  - 조달 종료 보고서 첨부문서 중 납품완료목록이 누락되어 있는 것으로 확인되었고 행정절차도 조달결제라인 상의 핵심 담당자의 사인이 되어 있지 않은 것으로 점검되었음.

- ○ 개선사항
  - 납품완료목록이 누락된 사유를 확인하고 적정한 절차를 준수하였다면 재발방지를 위해 근거를 명확히 제시하도록 함. 또한 결제라인 담당자 사인 누락이 된 원인을 파악하여 필요 시 상벌규정에 의거 상응하는 조치를 시행할 것을 권고함.

프로젝트 종료 보고서
(Project Closure Report)

프로젝트명(Project Title) : _____

□ 프로젝트 개요

- ㅇ OO에서 OO까지 해상구간 11km 및 육상구간 500m에 대한 케이블 설치 및 매설로 고품질의 안정적인 통신망 공급

□ 프로젝트 요약

- ㅇ 진행 중 작업범위를 변경할 만큼의 리스크요소는 발생하지 않았으며, 작업 중 태풍 등 기상악화로 인한 작업대기가 없어서, 계획된 일정 및 공사원가를 준수하였음.

- ㅇ 고객의 일정단축 요구를 수용하기 위하여 숙련된 기술자를 우선 투입함으로써, 안전사고 및 장비고장을 사전에 예방함과 동시에, 일정 및 원가를 절감함.

- ㅇ 프로젝트 실행 전 현지 주민과의 원만한 합의가 이루어지지 못하여 지속적인 민원제기가 발생하였으나, 이로 인한 일정지연이 발생하지는 않음.

□ 계획대비 실적

항 목	계 획	실 적	변 경
범위	해상 공사 11km 육상 공사 500m	100%	해당 없음
일정	230일간	210일간	20일 단축
원가	174,877,500원	155,093,375원	11.3% 절감
품질	전 구간 2m 매설	2m 매설심도 달성	해당 없음
리스크	태풍으로 인한 작업지연 현지인들에 의한 작업지연	작업지연 없음	해당 없음

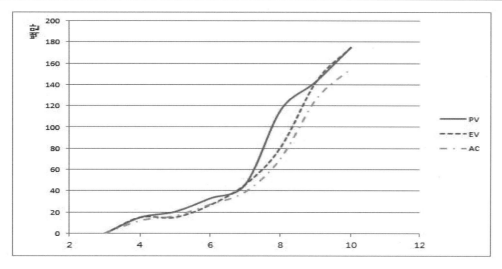

☐ 프로젝트 성과평가

항 목	기 준	배 점	평 가	비 고
원가	실행원가	30	30	
일정	계약서	20	20	계약변경사항 반영
품질	계약서	20	20	계약변경사항 반영
고개만족도	설문조사	15	15	고객 설문조사
내부평가	설문조사	15	12	내부 이해관계자 설문조사
합 계		100	97	

☐ 교훈

항 목	우수사례	개선사항
일정		– 계약 체결지연으로 작업준비기간 부족 – 작업지역의 해양환경조건 반영이 미흡
인적자원	– 프로젝트 초기에 팀원 구성에 어려움이 있었으나, 아웃소싱 및 협력업체 등 외부자원을 초기에 구성 및 투입하여 프로젝트를 완벽히 수행 함	
계획	– 초기 계획수립 단계부터 협력업체 및 고객사와 협의를 통하여 명확한 업무 범위 설정	– 계획된 작업준비 장소가 실제로는 민원으로 인하여 이용할 수 없는 곳이라는 것을 뒤늦게 확인
의사소통	– 프로젝트 수주 단계에서부터 PMO, PM, 마케팅팀간의 업무공유로 전략적인 프로젝트 수주 및 효율적인 실행계획 수립이 가능했음	– 프로젝트 수주 단계에서 고객에게 구두로 설명된 공법과 현장의 실제 공법이 달라서 고객에게 추가자료 제출 및 설득이 필요했음
프로젝트 관리	– 계약 변경이 발생 시 현장 감독관의 확인 및 승인을 득하고 프로젝트를 진행하여 논쟁의 소지를 차단하였음	

프로젝트 종료 보고서
(Project Closure Report)

프로젝트 명(Project Title) : ＿＿＿＿＿＿＿＿＿＿＿＿＿＿

□ 프로젝트 결과 요약 (Project Result Summary)

○ 시스템 기능 요약 (System Function Summary)
  - 시스템 기능(System Function)

시스템	기능명	세부 기능	세세부 기능
A 시스템	a-1 기능	a-1-1 기능	a-1-1-1 기능
		a-1-2	a-1-2-1 기능
	a-2 기능	a-2-1 기능	a-2-1-1 기능
		a-2-2 기능	a-2-2-1 기능
B 시스템	b-1 기능	b-1-1 기능	b-1-1-1 기능
	b-2 기능	b-2-1 기능	b-2-1-1 기능
C 시스템	c-1 기능	c-1-1 기능	c-1-1-1 기능
		c-1-2 기능	c-1-2-1 기능
		c-1-3 기능	c-1-3-1 기능

  - 산출물 목록(Deliverable List)

구분	단계	산출물	비고
개발산출물	분석	요구사항정의서	
		UI목록/UI정의서	
		컴포넌트정의서	
		인수테스트계획서	시나리오/케이스 포함
		단위테스트계획서	시나리오/케이스 포함
	설계	UI설계서	
		컴포넌트설계서	
		통합테스트계획서	시나리오/케이스 포함
		단위테스트결과보고서	
	구현	통합테스트결과보고서	
		시스템테스트계획서	시나리오/케이스 포함
		데이터이행계획서	
	완료	데이터이행결과보고서	
		프로그램 소스(최종)	
관리산출물	착수	프로젝트관리계획서	
		WBS	
		사업수행계획서	
		품질보증계획서	
	분석	분석단계중간보고서	품질보증활동결과포함
	설계	설계단계중간보고서	품질보증활동결과포함
	구현	검수기준서	
	완료	검수결과보고서	
		완료보고서	품질보증활동결과포함

- 시스템 설치 현황(System Installation Status)

구분	·장비명	모델명	수량	주요 사양
H/W	서버 #1	HP	2	CPU, Main Memory, OS, HDD
	서버 #2	IBM	2	CPU, Main Memory, OS, HDD
	WEB/WAS		1	CPU, Main Memory, OS, HDD
	스토리지		3	XXX GB
S/W	DBMS	Oracle	2	
	DW		1	
	서버보안용 S/W		4	
	ITSM		1	
	레포팅 툴 S/W		1	
N/W	라우터		2	
	방화벽		2	

○ 계획 대비 실적(Plan VS. Performance)

구분	계획	실적	차이	비고
예산	45.5억	50.2억	4.7억 초과	
투입공수	180 M/M	192 M/M	12 M/M 초과	
기간	18 개월	23 개월	5 개월 초과	

○ 프로젝트 만족도 평가(Project Satisfaction Assessment)

구분	목표	실적	차이	비고
요구사항충족도	100%	95.8%	4.2%	
사용자 평가	85%	90%	+ 5%	사용자만족도 설문조사결과

○ 향후 지원 계획(Support Plan)

구분	상세 내역	비고
유지보수	사업종료일로부터 12개월간 무상유지보수 실시 무상유지보수 기간 종료 후 1년단위로 유상유지보수 계약에 의한 유지보수 시행(SLA 계약 가능)	※SLA: Service Level Agreement
고객 지원 방안	무상유지보수기간 중 고객 요구 시 시스템 안정화를 위해 6개월간 2명 상주 가능 수행사 귀책에 의한 시스템 오류 발생 시 48시간 이내 해결 원칙, 지연되는 경우 1시간 당 XX %의 패널티를 부과할 수 있음	

○ 후속 프로젝트 계획(Post Project Plan)
  - 1차 프로젝트 운영 6개월 시점에서 후속 프로젝트 관련 별도 협의 예정

□ 최종 보고 (Final Report)

- 프로젝트 범위와 리스크
  - 3개의 시스템 개발 및 연계가 본 프로젝트의 범위이었고, 대체적으로 큰 문제없이 완료되었으나 연계기관간의 의사소통에 많은 어려움이 있었고 이를 극복하기 위해 상당한 인력과 경비가 소요되었고 그에 따른 일정 지연이 약 1개월 정도 있었고 충분한 테스트를 요구한 발주기관과의 협상 과정에서 추가 4개월 안정화 기간을 소요하여 전체적으로 5개월 지연이 발생하였으나 시스템 완성도가 높아 현업의 활용도와 만족도가 우수한 편임.

- 프로젝트 일정
  - 계획기간 : 2XXX.XX.XX ~ 2XXX.XX.XX (총 18개월)
  - 수행기간 : 2XXX.XX.XX ~ 2XXX.XX.XX (총 23개월)
  - 차이기간 : 5개월 추가 소요

- 투입 공수(M/M 기준)
  - 계획공수 : 180
  - 수행공수 : 192
  - 차이공수 : 12 M/M 추가 인력 투입

- 원가
  - 계획원가 : 45.5억
  - 수행원가 : 50.2억
  - 차이원가 : 4.7억 추가 원가 집행되어 전체 대비 약 10% 정도 추가되었으나 고객의 시스템 만족도와 활용도가 높아 2차 사업 수주도 가능할 전망임

□ 프로젝트 교훈 (Lessons Learned)

교훈	원인/문제점	프로젝트 결과	개선방안
프로젝트 관리 자동화 도구의 필요성	미니프로젝트 일정관리의 어려움	간이 자동화 도구 도입	시작시점부터 개발공정에 특화된 관리 자동화 도구 사용
UML의 조기교육	요구사항 획득 단계에서 UML산출물을 작성하지 못함	아키텍처 단계에서 재작업 하여 많은 혼란 초래	프로젝트 준비시점에 실습위주의 교육 수행

□ 프로젝트 통계 (Project Statistics)

항목유형 (Type)	통계 항목 (Statistics Item)	예측치 (Estimated Value)	실적치 (Performance Value)	평가 (Assessment)	비고
시스템 구성	컴포넌트 수	285	300	양호	
	보고서 수	170	215	양호	
	GUI 개수	345	417	양호	
	클래스 수	260	240	우수	
	테이블 개수	158	187	우수	
프로젝트 관리	투입공수	180	192	미흡	
	품질불합격 비율	5%	4.6%	우수	
	요구사항 건수	520	780	양호	
	변경사항 건수	90	170	미흡	
	현안 건수	50	67	우수	

저자소개

민택기 (Ph.D., PMP®)

숭실대학교 경영학부 조교수
한국프로젝트경영학회 상임이사
숭실대학교대학원 경영학 박사학위 취득
한양대학교 산업공학과 졸업
dalbitmoa@gmail.com

김동휘 (PMP®, LEED GA)

포스코건설 공정관리그룹
포스코건설 건설경영아카데미 강사
전 6공병여단 시설대대 공사1팀장
중앙대학교 건축학과 졸업
createct@poscoenc.com

김승식 (PMP®)

경기도시공사 지역경제본부 복합사업처
전 경기관광공사 개발사업본부
한양대학교대학원 관광학과(관광계획·개발)
석사학위 취득
성균관대학교 조경학과 졸업
seys@paran.com

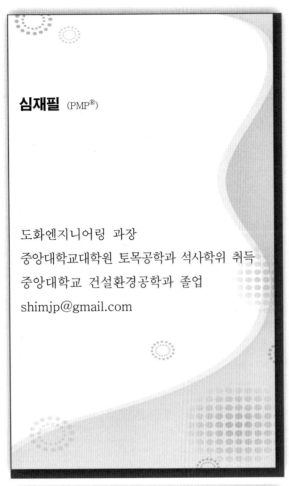

심재필 (PMP®)

도화엔지니어링 과장
중앙대학교대학원 토목공학과 석사학위 취득
중앙대학교 건설환경공학과 졸업
shimjp@gmail.com

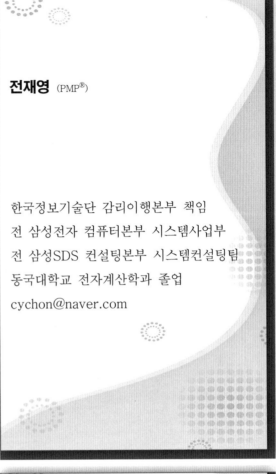

전재영 (PMP®)

한국정보기술단 감리이행본부 책임
전 삼성전자 컴퓨터본부 시스템사업부
전 삼성SDS 컨설팅본부 시스템컨설팅팀
동국대학교 전자계산학과 졸업
cychon@naver.com

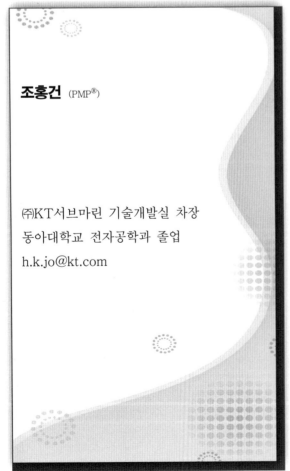

조홍건 (PMP®)

㈜KT서브마린 기술개발실 차장
동아대학교 전자공학과 졸업
h.k.jo@kt.com

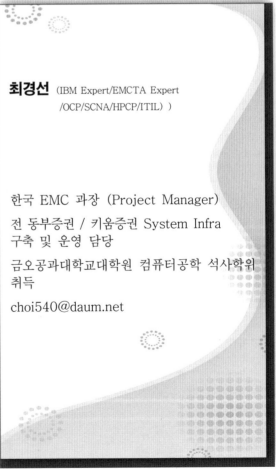

최경선 (IBM Expert/EMCTA Expert
/OCP/SCNA/HPCP/ITIL))

한국 EMC 과장 (Project Manager)
전 동부증권 / 키움증권 System Infra
구축 및 운영 담당
금오공과대학교대학원 컴퓨터공학 석사학위
취득
choi540@daum.net

실무에 바로 활용하는
프로젝트 관리 템플릿

발 행 일 | 2013년 8월 20일
공   저 | 민택기, 김동휘, 김승식
　　　　　 심재필, 전재영. 조홍건, 최경선
발 행 인 | 박승합
발 행 처 | 노드미디어
등   록 | 제 106-99-21699 (1998년 1월 21일)
주   소 | 서울특별시 용산구 갈월동 11-50
전   화 | 02-754-1867, 0992
팩   스 | 02-753-1867
홈페이지 | http://www.enodemedia.co.kr
I S B N | 978-89-8458-279-8-13320

정가 39,000원